MARIE-HÉLÈNE **SALAVERT**

TOUT sur l'alimentati

En savoir plus pour mang mieux

• les aliments •

• le choix et la préparation des produits •

• les comportements alimentaires •

• les régimes à ne pas suivre •

• les bases d'une alimentation équilibrée...

Remerciements

Je remercie le docteur Cristian Carip pour les conseils et les précisions qu'il m'a donnés lors de la rédaction de cet ouvrage.

Photographies de couverture : Petits pois : © margo555 – Fotolia.com ; cerises : © Yasonya – Fotolia.com ; chocolat : © picsfive – Fotolia.com ; lait & œufs : © eAlisa – Fotolia.com ; maki : © Pixel & Création – Fotolia.com ; spaghettis : © Foodlovers – Fotolia.com

Conception graphique de la couverture et de l'intérieur : Nord Compo
Coordination et direction éditoriale : Sophie Verdier

L'Atlantic
5, allée de la 2e DB
75015 Paris

Introduction

« Manger », « bien manger » a toujours été un acte essentiel de la vie, surtout pour le Français qui considère que la table est un lieu social authentique. Manger est clairement considéré comme un fait relationnel, c'est un appel ! « Manger, disait Brillat-Savarin, c'est parler avec les autres. »

De nombreuses études ont démontré l'influence de la nourriture sur la santé (maladies cardio-vasculaires, obésité, diabète, etc.), d'où l'intérêt de la part du grand public vis-à-vis de l'hygiène alimentaire.

S'est ajoutée, ces vingt dernières années, une inquiétude sur la qualité sanitaire des aliments que nous consommons tous les jours : « vache folle », fromages contaminés par la *Listeria*, graines germées, steaks hachés contaminés par une souche d'*Escherichia coli*, métaux lourds dans les poissons, pesticides, additifs...

En rédigeant *Tout sur l'alimentation*, je n'ai pas la prétention de résoudre tous vos problèmes diététiques, mais je désire vous informer sur vos besoins réels, resituer les aliments et les modes nutritionnels, clarifier les rumeurs concernant la qualité sanitaire des aliments.

Il est hors de mon propos de préconiser des régimes précis ; mon but est de vous aider à orienter votre alimentation, à établir des menus gastronomiques mais sains.

Cet ouvrage regroupe toutes les notions théoriques et pratiques relatives à une alimentation équilibrée.

L'ALIMENTATION, source d'énergie et de nutriments

Les besoins énergétiques

Il est nécessaire, dans un premier temps, de définir exactement ce que signifie « besoin énergétique » en matière de diététique alimentaire.

L'organisme a besoin de fournir à chacune de nos cellules l'énergie indispensable pour leur entretien, au repos ou en activité, pour les synthèses de croissance et de renouvellement.

Notre corps est comparable à une usine. Il va pouvoir fonctionner grâce à l'énergie libérée à partir de certains matériaux (les aliments, en l'occurrence). L'organisme humain dépense de l'énergie. Il est d'usage de distinguer différents postes de dépenses.

Les dépenses nécessaires pour assurer les fonctions vitales de l'organisme

Ces dépenses correspondent à l'énergie mise en œuvre pour le fonctionnement de l'organisme au repos ; elles sont appelées « le métabolisme de base ».

Elles correspondent à l'énergie nécessaire au fonctionnement des organes (le cœur, le foie, les reins, le cerveau, etc.), aux mouvements respiratoires, au tonus musculaire, à la circulation sanguine, à l'activité cellulaire.

Les dépenses liées à la thermorégulation

Elles ont pour but de maintenir la température de notre corps à 37 °C.

Dans nos pays tempérés, ces dépenses existent mais elles sont très faibles. Elles varient selon le climat, la saison, le chauffage.

L'adaptation au climat fait que :

– pour lutter contre le froid, notre organisme va produire de la chaleur en libérant de l'énergie à partir des aliments consommés ;

– pour lutter contre la chaleur, nous allons suer, donc nos pertes d'énergie sont peu importantes.

Les dépenses liées à l'acte alimentaire

Ces dépenses correspondent à l'énergie nécessaire pour la digestion, l'assimilation, la transformation et le stockage des nutriments apportés par les aliments.

Cette dépense énergétique représente environ 8 à 10 % de la dépense énergétique d'une journée ; elle dépend aussi du type de nutriment ingéré : elle est faible pour les glucides (5 %), un peu plus élevée pour les lipides (14 %), et nettement plus élevée pour les protéines (30 %).

Les dépenses liées au travail musculaire

Ce poste de dépenses est très variable. Selon le travail fourni, nous dépensons plus ou moins d'énergie. Cela peut aller de 60 à 100 kcal pour un travail léger et de 400 à 600 kcal pour un travail intense.

Exemple de dépenses liées au travail musculaire (par heure)

Monter un escalier	150 kcal
Marcher	100 kcal (marche lente) à 400 kcal (marche rapide)
Faire le ménage	150 kcal à 250 kcal
Faire du vélo, du jardinage, jouer au golf	300 kcal
Nager	260 à 750 kcal
Faire du jogging	600 à 750 kcal

À NOTER

L'adolescent présente une augmentation des dépenses liée à la croissance.

Lors de la grossesse et de l'allaitement, les besoins augmentent sensiblement en fonction de la corpulence et de l'état de nutrition préalable de la femme.

Apports énergétiques (en kcal) recommandés par jour

	20 à 40 ans	**41 à 60 ans**	**61 à 75 ans***	**Adolescents (de 10 à 18 ans)**	**Femmes enceintes**
Homme	2 700	2 500	36 kcal par kilo de poids	2 200 à 3 700	–
Femme	2 200	2 000		2 100 à 2 900	1 800 à 2 500

** Il n'existe pas de données permettant de faire des recommandations au-delà de cet âge.*

À NOTER

Les besoins énergétiques de l'organisme (ainsi que la valeur énergétique des aliments) sont exprimés en calories, plus exactement en kilocalories (kcal) ; dans le système international, l'énergie est exprimée en kilojoules (kJ). Il est fréquent de trouver ces deux unités, qui ne sont pas équivalentes (1 kcal = 4,18 kJ) pour exprimer la valeur énergétique d'un aliment.

Les sources d'énergie pour ces dépenses

Pour assurer toutes ces dépenses, l'énergie est fournie par les aliments sous la forme de trois nutriments : protéines (ou protides), lipides, glucides.

- 1 g de protéines libère 4 kcal (17 kJ).
- 1 g de lipides libère 9 kcal (38 kJ).
- 1 g de glucides libère 4 kcal (17 kJ).

En outre, l'organisme se renouvelle perpétuellement. En permanence, des cellules sont détruites et de nouvelles sont reconstruites, ce qui nécessite un apport quotidien de certaines substances que l'organisme ne peut pas fabriquer : les protéines, les vitamines, les minéraux, les fibres, et l'eau.

Les nutriments

Nous consommons tous les jours des aliments non seulement pour leurs qualités gustatives mais aussi pour leur apport en nutriments qui couvrent nos besoins énergétiques et qui permettent le bon fonctionnement notre organisme.

Les protéines, lipides et glucides constituent les nutriments de base ; les vitamines et les sels minéraux, nutriments nécessaires en petites quantités, sont indispensables au bon fonctionnement de l'organisme.

Les fibres alimentaires ne sont pas des nutriments pour l'homme, puisqu'elles ne sont pratiquement pas absorbées. Cependant, elles sont importantes lors de la digestion et, de là, dans la santé en général.

Les protéines (ou protides)

Besoins quantitatifs

Les protéines sont les constituants de base de toute cellule vivante. Elles entrent dans la composition de toutes les cellules du corps (peau, muscles, organes, sang…) ; elles constituent de nombreuses hormones, les enzymes permettant les réactions chimiques de l'organisme, les anticorps (pour lutter contre les infections).

Les apports nutritionnels conseillés (ANC), permettant de couvrir notre besoin en protéines, sont estimés entre 11 à 15 % de l'apport énergétique total.

Besoins qualitatifs

Les protéines sont des chaînes d'acides aminés (il en existe 20) dont huit sont indispensables – c'est-à-dire non fabriqués par l'organisme. Tous les acides aminés doivent être présents en proportion convenable pour la synthèse de toutes les cellules du corps.

Les aliments d'origine animale (viande, poisson, œufs, lait et produits laitiers) apportent des protéines complètes, contenant ces huit acides aminés.

Les protéines végétales (céréales, légumes secs, végétaux) sont incomplètes, certains acides aminés indispensables s'y trouvant en quantité insuffisante.

En France, les besoins des individus sont largement couverts par la consommation de viandes et de fromages riches en graisses. Cependant, celle-ci est très – voire trop – importante, ce qui entraîne un excès de lipides.

Le bon sens conseille de consommer aussi des protéines d'origine végétale, contenues dans les légumes secs, les céréales, les pommes de terre, le pain, afin de pouvoir compléter ce besoin en protéines sans trop augmenter la consommation de lipides. De plus, tous les acides aminés indispensables étant présents dans les végétaux, on peut parvenir à un équilibre en associant des aliments végétaux dont les protéines sont *complémentaires* : la consommation de légumes secs avec des céréales (par exemple, pois chiches avec semoule de blé) permet d'avoir des protéines complètes.

À NOTER

Une alimentation pauvre en protéines entraîne amaigrissement, fatigue et diminution de la résistance physique.

Une alimentation trop riche en protéines entraîne une fatigue des reins, des risques de maladies cardio-vasculaires.

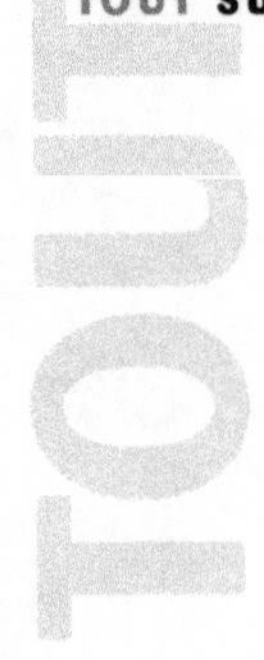

Les lipides

Les lipides (graisses ou matières grasses) sont indispensables dans notre alimentation malgré un a priori négatif. Ils ont une triple utilité :

• Ils sont une source importante d'énergie, et sont stockés dans le tissu adipeux s'ils sont consommés en trop grande quantité. Ils doivent représenter 35 à 40 % de l'apport énergétique total dans une alimentation équilibrée.

• Certains lipides sont constitutifs de la membrane des cellules (le cerveau est constitué de 50 à 70 % de lipides) ; ils sont aussi précurseurs de molécules de régulation de fonctions physiologiques variées (agrégation plaquettaire, inflammation, vasoconstriction...).

• Les lipides renferment des vitamines liposolubles A, D, E, K assurant leur absorption et leur transport dans l'organisme.

À NOTER
N'oublions pas que la présence de lipides dans un aliment (ou un repas) le rend plus savoureux, plus goûteux.

On distingue deux sortes de lipides :

• Les lipides visibles. Ils servent à la cuisson, à l'assaisonnement, pour tartiner : beurre, huile, margarine, crème, saindoux.

• Les lipides cachés. Ils sont un des constituants de certains aliments (viande, poisson, jaune d'œuf, charcuterie, lait et produits laitiers non écrémés). On les trouve aussi dans les plats cuisinés, les pâtisseries, les biscuits, les desserts sucrés...

La majorité des lipides apportés par notre alimentation sont des triglycérides, c'est-à-dire qu'ils sont composés d'un alcool (le glycérol) sur lequel sont accrochés trois acides gras.

On distingue :

• *Les acides gras non indispensables*, l'organisme étant capable de les fabriquer. Ils sont très présents dans notre alimentation, qui ne fait que compléter notre besoin.

Ils regroupent :

– l'acide oléique ou oméga 9 — acide gras mono-insaturé — (huile de colza, d'olive), qui permet de diminuer le cholestérol total et le mauvais cholestérol tout en augmentant le bon cholestérol ;

– l'acide eicosapentaénoïque (EPA), de la famille des oméga 3 (présent dans l'huile de poisson), qui a un effet protecteur sur les artères et le cœur ;

– et les acides gras saturés, qui, consommés en quantité excessive, sont athérogènes (ils favorisent la formation d'une plaque de dépôts lipidiques, appelée athérome, pouvant boucher une artère), thrombogènes (ils favorisent la formation d'une thrombose ou caillot de sang dans les vaisseaux) et hypercholestérolémiants. La consommation de ces acides gras saturés est souvent excessive.

• *Les acides gras indispensables*, appelés aussi acides gras essentiels, nécessaires au développement et au bon fonctionnement de l'organisme. Mais, notre corps ne sachant pas les fabriquer ou ne les fabriquant pas en quantité suffisante pour couvrir ses besoins, notre alimentation doit les lui fournir en totalité ou en quasi-totalité. Ce sont des acides gras polyinsaturés, dont deux familles sont particulièrement importantes :

– les acides gras oméga 3 (comprenant l'acide alpha-linolénique et l'acide docosahexaénoïque ou DHA), dont la consommation peut permettre une prévention des maladies cardio-vasculaires, et une diminution de la pression artérielle chez les personnes présentant une hypertension artérielle ;

– les acides gras oméga 6 (acide linoléique précurseur de la famille des oméga 6), qui ont la propriété d'être hypocholestérolémiant, d'éviter le risque de thrombose.

À NOTER

Notre besoin en oméga 6 est largement couvert par notre alimentation alors que l'apport en oméga 3 peut être insuffisant, d'où l'importance de consommer des aliments naturellement riches en acides gras oméga 3 comme certains poissons, certaines huiles (cf. tableau ci-dessous)...

Sources des divers acides gras

	Riches en lipides « cachés »	Riches en lipides « visibles »
Acides gras saturés	Morceaux gras du bœuf, mouton, charcuterie, lait entier, fromages, pâtisseries, viennoiseries, biscuits salés et sucrés, plats cuisinés du commerce, chocolat, noix de coco	Beurre, crème, saindoux, huile de coprah (noix de coco), de palmiste, Végétaline®, margarine ordinaire (emballage papier)
Acides gras oméga 9	Morceaux gras de porc, de volaille, graisse d'oie et de canard, œufs, olives, avocat, cacahuètes, noisettes, pistaches	Huile d'arachide, d'olive, de colza, de noisette, de sésame, de maïs, margarine végétale (en pot)
Acides gras oméga 6	Amandes, noix, germes de blé	Huile de tournesol, de maïs, de pépins de raisin, de noix, de germes de blé, de soja, de sésame, de carthame, margarine au tournesol, au maïs
Acides gras oméga 3	Poissons demi-gras et gras (anguille, hareng, maquereau, saumon, sardine, thon), noix, germes de blé, graines de lin	Huile de colza, de germes de blé, de noix, de soja

Le cholestérol fait également partie des lipides. Il est précurseur d'hormones dont les œstrogènes (hormones sexuelles féminines) et la testostérone (hormone sexuelle mâle) et il est un élément important des membranes cellulaires, notamment dans le cerveau. Le cholestérol n'étant pas soluble dans l'eau donc dans le sang, il s'associe à des protéines, ce qui permet son transport dans le sang. Ces protéines sont appelées lipoprotéines.

On distingue :

– les *Low Density Lipoproteins* ou LDL, qui prennent le cholestérol au foie et le transportent dans l'organisme. Ce cholestérol se dépose dans les artères et peut les obturer. C'est le « mauvais cholestérol » ;

– les *High Density Lipoproteins* ou HDL, qui récupèrent le cholestérol déposé dans les vaisseaux et le ramènent au foie, qui l'éliminera. C'est le « bon cholestérol ».

Le cholestérol dans notre organisme a deux origines : 70 % est produit par le foie, et 30 % provient de l'alimentation. On en trouve dans tous les produits animaux mais pas dans les produits végétaux.

Quand les concentrations de cholestérol dans le sang sont trop élevées, il peut y avoir des risques de maladies cardio-vasculaires.

Les acides gras trans : la plupart sont issus de procédés industriels

Les acides gras trans sont des matières grasses végétales fluides qui subissent des procédés industriels visant à les solidifier. Cela permet d'obtenir des textures particulières et une conservation plus longue (pas de rancissement). Mais cela entraîne la formation d'acides gras trans, qui, consommés en excès, augmentent le risque de maladies cardio-vasculaires et favorisent l'augmentation du mauvais cholestérol (LDL) au détriment du bon cholestérol (HDL). On les trouve essentiellement dans les biscuits, les viennoiseries industrielles, les barres de céréales, des plats cuisinés et dans certaines margarines. Sur les étiquettes, les matières grasses ainsi transformées figurent sous la dénomination « graisses partiellement hydrogénées ».

Les glucides

Ce sont les nutriments énergétiques préférentiels de nos tissus ; pour certains, seuls les glucides leur apportent de l'énergie : le cerveau, le sang. Les glucides ne doivent jamais être supprimés totalement de l'alimentation.

Ils vont représenter 45 à 54 % de l'apport énergétique total.

Ils sont essentiellement apportés par les aliments d'origine végétale.

Notre alimentation nous apporte des glucides assimilables et des glucides non assimilables par l'être humain.

Les glucides assimilables

Nous en consommons sous deux formes :

– les glucides simples, constitués soit d'une molécule : le glucose (miel), le fructose (fruit) ; soit de deux molécules : le saccharose (sucre), le lactose (lait) ;

– les glucides complexes : essentiellement l'amidon, que l'on trouve dans les céréales (blé, maïs, riz... et leurs dérivés tels que pâtes, semoule, farine...), les légumes secs et les pommes de terre.

On a cru pendant longtemps que les glucides simples étaient rapidement assimilés et élevaient fortement la glycémie (la quantité de glucose dans le sang, qui est de 1 g par litre quand on est à jeun) d'où leur nom de sucres rapides ; à l'inverse, les glucides complexes étaient supposés être assimilés lentement et provoquer une faible augmentation de la glycémie, d'où leur nom de sucres lents. Mais on s'est aperçu que certains glucides simples comme le fructose (que l'on trouve dans les fruits) augmentaient peu la glycémie alors que des glucides complexes comme le pain blanc étaient très vite assimilés et donc élevaient très rapidement la glycémie.

D'où le concept actuel d'**index glycémique**, qui mesure la capacité d'un aliment glucidique à élever la glycémie par rapport à un glucide de référence qui est le glucose. Plus l'index glycémique de l'aliment est élevé, plus la glycémie va augmenter rapidement après son ingestion, et plus il est bas, plus son pouvoir glycémiant sera limité.

Index glycémique de quelques aliments courants

Index glycémique élevé	Miel, sodas, sirop, pain blanc, céréales pour petit déjeuner (corn flakes...), pâtes bien cuites, pommes de terre en purée, riz à cuisson rapide, boudoirs, génoise, gaufrettes, meringues
Index glycémique moyen	Sucre, banane, kiwi, ananas, glaces, pain complet, pain de seigle, pommes de terre cuites entières, petits-beurre, riz, viennoiseries, pâtisseries
Index glycémique faible	Chocolat, fruits sec, la majorité des fruits et des légumes, pâtes al dente, riz complet, pain au son, aux céréales, céréales pour petit déjeuner type All Bran®, légumes secs (lentilles, haricots, pois cassés, pois chiches), fruits amylacés (châtaignes, marrons), fruits oléagineux (cacahuètes, amandes, noix, noisettes, olives, avocat), lait et laitages

Cependant, l'index glycémique d'un même aliment peut varier en fonction :

– de son association avec d'autres aliments : la présence de lipides, de protéines, de fibres diminue l'index glycémique d'un aliment. Ainsi, un repas mixte glucido-lipido-protidique diminue l'index glycémique du pain blanc alors que, consommé seul, il a un index glycémique élevé ;

– de l'état physique de l'aliment : un même aliment n'a pas le même index glycémique sous des formes différentes : l'index glycémique du jus de pomme est plus élevé que celui de la pomme ; de même, celui de la purée de pomme de terre est plus élevé que celui des pommes de terre en robe des champs ;

– de son mode de cuisson : la façon dont l'aliment est cuit (la température, la durée de cuisson, l'ajout de matière grasse) peut faire varier son index glycémique. Les pâtes consommées *al dente* ont un index glycémique beaucoup plus bas que les pâtes très cuites.

Plus l'index glycémique d'un aliment (ou d'un plat) est élevé, plus la hausse de la glycémie est rapide. Cela provoque une forte sécrétion d'insuline (hormone sécrétée par le pancréas), dont le rôle est d'abaisser le taux de glucose dans le sang (1 g/litre). Ainsi, un aliment à index glycémique élevé provoque rapidement la baisse de la glycémie à la suite de l'action de l'insuline. Cette baisse va donner faim et donc donner envie de manger, d'où une prise alimentaire qui peut amener la prise de kilos.

Il faut donc préférer consommer des aliments à index glycémique faible. Mais attention, il faut choisir ceux qui apportent des nutriments intéressants : fruits, légumes, légumes secs, céréales de préférence complètes, fruits secs plutôt que des fruits oléagineux très riches en lipides par exemple.

Les glucides non assimilables

Ce sont les fibres alimentaires végétales que l'on trouve dans la paroi des végétaux : les fibres solubles (pectines, gommes) et les fibres insolubles (cellulose, hémicellulose et lignine). Bien qu'elles n'apportent pas d'énergie, elles présentent de nombreux intérêts :

- Dans un régime amaigrissant, la présence de fibres ralentit la vidange de l'estomac et l'absorption des nutriments par l'intestin, d'où un meilleur effet de satiété. Les grignotages sont ainsi évités et on supporte plus aisément l'attente du repas suivant.
- Les fibres insolubles régulent le transit intestinal et permettent de lutter contre la constipation ; les fibres solubles, en formant un gel, absorbent l'eau en excès dans le tube digestif et permettent de lutter contre les diarrhées hydriques.
- Elles auraient une action préventive sur les diverticules coliques, les hémorroïdes.
- Elles protègent contre le cancer du côlon.
- Elles sont hypocholestérolémiantes : en accélérant le transit intestinal, elles diminuent l'assimilation des lipides et augmentent l'excrétion fécale des sels biliaires.

Notre alimentation contient moins de fibres que celle de nos grands-parents, car nous avons diminué notre consommation de pain, de pommes de terre, de céréales complètes et de légumes secs en les remplaçant par la viande, les produits laitiers et les céréales raffinées. La consommation actuelle de fibres est de 15 à 20 g par jour alors que les recommandations sont de 25 à 30 g par jour.

Attention aux excès. Trop de fibres peut entraîner une malabsorption de certains minéraux (calcium, magnésium, cuivre, zinc, fer), car les fibres se trouvent dans l'enveloppe des céréales (blé, riz...), liée à l'acide phytique qui empêche leur absorption. Quelle que soit l'indication thérapeutique, il faut introduire progressivement le son dans l'alimentation afin d'éviter certains problèmes douloureux de fermentation et de ballonnement. Trop de son en peu de temps peut entraîner une diarrhée. Par ailleurs, il faut accompagner l'augmentation des apports en fibres par une augmentation de l'ingestion d'eau afin d'obtenir des résultats satisfaisants.

Les vitamines

Une vitamine est une substance essentielle à la vie, non synthétisée par l'organisme ou synthétisée en quantité insuffisante, apportée quasi exclusivement par l'alimentation. La privation d'apport conduit à un syndrome de carence. Dans les pays industrialisés, les carences ont disparu, mais on peut avoir des insuffisances d'apport dues à une alimentation déséquilibrée entraînant une précarence ; celle-ci se traduit par une fatigue anormale, une perte de poids, une irritabilité, des troubles du sommeil...

Les vitamines sont actives à faibles doses. Elles entrent dans de nombreuses réactions chimiques, permettant l'utilisation des divers nutriments absorbés. Le besoin en vitamines est accru :

– en période de croissance ;

– chez la femme enceinte, la femme qui allaite, ou qui est sous contraception orale ;

– chez les fumeurs, la nicotine entraînant une perte plus rapide des vitamines et en particulier des vitamines A et C.

Enfin, chez les personnes qui suivent un régime amaigrissant inadéquat, la couverture de leurs besoins en vitamines peut être insuffisante.

Les vitamines sont en général classées en deux groupes :
– les vitamines liposolubles (A, D, E, K) ;
– les vitamines hydrosolubles (vitamine C, vitamine B1 ou thiamine, vitamine B2 ou riboflavine, vitamine B3 ou PP ou niacine, vitamine B5 ou acide pantothénique, vitamine B6 ou pyridoxine, vitamine B8 ou H ou biotine, vitamine B9 ou acide folique ou folates, vitamine B12 ou cobalamine).

Les vitamines

Vitamine A (consommée sous forme de rétinol [d'origine animale] et de bêta-carotène [d'origine végétale])	
Rôles	Elle prévient différents troubles de la vue et permet une bonne vision nocturne. Elle contribue à la santé de la peau et des muqueuses. Elle permet à l'organisme de se défendre contre les infections. Le bêta-carotène (ou provitamine A) est transformé en vitamine A dans l'intestin.
Besoins journaliers	Hommes : 800 ER* Femmes : 600 ER
Sources	Aliments d'origine animale : huile de foie de poisson, poissons gras, foie, beurre, jaune d'œuf, lait et produits laitiers non écrémés, viandes. Aliments d'origine végétale (très colorés) : carottes, épinards, mâche, cresson, potiron, pêches, abricots…
Remarques	L'excès de vitamine A se traduit par des troubles cutanés, une sécheresse de la peau, une chute des cheveux.
Vitamine B1 (thiamine)	
Rôles	Elle permet aux glucides alimentaires d'être dégradés et de donner de l'énergie.
Besoins journaliers	Hommes : 1,3 mg Femmes : 1,1 mg
Sources	Levure alimentaire, céréales complètes, viande de porc, charcuterie, jaune d'œuf, légumes secs, fruits secs (cacahuètes, noix…)

Remarques	Elle est très sensible à la chaleur en milieu humide. Elle pourrait avoir un intérêt dans le traitement de certaines douleurs : rhumatismes, névralgies...
Vitamine B2 (riboflavine)	
Rôles	Elle intervient : – dans le métabolisme des glucides, des protéines et des lipides pour la production d'énergie ; – dans la santé de la peau.
Besoins journaliers	Hommes : 1,6 mg Femmes : 1,5 mg
Sources	Levure alimentaire, abats, lait, produits laitiers, fromages, œufs, céréales complètes, légumes verts à feuilles (épinards, brocoli...).
Remarques	Elle est stable à la chaleur mais résiste mal à la lumière (les emballages opaques assurent sa conservation).
Vitamine B3 ou PP (niacine)	
Rôles	Elle participe au métabolisme des glucides, des protéines et des lipides pour la production d'énergie.
Besoins journaliers	Hommes : 14 mg Femmes : 11 mg
Sources	Levure alimentaire, viandes, volaille, abats (foie, rognons), poissons gras, céréales complètes, légumes secs, légumes et fruits frais.
Remarques	Elle favorise la circulation sanguine et réduit le taux de cholestérol et de triglycérides.
Vitamine B5 (acide panthoténique)	
Rôles	Elle favorise la croissance et la résistance de la peau, des cheveux et des muqueuses. Elle participe au métabolisme des glucides, des protéines et des lipides pour la production d'énergie.
Besoins journaliers	Adultes : 5 mg
Sources	Levure alimentaire, abats (foie, rognons), champignons, lentilles, viandes, œufs, lait, produits laitiers, céréales complètes.
Remarques	Elle est recommandée dans le traitement de la calvitie, des infections, des plaies.

Vitamine B6 (pyridoxine)	
Rôles	Elle joue un rôle important dans le métabolisme des protéines (en particulier dans la structure de l'hémoglobine des globules rouges). Elle est nécessaire à la synthèse des anticorps et de la sérotonine (hormone indispensable au système nerveux).
Besoins journaliers	Hommes : 1,8 mg Femmes : 1,5 mg
Sources	Levure alimentaire, germe de blé, viandes, foie, poissons, œufs, céréales complètes, légumes et fruits secs.
Remarques	Un déficit en vitamine B6 a été constaté chez les femmes sous contraception orale et serait à l'origine du changement d'humeur chez ces femmes : déprime et/ou agressivité.
Vitamine B8 ou H (biotine)	
Rôles	Elle intervient dans la production d'énergie en métabolisant les glucides, protéines et lipides. Elle maintient en bon état la peau, les ongles, les cheveux.
Besoins journaliers	Adultes : 50 µg
Sources	Levure alimentaire, foie, œufs, banane, champignons, avocat, céréales complètes, avocat, légumes et fruits secs.
Remarques	Elle a montré des effets pour traiter des problèmes de peau, d'ongles fragiles et la perte de cheveux.
Vitamine B9 (folates ou acide folique)	
Rôles	Elle joue un rôle important dans la formation des globules rouges, le fonctionnement du système nerveux et du système immunitaire, dans la cicatrisation.
Besoins journaliers	Hommes : 330 µg Femmes : 300 µg ; femmes enceintes : 400 µg
Sources	Levure alimentaire, foie, œufs, céréales complètes, légumes à feuilles en particulier (épinards, cresson, mâche...), légumes secs.
Remarques	Des carences peuvent se rencontrer chez les personnes âgées et entraînent anémie, fatigue, dépression. Une carence en vitamine B9 chez la femme enceinte peut entraîner des malformations du tube neural du fœtus.

B12 (cyanocobalamine)	
Rôles	Elle est indispensable à la coagulation du sang et à la synthèse des acides nucléiques (ADN et ARN).
Besoins journaliers	Adultes : 2,4 µg
Sources	Viandes, abats, poissons, œufs, lait et produits laitiers.
Remarques	On ne trouve pas de vitamine B12 dans les végétaux ; les végétaliens stricts peuvent être carencés. La carence se traduit par une anémie.
Vitamine C (acide ascorbique)	
Rôles	Elle augmente l'absorption du fer. Elle intervient dans la synthèse du collagène, dont dépend la tonicité de la peau. Elle neutralise les radicaux libres. Elle stimule les défenses de l'organisme contre les infections.
Besoins journaliers	Adultes : 110 mg Fumeurs : 140 mg
Sources	Fruits (kiwis, agrumes, cerises, fraises...), légumes (chou, persil, cresson...).
Remarques	50 % de la vitamine C disparaissent après 2 jours à température ambiante. Elle est en partie détruite par la cuisson (jusqu'à 90 %).
Vitamine D (calciférol)	
Rôles	Elle permet l'absorption du calcium et sa fixation osseuse.
Besoins journaliers	Adultes : 5 µg Femmes enceintes, allaitantes : 10 µg
Sources	Synthétisée par l'organisme, par transformation de stérols sous la peau sous l'action des rayons ultraviolets du soleil. Poissons gras, huile de foie de poisson (morue, flétan), œufs, beurre, abats (foie, cœur).
Remarques	En France, il faut en donner aux enfants (surtout les 3 premières années) soit sous forme de médicament, soit par enrichissement d'un aliment (lait). La déficience d'apport est responsable du rachitisme.
Vitamine E (tocophérol)	
Rôles	Propriétés antioxydantes permettant de stopper les effets délétères des radicaux libres : elle serait la vitamine anti-vieillissement.

Besoins journaliers	Adultes : 12 mg
Sources	Huiles de germe de maïs et de blé, de pépins de raisin, d'olive, de colza, de noix, de tournesol, d'arachide. Margarines végétales, noix, noisettes, cacahuètes.
Remarques	La carence en vitamine E est exceptionnelle car on la trouve dans beaucoup d'aliments. Elle n'est pas toxique, des doses élevées n'entraînant pas d'effets secondaires.
Vitamine K	
Rôles	Elle intervient dans le mécanisme de la coagulation sanguine. Elle joue un rôle dans la calcification des os et des dents.
Besoins journaliers	Adultes : 45 µg
Sources	Légumes verts (chou, brocoli, épinards...), huile de colza, de soja, d'olive, foie, céréales.
Remarques	La flore intestinale fabrique une partie de la vitamine K.

** ER : équivalent rétinol = 1 µg de rétinol = 6 µg de bêta-carotène.*

Les minéraux

Les minéraux sont indispensables au bon fonctionnement de notre organisme, mais n'apportent pas d'énergie.

Leur présence en plus ou moins grande quantité dans notre corps y conditionne l'équilibre des réactions biologiques, la solidité de certains tissus. Parmi les minéraux, on distingue en général les sels minéraux et les oligoéléments, les premiers étant présents dans l'organisme en plus grande quantité que les seconds. Le calcium, le magnésium, le phosphore, le potassium, le chlore et le sodium font partie des sels minéraux. Le fer, le zinc, l'iode, le sélénium, le cuivre, le fluor et le manganèse sont des oligoéléments. Dans le tableau suivant, nous citerons les plus importants.

Les sels minéraux

Calcium	
Rôles	99 % du calcium se trouvent dans le squelette, lui assurant rigidité et solidité. Il joue un rôle essentiel dans la régulation du système nerveux, du rythme cardiaque et dans le processus de la coagulation du sang.
Besoins journaliers	Adolescents : 1 200 mg Adultes : 800 mg Femmes enceintes et allaitantes : 1 000 mg Femmes de plus de 55 ans : 1 200 mg Hommes de plus de 65 ans : 1 200 mg
Sources	Lait et produits laitiers, légumes, fruits. Eaux riches en calcium : Contrex® Hépar®, Talians®.
Remarques	Attention à l'ostéoporose (qui correspond à une perte de substance osseuse) qui apparaît vers l'âge de 60-65 ans. Elle s'accentue chez la femme à la ménopause en l'absence de traitement, d'où un apport en calcium majoré associé à un apport en vitamine D.
Magnésium	
Rôles	Indispensable aux échanges énergétiques à l'intérieur des cellules, à la synthèse du matériel génétique, au renouvellement des protéines, à la transmission neuromusculaire de l'influx nerveux.
Besoins journaliers	Hommes : 420 mg Femmes : 360 mg
Sources	Légumes et fruits secs, fruits oléagineux, pain complet, céréales complètes, chocolat (cacao). Eaux minérales (Hépar®, Vittel®, Contrex® – cf. *infra* « L'eau »).
Remarques	Un déficit en magnésium serait responsable de fatigue physique et intellectuelle, de crampes, d'insomnie, et de troubles regroupés sous l'étiquette de spasmophilie.
Phosphore	
Rôles	Constitue avec le calcium la trame minérale de l'os et des dents. Intervient dans la production d'énergie disponible pour les cellules.
Besoins journaliers	Adultes : 750 mg
Sources	Tous les aliments et surtout les produits laitiers (fromages), le chocolat (cacao), les œufs, les poissons, les viandes, les légumes et fruits secs (amandes, noix).

Remarques	Il n'existe pas de déficit en phosphore car la majorité des aliments en contient.
	Potassium, chlore, sodium
Rôles	Ils jouent un rôle essentiel dans l'équilibre osmotique : leur présence détermine la quantité d'eau à l'intérieur ou à l'extérieur des cellules. Le potassium intervient aussi dans l'excitabilité neuromusculaire.
Besoins journaliers	• Potassium : 390 à 585 mg • Chlorure de sodium (sel) : 6 à 8 g
Sources	• Potassium : tous les aliments et, en particulier, les fruits et les légumes, en contiennent. • Chlore et sodium sont consommés sous forme de sel de cuisine et présents dans les aliments.
Remarques	Notre consommation de chlorure de sodium est trop élevée : 12 g par jour. Une alimentation trop salée donc trop riche en sodium augmente les risques d'hypertension artérielle chez les personnes prédisposées.

Les oligoéléments

	Cuivre
Rôles	Facilite l'absorption et le transport du fer. Intervient dans la qualité des cartilages, dans la minéralisation des os, dans l'élimination des radicaux libres. Participe à la lutte contre le stress.
Besoins journaliers	Hommes : 2 mg Femmes : 1,5 mg
Sources	Fruits de mer, foie, légumes verts, céréales complètes, chocolat (cacao).
Remarques	La carence est rare. Elle entraîne retard de croissance, anémie, troubles nerveux, lésions cardiaques, sensibilité aux affections.
	Fer
Rôles	Présent dans l'hémoglobine des globules rouges, dans la myoglobine (protéine du muscle dont le rôle est de stocker l'oxygène lors de l'effort musculaire). Participe à l'activité de nombreux enzymes.
Besoins journaliers	Hommes : 9 mg Femmes : 16 mg (pertes lors des menstruations) Femmes enceintes : 25 à 35 mg Femmes allaitantes : 10 mg Femmes ménopausées : 9 mg

Sources	Le fer le mieux absorbé est celui d'origine animale (fer héminique) : boudin, foie, abats, viandes, poissons, volailles. Présent mais peu absorbé dans les épinards et les légumes secs, chocolat (cacao), fruits secs, féculents.
Remarques	La carence en fer se traduit par une anémie. L'absorption du fer est favorisée par la vitamine C et réduite par les tanins du thé, du café, du vin, de la bière, l'acide phytique du son et des céréales complètes.
Fluor	
Rôles	Intervient dans la croissance des os et des dents. Prévient les caries.
Besoins journaliers	Hommes : 2,5 mg Femmes : 2 mg
Sources	Sel fluoré, eaux de boisson (les plus riches : Vichy®, Badoit® – cf. *infra* « L'eau »), thé, poissons de mer.
Remarques	L'excès peut entraîner des douleurs et des déformations osseuses, des taches sur les dents et une plus grande fréquence de caries.
Iode	
Rôles	Entre dans la composition des hormones thyroïdiennes.
Besoins journaliers	150 µg
Sources	Produits de la mer, sel iodé, algues.
Remarques	Dans les régions montagneuses, il est conseillé de consommer du sel iodé.
Sélénium	
Rôles	Avec la vitamine E, il permet l'élimination des radicaux libres responsables du vieillissement, de l'athérosclérose, de la genèse des cancers.
Besoins journaliers	Hommes : 60 µg Femmes : 50 µg
Sources	Essentiellement les aliments d'origine animale : produits de la mer, viandes, œufs, lait, fromages. Céréales (suivant la teneur dans les sols), eaux de boisson.
Remarques	Pourrait ralentir le processus de vieillissement, prévenir le cancer et les maladies cardio-vasculaires.

Zinc	
Rôles	Joue un rôle dans le renouvellement des cellules, la production d'énergie. Est nécessaire à l'insuline et à l'hormone de croissance. Intervient dans la sexualité, la croissance, la défense contre les infections, la vision.
Besoins journaliers	Hommes : 12 mg Femmes : 10 mg
Sources	Viandes, poissons, fromages, œufs, lait et produits laitiers, céréales complètes, légumes secs, fruits oléagineux.
Remarques	Une consommation excessive d'alcool ou de tabac doit s'accompagner d'une augmentation des apports en zinc.

L'eau

« Nous mourons de soif plus vite que de faim. » Lorsqu'on parle d'équilibre alimentaire, l'eau est indissociable des autres nutriments. Notre corps est composé de 55 à 60 % d'eau. Il est indispensable d'en boire pour permettre à notre organisme de renouveler ce capital.

Un apport d'eau quotidien permet un bon échange cellulaire et le drainage de toutes les toxines issues de la digestion et des diverses réactions qui permettent à notre organisme de fonctionner.

Nous éliminons l'eau : par la transpiration, par les urines et par la respiration (l'air que nous expirons contient de l'eau). Nous perdons en moyenne 2,5 litres d'eau par jour.

Notre besoin en eau est couvert par 1,5 litre d'eau de boisson plus un litre d'eau de composition des aliments (par exemple, la viande contient 60 % d'eau, le lait 70 %, le yaourt 70 %, les fruits 80 % et plus...).

Nombreuses sont les personnes qui, ne buvant aucun liquide, se plaignent de constipation. L'eau des boissons augmente le volume du bol alimentaire.

L'eau peut être bue à n'importe quel moment de la journée, avant, pendant ou après les repas, l'essentiel étant d'en boire. Mais il est sûr que de boire un litre d'eau au cours d'un repas va diluer le bol alimentaire et les sucs digestifs, et entraîner un inconfort digestif davantage lié au volume ingéré qu'à la qualité du bol alimentaire.

Que boire ?

En priorité l'eau du robinet, qui est la moins chère et accessible à tous. Elle est propre à la consommation malgré son goût javellisé ou son aspect un peu trouble lié à l'excédent de calcaire. Toutes les sources d'eau de ravitaillement des villes sont contrôlées périodiquement par les services d'hygiène. Certains « trucs » existent pour la rendre plus agréable à la consommation : la mettre au réfrigérateur pendant quelques heures, par exemple.

« Camoufler » son goût par l'adjonction de sirop entraîne une surconsommation de sucre, mais on peut l'aromatiser avec du jus de citron.

Si vous ne pouvez pas supporter le goût de l'eau du robinet, un dernier recours : les tisanes et les infusions, le thé ou le café léger.

On ne peut parler d'eau sans citer les autres eaux : en effet, les consommateurs sont largement dirigés par la publicité vers les eaux minérales et les eaux de source, qui ont pour intérêt majeur d'être propres, mais aussi d'avoir des propriétés thérapeutiques reconnues (cf. le chapitre « Les boissons », p. 161).

Il ne faut pas consommer de façon excessive des eaux trop minéralisées sans avis médical précis qui tienne compte des vertus thérapeutiques de l'eau en question.

Certaines eaux sont intéressantes du fait de leur faible minéralisation : Évian® et Volvic®, par exemple, dont l'emploi est préconisé pour les biberons des nouveau-nés, l'eau du robinet étant trop riche en chlore, en calcaire ou en sel (les eaux adoucies sont très riches en sel).

Source	Sodium	Magnésium	Fluor	Calcium	Bicarbonates
Vichy Saint-Yorre®	v v v	v	v	v v	v v v
Vichy Célestins®	v v v	v	v	v v	v v v
Badoit®	vv	v	v v	v	v v v
Quézac®	v v	v	v v	v v	v v v
Contrex®	v	v v	–	v v v	v v
Hépar®	v	v v v	–	v v v	v v
Taillefine®	v	v v v	–	v v	v v
Vittel®	v	v	traces	v v	v v
Évian®	traces	v	traces	v	v v
Volvic®	v	v	–	v	v v
Perrier®	v	v	v	v v	v v

Légende : – absent v peu v v moyen v v v beaucoup

L'alcool

Un gramme d'alcool libère 7 kcal : un demi-litre de vin à 12 % apportera 420 kcal par l'alcool (plus les calories apportées par le sucre pour les vins plus ou moins sucrés).

À quantités égales, l'alcool est plus toxique chez la femme que chez l'homme. En effet, la femme dégrade moins bien l'alcool que l'homme, ses capacités hépatiques étant moins intenses ; les seuils de consommation à ne pas dépasser sont de :

– 3 verres de vin par jour pour les hommes ;

– 2 verres de vin par jour pour les femmes, 0 verre si elles sont enceintes ;

– 0 verre de vin pour les enfants.

L'alcool ne donne pas de force et ne permet pas de lutter contre le froid malgré l'impression de chaleur qu'il laisse. Il provoque au contraire une vasodilatation périphérique (c'est-à-dire une dilatation des vaisseaux au niveau de la peau) qui provoque une déperdition de chaleur.

L'alcool n'étanche pas la soif, car il est diurétique : plus on boit, plus on urine, plus on a envie de boire.

L'alcool apportant des calories, il est à supprimer pour ceux qui veulent perdre du poids ou qui ne veulent pas en prendre.

L'alcool est irritant, toxique et générateur de radicaux libres et à ce triple titre il est cancérigène. La relation entre consommation d'alcool et de nombreux cancers (bouche, pharynx, larynx, foie, côlon-rectum chez les hommes, probablement sein chez la femme), les maladies cardio-vasculaires, la cirrhose, les maladies psychiques... n'est plus à prouver.

Une faible consommation d'alcool aurait à l'inverse un effet protecteur contre les maladies cardio-vasculaires. Des récentes études aboutissent à des conclusions plus nuancées sur ce possible effet protecteur.

À NOTER

Les polyphénols ne sont pas des nutriments à proprement parler. Ce sont des molécules aux propriétés antioxydantes bien supérieures à celles des vitamines, qui suscitent depuis une quinzaine d'années un intérêt croissant. Elles permettent de lutter contre la formation de radicaux libres en excès dans l'organisme (substances favorisant le vieillissement cellulaire) et de protéger de nombreuses maladies telles que les cancers ou les pathologies cardio-vasculaires. On les trouve dans les fruits et les légumes (fraises, raisin, litchi, artichaut, persil, chou de Bruxelles, en sont les plus riches), le thé, le chocolat, le vin.

TOUR D'HORIZON des aliments

Les viandes

Le mot « viande » désigne l'ensemble des parties comestibles des animaux terrestres (bœuf, veau, porc, mouton, agneau, cheval, volaille, lapin, gibier).

Caractéristiques d'une viande

Le consommateur confond souvent les termes « qualité » et « catégorie » : la qualité est la même pour l'ensemble de l'animal ; la catégorie est en rapport avec l'emplacement anatomique du morceau sur l'animal.

La qualité

Plusieurs facteurs font la qualité d'une viande :

• La tendreté dépend :

– de l'importance du tissu conjonctif : les muscles des animaux adultes, plus riches en tissu conjonctif, sont naturellement moins tendres que ceux des animaux jeunes ;

– des conditions d'abattage et de la maturation après l'abattage. L'animal ne doit pas être stressé au moment de l'abattage et la maturation doit être suffisamment longue pour l'obtention de la tendreté recherchée (pendant une semaine environ, en chambre froide entre 1 °C et 5 °C) ;

– de la longueur des fibres musculaires : plus elles sont courtes, plus la viande est tendre, d'où l'importance d'une bonne découpe par le boucher.

• La succulence, la jutosité, dépendent de la richesse en graisses. Les viandes les plus moelleuses sont celles qui sont

« persillées », c'est-à-dire qu'elles présentent de la graisse interstitielle. Il est aussi important pour conserver la jutosité de bien « saisir » la viande en surface au début de la cuisson, pour conserver les sucs à l'intérieur du morceau, et de maîtriser la durée de cuisson pour éviter le dessèchement.

• La sapidité dépend de la race, du sexe, de l'âge, de l'alimentation de l'animal, des conditions d'abattage et de maturation de la viande après abattage, de la richesse en graisse.

La catégorie

La catégorie d'un morceau de viande dépend de sa teneur en tissu conjonctif, qui conditionne le mode de cuisson. En effet, plus un morceau de viande est riche en tissu conjonctif, plus il devra être cuit longtemps pour devenir tendre.

On distingue donc sur un même animal :

– les morceaux de première catégorie, à cuisson courte : à griller ou à rôtir (bifteck, escalope, côte de veau, de porc, gigot...) ;

– les morceaux de deuxième et troisième catégorie, à cuisson longue : à braiser ou à bouillir.

Valeur alimentaire

La composition nutritionnelle des viandes est très variable. Elle dépend de l'espèce, du morceau et, pour chaque animal, de l'âge, du sexe, de l'état d'engraissement, du type d'alimentation donnée. Ces différents facteurs feront varier la teneur en eau et en lipides et par conséquent l'apport calorique.

Une classification succincte des viandes peut être faite. Cependant, elle ne tient pas compte de la catégorie, qui fait varier la teneur en lipides dans de larges proportions.

Teneur en lipides

Les viandes maigres (en moyenne 5 % de lipides pour 100 g)

Bœuf (rumsteck, tende-de-tranche, steak haché à 5 % de matière grasse, tournedos), veau (escalope, noix, jarret, bas carré), porc (filet), volaille (lapin, poulet et pintade sans la peau), cheval.

Les viandes moyennes (de 5 à 15 % de lipides pour 100 g)

Bœuf (collier, entrecôte, steak haché à 10 % de matière grasse, flanchet), mouton (gigot, épaule), veau (côte, poitrine, rôti, épaule), volaille (canard, pigeon).

Les viandes grasses (plus de 15 % de lipides pour 100 g)

Bœuf (plat de côtes, steak haché à 20 % de matière grasse), veau (tendron), agneau (côtes, filet, côtes premières, selle, collier), porc (côtes, rôti, travers, échine), volaille (oie).

Les acides gras constituants les lipides des viandes sont surtout des acides gras saturés avec une faible proportion d'acides gras polyinsaturés.

Attention à la consommation en excès de viandes de boucherie grasses, car leur lipides sont athérogènes et thrombogènes. Il faut, quand c'est possible, éliminer le plus possible les parties grasses par le parage avant de les consommer.

Teneur en cholestérol

La chair musculaire des animaux terrestres contient seulement 70 mg de cholestérol pour 100 g.

Teneur en protéines

Les viandes sont une source importante de protéines animales : en moyenne 27 % (ce taux varie en fonction de la teneur en graisse). Ce sont des protéines d'excellente qualité, riches en acides aminés indispensables. Trois types de protéines sont distinguées :

• Les protéines intracellulaires : elles constituent les fibres musculaires et sont riches en acides aminés indispensables. Ce sont la myosine, le myogène, la myoalbumine (lors de la cuisson, elle passe soit dans le jus, soit dans le bouillon où elle coagule et forme l'écume), les nucléoprotéines.

• Les protéines extracellulaires : elles sont mal équilibrées en acides aminés indispensables. Elles forment le tissu conjonctif constitué par le collagène et l'élastine. À la cuisson prolongée, elles se transforment en gélatine.

• Les protéines pigmentaires : la myoglobine est responsable de la couleur rouge de la viande. Sa quantité dépend de l'âge, de l'alimentation, de la race et de l'activité de l'animal.

On trouve aussi dans la viande des substances azotées non protéiques : la créatinine, la créatine, les peptones. Lors de la cuisson de la viande, l'odeur qu'elles dégagent stimule la sécrétion gastrique.

Teneur en glucides

La teneur en glucides est peu importante au moment de l'abattage : 1 % sous forme de glycogène (2 à 3 % pour le cheval). Ce glycogène disparaît très rapidement et se transforme en acide lactique.

Teneur en sels minéraux

La teneur en minéraux des viandes est d'environ 1 %. Elles apportent surtout du phosphore (200 mg pour 100 g), du potassium (300 mg pour 100 g), du fer (2 à 4 mg pour 100 g).

La viande représente l'une des principales sources de fer de notre alimentation. Se présentant sous forme de fer héminique, il est très bien assimilé.

La viande, surtout la viande de boucherie, est aussi une source de zinc (2 à 5 mg pour 100 g) et de sélénium (10 à 40 µg pour 100 g).

Teneur en vitamines

Les vitamines hydrosolubles

La vitamine C est présente en quantité négligeable. Elle est détruite lors de la cuisson. Toutes les vitamines du groupe B sont présentes dans la viande. Il faut noter la richesse exceptionnelle de la viande de porc en vitamine B1 : 1 mg pour 100 g.

Les vitamines liposolubles

Elles sont présentes mais en très petite quantité.

Influence de la cuisson sur la valeur alimentaire

Quel que soit le mode de cuisson, la valeur alimentaire de la viande est peu modifiée :

– les protéines coagulent mais ont la même valeur nutritionnelle ;

– la majorité des graisses passe soit dans le jus de cuisson, soit dans le bouillon, qui peut être dégraissé ;

– dans la viande grillée, rôtie, braisée, les sels minéraux sont peu ou pas perdus ;

– dans la viande bouillie, une partie des nutriments hydrosolubles (protéines, minéraux, vitamines) et liposolubles (lipides, vitamines) passe dans le bouillon ;

– les pertes en vitamines sont de 20 à 30 % pour les viandes grillées, rôties ou braisées. Elles peuvent aller jusqu'à 50 % pour les viandes bouillies, passant dans le bouillon, qui sera consommé.

Digestibilité

La facilité de digestion de la viande dépend de sa teneur en graisse et/ou du mode de cuisson. Plus le morceau de viande est gras, plus la digestion sera lente car il séjournera plus longtemps dans l'estomac. Les graisses vont entraver l'action des sucs digestifs et ralentir l'évacuation gastrique.

Les viandes rôties, grillées avec peu ou pas de matières grasses, ainsi que les viandes bouillies (la graisse passe dans l'eau de cuisson), sont plus faciles à digérer.

Les viandes braisées en sauce seront de digestion plus difficile à cause de la présence de graisse cuite.

Conseils d'achat

Le morceau de viande choisi dépendra de sa préparation culinaire. Pour les viandes rôties, il faut refuser de payer la barde (toujours trop abondante) et la ficelle au prix du rôti. Pour les steaks hachés, la viande doit être hachée devant vous et consommée dans les deux heures qui suivent, car elle s'altère rapidement (attention : la chaîne du froid doit être ininterrompue). On trouve dans les grandes surfaces de la viande hachée emballée ou surgelée. Le hachage, dans ce cas, a été fait dans des normes d'hygiène très strictes. On peut trouver plusieurs catégories de steak haché : à 5 %, à 10 %, à 15 % et plus de matière grasse.

Demandez à votre boucher les morceaux par leur nom et non par leur usage culinaire (par exemple, bavette, faux-filet, gîte... et non bifteck, rôti, pot-au-feu...) ainsi que le poids désiré (et non « un steak pour une personne », « un rôti pour quatre personnes »...).

Conseils de conservation

La viande fraîche peut être conservée 2 jours au réfrigérateur ; la viande cuite, 3 à 4 jours au réfrigérateur (dans la partie la plus froide : 3 °C).

Conseils de cuisson

Pour éviter tout excès de matières grasses qui peut rendre une viande indigeste et augmenter l'apport calorique de la préparation, quelques gestes sont à faire.

Les viandes cuites au gril

Il est inutile de les badigeonner d'huile. Il vaut mieux les saupoudrer d'aromates.

Les viandes cuites à la poêle

Soit on utilise une poêle antiadhésive – toute adjonction de matières grasses est donc inutile –, soit on utilise un poêle classique – il suffit alors de badigeonner légèrement la viande avec de l'huile pour éviter qu'elle n'accroche dans la poêle.

Les viandes cuites au four

La barde du rôti peut être en partie (ou même entièrement) enlevée. La viande à rôtir doit être très légèrement enduite de matières grasses et posée soit à même le plat à rôtir, soit dans un plat muni d'une grille pour que la viande ne baigne pas dans la matière grasse s'écoulant de sa chair.
Quant aux volailles, il n'est pas nécessaire de les recouvrir d'un corps gras pour qu'elles deviennent dorées et croustillantes. Avant cuisson, elles doivent être piquées avec une fourchette pour laisser s'écouler la graisse située entre la chair et la peau. Cette façon de procéder sera reprise dans le cas de cuisson à la broche.

Les viandes braisées

Elles sont dégraissées avant la cuisson. Il suffit de les faire revenir dans très peu de matières grasses ; deux cuillerées à soupe d'huile ou de margarine suffisent pour faire revenir une viande à braiser pour quatre à cinq personnes. Une fois les morceaux dorés, ils sont mis de côté et la matière grasse en excès au fond de la cocotte est éliminée. La viande est ensuite remise dans la cocotte ainsi que tous les ingrédients.

Les viandes cuites à l'eau

Le bouillon utilisé est parfumé uniquement avec des aromates. Il est ensuite dégraissé avant d'être consommé.

La cuisson en papillote

Elle est peu utilisée, alors qu'elle permet d'obtenir une viande moelleuse et parfumée. Le morceau est enveloppé dans une feuille d'aluminium après avoir été aromatisé avec des herbes. Les biftecks doivent être au préalable grillés rapidement pour éviter qu'on ait une viande blanche, moins appétissante.

Place de la viande dans l'alimentation

Les besoins en viande sont différents selon les âges, les situations physiologiques comme la grossesse et le niveau d'activité physique. Il est difficile de couvrir les besoins en fer si on l'exclut durablement de son alimentation : les femmes, de la puberté à la ménopause, ont un besoin important en fer à cause des pertes en sang lors des menstruations, et du fœtus pendant la grossesse.

Il est conseillé de manger de la viande (ou équivalent) deux fois par jour, soit environ 100 à 200 g. Il est préférable de consommer des viandes maigres, qui contiennent moins d'acides gras saturés.

Les abats

Ce sont les parties comestibles des animaux qui ne sont pas de la chair. Leur consommation a fortement diminué à partir de 1990 suite à l'épidémie d'encéphalopathie spongiforme bovine (maladie de la vache folle).

On distingue :

- les abats rouges : cœur, foie, langue et rognons ;
- les abats blancs : cervelle, ris, pieds, tête, tripes.

Ce sont des aliments riches en protéines (23 % en moyenne), pauvres en lipides (5 % en moyenne). Ils apportent des sels minéraux et des oligoéléments : le foie est une source importante de fer héminique (9 mg/100 g), ainsi que les rognons et le cœur.

Riches en cholestérol, les abats sont vivement déconseillés lors de régime hypocholestérolémiant : ils renferment de 300 mg/100 g pour le foie à 2 500 mg/100 g pour la cervelle.

La consommation d'abats (abats rouges surtout) favorise la production d'acide urique et peut entraîner, en cas d'excès, des crises de goutte.

Idées fausses

La viande blanche est moins nourrissante que la viande rouge.

FAUX : la viande blanche (veau, porc) et la volaille contiennent autant de protéines que la viande rouge (bœuf, mouton, cheval). Cette différence de couleur est due aux protéines pigmentaires (myoglobine).

La viande peu cuite ou crue a une valeur nutritive supérieure à celle de la viande cuite.

FAUX : les protéines ne sont pas détruites par la chaleur mais seulement coagulées. Cette coagulation ne modifie pas leur valeur nutritionnelle.

Les viandes de première catégorie ont une valeur alimentaire supérieure aux viandes de deuxième et troisième catégorie.

FAUX : les viandes de deuxième et troisième catégorie ont une valeur alimentaire équivalente à celle des viandes de première catégorie une fois les déchets éliminés.

Le foie de veau est plus nourrissant que le foie de bœuf.

FAUX : le foie, quelle que soit sa provenance, a la même richesse en protéines et vitamines A et B. Le foie des ani-

maux adultes est même plus riche en fer que le foie de veau : foie de génisse = 7,7 mg pour 100 g ; foie de veau = 5,7 mg pour 100 g ; foie de volaille : 10,4 mg pour 100 g.

Les charcuteries

À l'origine, la charcuterie était un moyen de conservation du porc. À l'heure actuelle, le terme « charcuterie » recouvre une série de modes de conservation et de préparation de viandes d'origines variées. La préparation de la charcuterie est très variable suivant le produit :

- la cuisson dans la graisse pour les rillettes ;
- le séchage pour certains jambons crus et saucissons ;
- la salaison, qui est le mode de conservation le plus employé.

Elle s'effectue avec un mélange de sel, de saccharose, de nitrate de sodium ou de potassium (10 % au maximum) et/ou de sel renfermant du nitrite de sodium. Les nitrates sont réduits en nitrites. Le couple nitrates/nitrites a un effet bactéricide qui vient s'ajouter à celui du sel. Il joue également un rôle dans l'apparition de la couleur rose de la charcuterie et son goût.

90 % des produits de charcuterie contiennent des nitrates et/ou du sel nitrité. L'emploi de ces additifs est très réglementé. En effet, à des doses élevées, les nitrites ne sont pas exempts de nocivité. S'ils sont utilisés selon la réglementation à des doses aussi réduites que possible, ils ne font courir aucun risque (cf. « Les conservateurs » p.191).

Valeur alimentaire

La teneur en lipides est très variable selon la nature du produit, d'où des valeurs énergétiques très variables elles aussi.

*Exemples de la teneur en lipides de quelques charcuteries**

Types de charcuterie	Teneur moyenne en lipides
Jambon cuit	3 %
Lardons fumés cuits	4,3 %
Jambon cru	18 %
Boudin noir poêlé	21,6 %
Saucisse de Francfort	27,3 %
Pâté de campagne	29,6 %
Saucisson sec	31 %
Rillettes, chorizo	41 %
Foie gras en conserve	54 %

** La plupart de ces valeurs nutritionnelles sont issues de la table de composition Ciqual 2008.*

Les charcuteries contiennent des quantités non négligeables d'acides gras mono-insaturés mais elles sont aussi riches en acides gras saturés, qui sont athérogènes et thrombogènes s'ils sont consommés en excès.

La teneur en cholestérol varie de 30 mg/100 g à 150 mg/100 g.

Les charcuteries, comme tous les produits d'origine animale, apportent des protéines de bonne qualité, comparables à celles des viandes et des abats : de 7 à 30 %.

La majorité des charcuteries sont salées (de 2 à 7 g de sel) d'où un apport important de sodium, que nous consommons déjà en excès.

Notons la richesse en fer héminique du boudin noir (23 mg/100 g), ce qui peut être intéressant pour les personnes anémiées.

Consommation

La richesse en lipides de certaines charcuteries doit en faire limiter la consommation. Une ou deux charcuteries par semaine doivent être un maximum. Il est conseillé d'éviter de manger du beurre avec de la charcuterie grasse comme le saucisson, par exemple. L'addition de deux aliments gras riches en graisses saturées, en cholestérol, est nuisible à la santé.

Conseils d'achat

Le consommateur peut acheter de la charcuterie « à la coupe » ou sous emballage plastique. Dans le cas de la charcuterie présentée dans un emballage plastique scellé, il faut savoir que ces produits n'ont subi aucun traitement de conservation. Ils doivent être conservés au réfrigérateur (4 °C maximum) et consommés comme un produit frais. Ces emballages ont uniquement pour but de permettre des manipulations sans souiller la charcuterie.

Valeur alimentaire de quelques charcuteries (pour 100g)

	Protéines (en g)	**Lipides (en g)**	**Cholestérol (en mg)**	**Valeur énergétique**
Fois gras	7,4	53	1040	512 kcal (2110 kJ)
Jambon cru	28,5	19	76	287 kcal (1194 kJ).
Jambon cuit	21,5	3,6	56	120 kcal (506 kJ)
Pâté de campagne	15,8	29,6	125	336 kcal (1391 kJ)
Rillettes	14,8	41,4	76	432 kcal (1786 kJ)
Saucisson sec	26	31	105	390 kcal (1620 kJ)

Les œufs

En France, les œufs les plus consommés sont les œufs de poule. On peut trouver aussi des œufs de caille et de cane, mais leur consommation est exceptionnelle.

Valeur alimentaire

Teneur en protéines

L'œuf entier compte 13 % de protéines. Elles sont d'excellente qualité : elles contiennent tous les acides aminés indispensables.

Teneur en lipides

L'œuf entier contient 12 % de lipides. Ces lipides sont essentiellement localisés dans le jaune (31 %).

L'œuf est riche en cholestérol (220 mg pour un œuf), cholestérol essentiellement présent dans le jaune.

Valeur énergétique

Pour un œuf moyen, la valeur énergétique est de 70 kcal (296 kJ).

Teneur en sels minéraux

Elle varie en fonction de l'alimentation de la poule. Les sels minéraux sont essentiellement localisés dans le jaune : phosphore, zinc, iode, sélénium.

Même si la teneur du fer est intéressante (1,64 mg/100 g dans l'œuf entier, dont 4,35 mg/100 g de jaune), c'est du fer non héminique, donc peu assimilable.

Teneur en vitamines

La teneur en vitamines est variable suivant l'alimentation et la race de la poule.

L'œuf est surtout intéressant pour son apport en vitamines liposolubles (A et D), qui sont localisées dans le jaune. Il n'y a aucune relation entre l'intensité de la coloration du jaune et la richesse en vitamine A.

L'œuf est riche en vitamines hydrosolubles du groupe B. Par contre, il ne contient pratiquement pas de vitamine C.

Digestibilité

Pour le nutritionniste, l'œuf cuit, en particulier, est un aliment ayant une très bonne digestibilité. En revanche, pour de nombreux consommateurs l'œuf est souvent rendu responsable de troubles digestifs : il fait « mal au foie ».

Contrairement aux idées reçues, l'œuf est un aliment très digeste, surtout quand sa cuisson se fait sans ajout de matière grasse. Il peut exister une allergie aux œufs (aux protéines de l'œuf et surtout du blanc d'œuf) mais elle est rare chez l'adulte. Par contre, elle est fréquente chez le jeune enfant, puis elle disparaît dans la plupart de cas vers l'âge de 3, 4 ans.

L'œuf dur est surtout accusé de provoquer des « lourdeurs ». Or, il faut savoir que le blanc d'œuf cru n'est pratiquement pas digéré et rejeté dans les matières fécales. Par contre, le blanc d'œuf cuit est complètement digéré.

L'œuf n'est pas un aliment particulièrement gras (12 % de lipides).

Les lipides de l'œuf ont la propriété de faire contracter la vésicule biliaire plus rapidement, plus fortement et plus longtemps que les autres lipides. Chez certaines personnes, leur consommation peut entraîner des sensations désagréables. Pour la majorité des consommateurs, cette stimulation de la vésicule biliaire n'est pas un inconvénient, au contraire.

C'est la façon de cuisiner les œufs qui influence leur digestion : trop de corps gras (omelette, œuf frit) engendrera des difficultés de digestion.

Consommation

La fréquence de consommation recommandée est de 4 à 6 œufs par semaine. Le mode de cuisson doit être adapté à la tolérance du consommateur.

La consommation d'œufs ne sera contre-indiquée que dans les régimes hypocholestérolémiants.

Critères de fraîcheur et de qualité

L'état de la coquille

Elle doit être épaisse, solide, intacte, mate, aussi propre que possible. Les œufs sales risquent d'être insalubres.

Il ne faut surtout pas laver ni brosser les coquilles avant leur stockage : on enlèverait la pellicule de nature protéique qui protège l'intérieur de l'œuf des poussières et des microbes, car la coquille est poreuse. Si la coquille est sale, on peut laver et essuyer l'œuf juste avant son utilisation.

La couleur de la coquille n'intervient ni sur la qualité ni sur la valeur alimentaire de l'œuf.

Les dimensions de la chambre à air

Elles sont fonction de l'âge des œufs : plus l'œuf est vieux, plus la taille de la chambre à air augmente. Ses dimensions sont appréciées par le mirage (on examine l'œuf par « transparence » en le plaçant devant une source lumineuse).

Un test simple permet de vérifier sa fraîcheur : l'immersion dans de l'eau salée. Plus il flotte, moins il est frais :

- L'œuf du jour tombe au fond du récipient.
- À 8-10 jours, l'œuf remonte au centre du liquide.
- Vers le 15e jour, il flotte horizontalement.

L'état du blanc

Dans l'œuf très frais cassé, le blanc présente une zone dense et une seconde zone périphérique s'étalant davantage sans être complètement liquide. Lorsque l'œuf est moins frais, le blanc devient de plus en plus fluide.

L'état du jaune

Lors du mirage, dans l'œuf très frais, le jaune apparaît au centre du blanc. Au fur et à mesure du vieillissement de l'œuf, le jaune a tendance à s'élever et à adhérer à la face interne de la partie supérieure de la coquille : les chalazes (tortillons d'albumine qui maintiennent le jaune au centre) se rompent.

Après cassage de l'œuf, le jaune de l'œuf « extra » est bombé ; plus l'œuf vieillit, plus le jaune s'aplatit. Quand un œuf est vieux, le jaune se rompt et s'étale au milieu du blanc liquide.

Les différentes catégories d'œufs

Les œufs extra-frais : jusqu'à 9 jours après la ponte

L'emballage des œufs doit se faire dans les 72 heures après la ponte. L'œuf sera extra-frais jusqu'à 7 jours après l'emballage ou 9 jours après la ponte. On peut l'utiliser pour faire une mayonnaise, une crème ou une sauce non cuite, le préparer à la coque, poché, brouillé.

Les œufs frais : de 9 jours à 28 jours après la ponte

Dès que les 9 jours après la ponte sont dépassés, la mention extra-frais doit être retirée. L'œuf est simplement frais. De 9 à 14 jours, on peut le servir frit, au plat. De 14 à 21 jours, il peut être cuit en omelette. De 21 à 28 jours, les œufs sont utilisés pour une préparation cuite (pâtisserie cuite par exemple), une sauce cuite, ou comme œufs durs.

Au-delà de 28 jours après la ponte

Il est préférable de consommer l'œuf au plus tard 28 jours après la ponte.

Comment choisir les œufs

Quand on achète une boîte d'œufs, des mentions sont inscrites sur l'emballage :

• La date de consommation recommandée (DCR), qui est en principe de 28 jours après la ponte.

• La catégorie. Les œufs que nous achetons sont de catégorie A, ce qui signifie qu'ils sont extra-frais ou frais.

• Le calibre :

– XL : très gros (≥ 73 g) ;

– L : gros (≥ 63 g) ;

– M : moyen (≥ 53 g) ;

– S : petit (≥ 45 g).

• Le mode d'élevage :

– œufs de poules élevées en cage : 87 % des œufs de consommation sont pondus par des poules élevées en cage ;

– œufs de poules élevées au sol : elles sont élevées en liberté dans un bâtiment ;

– œufs de poules élevées en plein air. C'est le cas pour les œufs portant un logo « label rouge » ou « agriculture biologique » ;

– œufs de poules élevées en libre parcours : elles ont plus d'espace que les poules élevées en plein air.

• Le nom, l'adresse et le numéro du centre d'emballage.

On peut trouver un marquage directement imprimé sur la coquille, qui permet de retrouver à tout moment le parcours effectué par l'œuf :

• La date de la ponte.

• Le premier chiffre correspond au mode d'élevage :

– 0 : les poules sont élevées en plein air et reçoivent une alimentation biologique ;

– 1 : les poules sont élevées en plein air ;

– 2 : les poules sont élevées au sol ;

– 3 : les poules sont élevées en cage (souvent les œufs vendus en vrac ont le chiffre 3 sur leur coquille, alors que nous pensons acheter des œufs venant directement de la ferme).

• Les deux lettres correspondent au pays d'origine des œufs (FR pour la France).

• Le code final permet d'identifier l'élevage d'origine.

Conservation

Les œufs doivent être conservés dans un endroit frais (au réfrigérateur à 4 °C). Il est conseillé de les placer en position verticale, gros bout en haut, le jaune restant ainsi maintenu par la paroi inférieure de la chambre à air sans toucher la coquille si les chalazes se rompent.

Les œufs extra-frais seront préparés à la coque.

Conseils d'utilisation

La cuisson des œufs influence leur digestion.

Les œufs à la coque, mollets, durs, cuits sans matières grasses ne doivent pas poser de problèmes particuliers, sauf intolérance personnelle.

Les œufs au plat, frits, en omelette, sont par contre souvent cuits avec beaucoup trop de matières grasses. Pour éviter tout excès, les œufs peuvent être cuits dans une poêle anti-adhésive.

Les œufs au plat peuvent être cuits au four : l'œuf est cassé dans un petit plat à four légèrement huilé ou enduit de margarine. Il est mis au four (th. 7) pendant 9 minutes. L'œuf est ainsi parfaitement cuit sans excès de matières grasses.

Le poisson et les fruits de mer

Ce groupe représente tous les poissons de mer et d'eau douce, les crustacés et les mollusques. Il existe 12 000 espèces de poissons comestibles, dont une centaine seulement est commercialisée.

Le poisson

Teneur en eau

La chair du poisson est riche en eau : 70 à 80 %. Cette teneur varie en proportions inverses de la teneur en lipides.

Teneur en protéines

Les protéines représentent tant par leur quantité que par leur nature l'élément essentiel des poissons : 15 à 24 % en moyenne. Ce sont des protéines d'excellente qualité, riches en acides aminés essentiels.

Teneur en lipides

Le taux de lipides varie selon l'espèce, la saison, le mode d'élevage, le cycle de reproduction. La teneur en lipides peut varier de 1 à 22 %. Selon leur teneur en lipides, les poissons ont été répartis en trois groupes :

- **Les poissons maigres** (moins de 3 % de lipides) : brochet, cabillaud, colin, congre, daurade, flétan, lieu, limande, lotte, merlan, merlu, morue, perche, raie, rascasse, sole, turbot.
- **Les poissons semi-gras** (entre 3 à 10 % de lipides) : anchois, bar, carpe, espadon, mulet, rouget, roussette, sardine, thon, truite.
- **Les poissons gras** (plus de 10 % de lipides) : anguille, hareng, maquereau, saumon.

Les poissons dits « gras » ne sont pas plus riches en lipides qu'une viande dite « maigre » : une viande maigre contient 10 à 15 % de lipides, un poisson gras en contient 10 à 13 %. La répartition des lipides est différente de celle des animaux de boucherie. Dans le poisson, il n'y a pas de graisse de couverture et les lipides sont répartis dans tout le tissu musculaire.

Chez certaines espèces (cas des poissons maigres), les lipides s'accumulent dans le foie (d'où extraction de l'huile de foie de morue ou de cabillaud par exemple).

Les lipides des poissons semi-gras et gras sont des triglycérides, riches en acides gras insaturés et en particulier en acides gras oméga 3 (EPA et DHA) : les poissons semi-gras ont une teneur moyenne en oméga 3 de 1,4 g pour 100 g et les poissons gras de 3 g pour 100 g.

La teneur en oméga 6 des poissons gras est aussi intéressante.

La teneur en cholestérol des poissons est inférieure à celle des viandes : elle est en moyenne de 50 mg pour 100 g de chair de poisson contre 70 mg pour 100 g de viande.

Teneur en glucides

Comme dans la viande, la teneur en glucides est négligeable.

Teneur en sels minéraux

Le poisson est un aliment riche en sels minéraux : de 0,6 à 2 g pour 100 g.

Sodium

La teneur en sodium des poissons est très variable mais peu importante. Les poissons d'eau de mer (91 mg/100 g) en contiennent plus que les poissons d'eau douce (29 mg/100 g).

Potassium

La teneur en potassium est relativement importante : de 80 à 360 mg pour 100 g.

Phosphore

La teneur en phosphore est importante : de 250 à 500 mg pour 100 g.

Fer

La teneur en fer des poissons est inférieure à celle des viandes : de 0,7 à 1,2 mg pour 100 g (de 2 à 4 mg pour les viandes). C'est du fer héminique, il est donc bien assimilé.

Cuivre, iode, fluor, sélénium, zinc

Le poisson est une source intéressante en oligoéléments, en particulier en iode, fluor et sélénium dans le cas des poissons d'eau de mer.

Teneur en vitamines

Vitamines liposolubles

La chair des poissons gras et semi-gras contient des vitamines liposolubles dont la teneur varie en fonction de leur alimentation :

– vitamine A : 45 µg pour 100 g, essentiellement dans les poissons gras ;

– vitamine D : 6 à 40 µg pour 100 g. Notons la richesse de l'huile de foie de morue : 250 µg pour 100 g, soit, pour une cuillerée à soupe, 25 µg de vitamine D ;

– vitamine E : 1 à 2 mg pour 100 g.

Vitamines hydrosolubles

Le poisson est une bonne source de vitamines du groupe B (surtout B6 et B12).

On ne trouve pas de vitamine C dans la chair des poissons. Elle peut, cependant, se rencontrer, en quantité appréciable, dans les œufs de poisson.

Valeur énergétique

Elle varie suivant la teneur en lipides. En général, les poissons ont une valeur énergétique inférieure à celle des viandes.

Poissons maigres : 100 kcal pour 100 g (400 kJ/100 g).

Poissons semi-gras et gras : 130 à 300 kcal pour 100 g (550 à 1 250 kJ/100 g).

Digestibilité

Les poissons sont des aliments de digestion facile. Cette facilité est due à la pauvreté des poissons en lipides et en tissu conjonctif ainsi qu'au mode de préparation (court-bouillon, cuisson à la vapeur seront plus digestes que la friture). La consommation de poisson peut entraîner chez certaines personnes des troubles. Ils peuvent être dus :

– à une intolérance personnelle qui se traduit par des troubles digestifs et cutanés ;

– à une contamination du poisson par des germes pathogènes, en raison de manipulations malpropres (poisson exposé trop longtemps, après sa capture, à la température ambiante, sans protection, d'où une altération de la chair par des bactéries ; emballage ainsi que transport défectueux...).

Composition du poisson (pour 100 g de chair)

Espèces	Valeur énergétique	Protéines (en g)	Lipides (en g)	Glucides (en g)
Poissons maigres (≤ 3 % de lipides)				
Brochet	94 kcal (390 kJ)	21,5	0,9	0
Cabillaud	77 kcal (320 kJ)	18	0,4	0
Colin	96 kcal (400 kJ)	17	2,65	0
Congre	110 kcal (460 kJ)	20	3	0
Daurade	76 kcal (320 kJ)	18,7	0,18	0
Églefin	89 kcal (370 kJ)	20,9	0,6	0
Flétan	110 kcal (460 kJ)	21,3	2,8	0
Lieu	102 kcal (425 kJ)	23	0,2	0
Limande	90 kcal (375 kJ)	20,6	0,9	0
Lotte	94 kcal (390 kJ)	20,6	1,27	0
Merlan	92 kcal (385 kJ)	20,9	0,9	0
Merlu	67 kcal (280 kJ)	15	0,86	0
Morue	91 kcal (380 kJ)	21,2	0,68	0
Raie	80 kcal (335 kJ)	18,9	0,5	0
Sole	70 kcal (290 kJ)	15	1	0
Turbot	95 kcal (400 kJ)	16,8	3	0
Poissons semi-gras (3 à 10 % de lipides)				
Anchois	160 kcal (670 kJ)	21,7	8	0,3
Bar	106 kcal (445 kJ)	17,7	3,9	0
Carpe	136 kcal (570 kJ)	20,4	6	0
Espadon	148 kcal (620 kJ)	25,4	5	0
Mulet	143 kcal (600 kJ)	24,8	4,9	0
Rouget	100 kcal (420 kJ)	15,5	4,25	0
Roussette	135 kcal (565 kJ)	18	7	0
Sardine	162 kcal (680 kJ)	20,4	9	0
Thon	175 kcal (730 kJ)	29,7	6,3	0
Truite	128 kcal (535 kJ)	23	4	0
Poissons gras (≥ 10 % de lipides)				
Anguille	230 kcal (960 kJ)	23,6	15	0
Hareng	203 kcal (850 kJ)	17,9	14,6	0
Maquereau	258 kcal (1 080 kJ)	24	18	0
Saumon	190 kcal (795 kJ)	19,5	12,5	0

Critères de qualité et de fraîcheur

Il est important pour le consommateur de savoir acheter son poisson afin d'éviter tout risque d'intoxication. Le tableau suivant donne les différents paramètres permettant de distinguer un poisson frais d'un poisson altéré.

Caractères observés	Sur le poisson frais	Sur le poisson altéré
	Peau	
Mucus	Transparent et brillant	Opaque, jaunâtre, terne
Pigmentation	Vive, chatoyante, irisée	Délavée, colorée
Écailles	Brillantes, nombreuses, adhérentes	Molles, perdant leur adhérence
	Œil	
Pupille	Noire, brillante	Décolorée, vitreuse
Forme	Bombée ou plate	Creuse
	Branchies	
Teinte	Rouge vif et même violacée	Jaunâtre, grisâtre
	Rigidité	
Chair	Ferme, rigide, état de rigidité, cadavérique	Flasque, molle
	Péritoine	
	Très adhérent à la chair	Fragile, détérioré, non adhérent à la chair
	Arête	
Adhérence	Très adhérente à la chair, se brise quand on veut l'enlever	Se détache facilement et a tendance à devenir flexible
Couleur	Blanc nacré	Rosée, grisâtre, terne
	Chair	
Couleur	Blanche généralement (sauf pour le hareng, le maquereau, le thon)	Jaunâtre, rougeâtre à tendance brunâtre
	Odeur	
	De marée, d'iode	Ammoniacale, putride, aigre

Conseils de conservation

Chez le poissonnier, le poisson est présenté sur un lit de glace, sur des comptoirs réfrigérés afin de lui préserver toute sa fraîcheur. Une fois acheté, il doit être conservé à une température comprise entre 0 et 2 °C. La durée de conservation est de 2 jours.

Le poisson acheté surgelé pourra être conservé pendant plusieurs mois dans un congélateur à – 18 °C ou quelques jours dans le freezer.

Conseils de cuisson

Il existe de nombreuses méthodes pour cuisiner les poissons. Les plus courantes sont la cuisson à la poêle (dite meunière) avec de la matière grasse et la friture. Leur inconvénient est de faire considérablement augmenter la teneur en graisses, donc en calories, du poisson. Par exemple, la teneur en lipides d'une sole est de 1 % ; quand elle est frite dans la matière grasse, elle monte jusqu'à 14 %. Le poisson meunière ou en friture devient indigeste.

Il existe des méthodes qui permettent de conserver aux poissons toute leur digestibilité :

La cuisson au four

Le poisson est déposé sur un lit de tomates et d'oignons avec des aromates et est arrosé de vin blanc, ou de fumet de poisson, ou de jus de citron. Pour éviter qu'il ne se dessèche, on peut recouvrir le plat à l'aide d'une feuille d'aluminium.

La cuisson au gril

Le poisson peut être grillé soit entier (loup, daurade, sardine...), soit en filet, soit encore en brochettes.

La cuisson au court-bouillon

Cette méthode de cuisson est peu appréciée car elle est, en fait, souvent mal réalisée.

Pour exalter tous ses arômes, un court-bouillon doit être constitué d'une eau acidulée (vinaigre, citron) et aromatisée. Il doit être réduit au préalable pour que les arômes soient concentrés. Le bouillon est dit « court » car il faut en général peu de liquide, tout juste de quoi baigner le poisson à cuire. Lorsqu'on met le poisson à pocher, l'eau doit juste frémir et non bouillir.

Il existe des courts-bouillons déshydratés dans le commerce qui donnent aussi de très bons résultats.

La cuisson à la vapeur

Elle consiste à placer un filet ou une darne de poisson dans une passoire au-dessus d'une eau aromatisée en ébullition.

La cuisson en papillote

Le poisson accompagné d'épices et d'aromates est cuit à l'étouffée dans une enveloppe de papier d'aluminium. Ces papillotes peuvent être placées au four, dans la poêle ou sur le gril.

La cuisson dans le sel

Un poisson entier (daurade par exemple) est placé dans une cocotte sur un lit de gros sel et recouvert de gros sel. Après avoir brisé la croûte de sel, on obtient un poisson cuit et salé à point.

La cuisson au micro-ondes

On peut faire cuire un poisson au micro-ondes soit en l'enfermant dans du papier sulfurisé, soit en le mettant dans une papillote en silicone spéciale pour cuisson au micro-ondes. Dans les deux cas, le poisson sera accompagné d'épices, d'aromates. La cuisson est très courte : 2 à 3 minutes suivant sa grosseur.

Appellations régionales des poissons les plus courants

Bar : *loup (Provence), loubine (Vendée).*

Baudroie : *lotte.*

Carrelet : *plie.*
Congre : *anguille de mer.*
Dorade grise : *brème (Boulogne), griset (Arcachon).*
Dorade rose : *brème (Cherbourg).*
Daurade *: dorade royale*
Lieu jaune : *saumon blanc, merluche blonde.*
Lieu noir : *merluche, colin noir.*
Maquereau : *lisette.*
Rouget barbet : *surmulet.*
Saint-pierre : *doré, poule de mer, zée.*

S'ils sont très frais, certains poissons (daurade, thon, maquereau, saumon) peuvent être mangés crus. Ils sont alors simplement marinés dans un jus de citron et s'accompagnent de noix de coco, de sauce soja ou de raifort.

Quel que soit le mode de cuisson, le poisson conserve ses nutriments.

Les crustacés

Valeur alimentaire

La principale caractéristique des crustacés est leur richesse en protéines de bonne qualité apportant tous les acides aminés essentiels (de 13 à 23 %) et leur pauvreté en lipides (1 à 2 %). Leur teneur en glucides est négligeable.

Ils sont peu énergétiques : environ 100 kcal (418 kJ) pour 100 g.

Leur teneur en cholestérol est en moyenne : 130 mg pour 100 g, essentiellement localisé dans la tête, partie souvent peu consommée.

La chair des crustacés a une teneur intéressante en sels minéraux, en particulier en calcium, magnésium, fer, iode, chlore. Attention à leur teneur en sodium pour les personnes suivant un régime contrôlé en sodium, ils apportent en moyenne 800 mg de sodium pour 100 g.

Ils sont une source intéressante de vitamine B12.

Digestibilité

Pauvres en lipides, les crustacés sont de digestion facile (sauf intolérance personnelle). Seule leur richesse en cholestérol (130 mg/100 g, environ) entraînera une contre-indication pour ceux qui suivent un régime hypocholestérolémiant (sauf si seule la queue est consommée).

Les mollusques : coquillages, calmars

Valeur alimentaire

Les mollusques se caractérisent par une teneur en protéines en moyenne de 17 % ; ils sont très pauvres en lipides (1,5 % en moyenne) et en glucides (3 %). Ils sont peu énergétiques : 100 kcal pour 100 g.

On a cru pendant longtemps que tous les mollusques étaient riches en cholestérol, ce qui les faisait supprimer des régimes hypocholestérolémiants. En fait, seuls certains mollusques ont une teneur en cholestérol non négligeable (bigorneau, bulot, seiche : 110 mg/100 g en moyenne), mais d'autres comme les coquilles Saint-Jacques, les huîtres, les moules en contiennent peu.

Ils sont riches en sels minéraux, notamment en sodium (430 mg/100 g), fer (5 mg/100 g), magnésium (100 mg/l00 g), calcium (80 mg/100 g), iode (40 µg /l00 g).

Digestibilité

Ce sont des aliments faciles à digérer.

Composition des fruits de mer (pour 100 g de chair)

Espèces	Valeur énergétique	Protéines (en g)	Lipides (en g)	Glucides (en g)	Cholestérol (en mg)
Crustacés					
Crabes	128 kcal (530 kJ)	20	5,2	0	75
Crevette rose	103 kcal (430 kJ)	21,8	1,8	0	160
Homard	96 kcal (400 kJ)	19,5	1,8	0,5	129
Langouste	90 kcal (375 kJ)	17,4	1,3	1,9	70
Gamba	103 kcal (430 kJ)	21,8	1,8	0	185
Coquillages					
Bigorneau	134 kcal (560 kJ)	26	1,2	5	100
Coquille Saint-Jacques	78 kcal (325 kJ)	15,4	0,73	2,3	33
Huître	66 kcal (275 kJ)	8,6	1,7	4	20
Moule	118 kcal (490 kJ)	20	3	3	38
Calmar, poulpe, seiche, encornet	83 kcal (345 kJ)	16	1,1	2,3	110

Qualité des fruits de mer

Les fruits de mer sont des aliments qui s'altèrent très rapidement. Le ramassage sauvage de coquillages est vivement déconseillé. Pour se nourrir, les coquillages filtrent de grandes quantités d'eau, concentrant ainsi les germes présents dans la mer. Ramasser des coquillages qui se trouvent dans une eau côtière contaminée peut provoquer un certain nombre de maladies après consommation : fièvre typhoïde, salmonellose, hépatite virale... Il faut acheter des coquillages qui proviennent d'élevage, où l'eau est contrôlée.

Pour les choisir, une bonne précaution est de n'acheter que ceux dont les valves sont fermées ou légèrement ouvertes. Elles doivent se refermer si on presse les deux coquilles. Les crustacés sont achetés de préférence vivants, s'ils sont crus, ou surgelés (la surgélation a été faite immédiatement après leur capture).

Les transformations du poisson

Les conserves de poisson

On trouve de nombreuses variétés de conserves de poisson : les conserves au naturel (thon, saumon), les conserves à l'huile (sardines), les conserves accompagnées de sauce tomate, de vin blanc, de citron...

La qualité nutritionnelle du poisson de départ est peu modifiée si ce n'est que les vitamines liposolubles (A, D et E) se diffusent quand le liquide de couverture est de l'huile et que les vitamines hydrosolubles (vitamines du groupe B) font de même dans l'eau salée des conserves au naturel.

La vitamine B1 subit des pertes importantes, car elle est sensible à la chaleur (70 % de pertes).

Les poissons fumés

Le poisson frais salé est soumis de manière prolongée à la fumée, qui procure un effet antiseptique et permet de les conserver tout en rehaussant leur goût.

Ce sont surtout les poissons gras que l'on trouve fumés (anguille, hareng, maquereau, saumon...), mais aussi certains poissons maigres comme l'églefin : après fumage et coloré avec du roucou (fruit d'un arbre tropical), il prend le nom de haddock.

Notons la richesse en sodium des poissons fumés, qui sont donc déconseillés aux personnes ayant un régime contrôlé en sel : 1 028 mg de sodium pour 100 g de saumon fumé, 42 mg pour 100 g de saumon frais.

Les poissons salés

Le salage est une méthode ancienne de conservation du poisson. Il se pratique pour :

– le cabillaud, qui après salage est appelé morue ;

– les anchois, qui donnent le nuoc-mâm : il est obtenu par l'autodigestion du poisson par ses propres enzymes, la putréfaction étant évitée par addition d'une grande quantité de sel. Cette sauce apporte des protéines : 9,3 g pour 100 ml.

Le surimi

Les filets de poissons blancs (lieu, merlan, colin...), une fois prélevés, sont broyés et lavés à plusieurs reprises pour former une pâte, le « surimi base », qui est constituée d'un minimum de 85 % de chair de poisson. Cette pâte est riche en protéines et pauvre en lipides. Cette opération se déroulant à bord des bateaux de pêche, la pâte est congelée afin d'être conservée jusqu'au retour à terre. Dans l'usine, la pâte de « surimi base » est additionné de fécule de pomme de terre ou de blé, de blanc d'œuf, d'huile, de sel, de sorbitol, de sulfate de calcium, d'arômes (naturels ou artificiels, de crabe, crevette, langouste, etc.) et de colorants (le paprika pour colorer la surface du surimi en orange). La pâte est travaillée et étalée en fine couche pour être cuite à la vapeur à 90 °C. Elle est ensuite mise en forme : bâtonnets, miettes, râpé...

Le surimi apporte en moyenne, pour 100 g : 8,4 g de protéines de bonne qualité, 2,4 g de lipides et 11,8 g de glucides, la valeur énergétique étant de 102 kcal [432 kJ] (ces valeurs peuvent varier suivant la marque de surimi).

Idées fausses

Le poisson est moins nutritif que la viande.

FAUX : le poisson apporte les mêmes éléments nutritifs que la viande, mais sa friabilité, due à sa pauvreté en tissu conjonctif, fait qu'il séjourne moins longtemps dans l'estomac que la viande et donne, à tort, l'impression qu'il ne « tient pas au ventre » et qu'il est moins nourrissant.

Il existe des poissons gras.

FAUX : nous avons vu que les poissons dits « gras » ne sont pas plus gras qu'une viande dite « maigre » (sauf l'anguille).

Place des produits de la pêche dans l'alimentation

Il est recommandé de consommer du poisson deux fois par semaine, en alternant une portion de poisson gras riche en oméga 3 et une portion de poisson maigre. Il est également indispensable de varier les espèces et les provenances en limitant les espèces qui accumulent les polluants comme le mercure, les polluants organiques : anguille, espadon, thon...

On trouve de plus en plus de poissons d'élevage. S'ils proviennent de fermes contrôlées, ils sont parfois meilleurs que les poissons sauvages.

Certaines espèces de poissons sont en voie de disparition – le thon rouge par exemple –, il faut donc éviter d'en consommer.

Équivalences en protéines

Vous pouvez remplacer 100 g de viande (sans déchets) apportant 25 g de protéines par environ :

– 100 g de volaille sans os ;

– 100 g d'abats (sans déchets) ;

- *100 g de jambon cuit ;*
- *100 g de poisson (sans déchets) ;*
- *2 œufs ;*
- *500 g de moules (en coquilles) ;*
- *18 huîtres ;*
- *75 cl de lait ;*
- *80 à 90 g de fromage.*

Le lait, les produits laitiers et les fromages

Le lait maternel ou le lait animal est notre première nourriture. Il apporte des protéines animales, du calcium indispensable à la croissance.

En France, nous consommons essentiellement le lait de vache ; on peut aussi acheter du lait de chèvre et du lait de brebis. Le lait est transformé en lait fermenté, yaourt, fromage, etc., transformation qui va modifier sa valeur nutritionnelle.

Le lait de vache

Valeur alimentaire

Teneur en protéines

Sa teneur en protéines est d'environ 3,5 %. Elles sont d'excellente qualité et contiennent tous les acides aminés essentiels. On distingue deux fractions protéiques :

– la caséine, qui est la fraction la plus importante. Elle coagule si on ajoute des acides (citron, vinaigre, par exemple) ou de la présure (utilisée pour la fabrication des fromages) ;

– la lactoalbumine et la lactoglobuline, qui, coagulant à la chaleur, forment la peau du lait bouilli.

Teneur en lipides

Au moment de la traite, la teneur en lipides du lait est de 40 à 45 g par litre (suivant la race, la saison, l'alimentation). Le lait commercialisé n'est plus entier mais standardisé à un taux fixé par une réglementation. On trouve :

- le lait entier (35 g par litre) ;
- le lait demi-écrémé (15 à 18 g par litre) ;
- le lait écrémé (moins de 2 g par litre).

Les lipides du lait sont des triglycérides constitués de :

- deux tiers d'acides gras saturés ;
- un tiers d'acides gras mono-insaturés ;
- traces d'acides gras polyinsaturés.

Le lait de vache est une source d'acides gras saturés qui, consommés en excès, sont athérogènes et thrombogènes.

Le lait apporte peu de cholestérol : 100 à 150 mg par litre pour le lait entier, teneur qui diminue dans le lait demi-écrémé et dont il ne subsiste que des traces dans le lait écrémé.

Teneur en glucides

La teneur en glucides est d'environ 5 %. Il s'agit de lactose, qui sera transformé en acide lactique par les ferments lactiques (cas des yaourts).

Certaines personnes ont du mal à digérer le lait. C'est souvent une intolérance au lactose due à une sécrétion insuffisante de lactase (l'enzyme qui digère le lactose) par l'intestin. Les symptômes sont des ballonnements, des diarrhées, des crampes abdominales et parfois des vomissements (surtout chez l'enfant).

Pour améliorer la tolérance du lait et donc la digestion du lactose, le lait doit être digéré lentement. Il faut donc :

- éviter de consommer du lait en grande quantité et surtout à jeun ;
- ingérer le lait au cours d'un repas, dans un entremet, une pâtisserie.

Les fromages ne contiennent quasiment plus de lactose.
On trouve dans le commerce des laits sans lactose.

Valeur énergétique

La valeur énergétique du lait est fonction de sa teneur en lipides.
Lait cru : 690 kcal/l (2 900 kJ).
Lait entier : 650 kcal/l (2 720 kJ).
Lait demi-écrémé : 500 kcal/l (2 000 kJ).
Lait écrémé : 310 kcal/l (1 320 kJ).

Teneur en sels minéraux

Le lait est riche en calcium, en phosphore, en sodium et en chlorure. Le calcium (120 mg/l) et le phosphore (85 mg/l) sont les principaux sels minéraux du lait.
Le rapport calcium/phosphore doit être compris entre 0,5 et 2 pour que l'absorption de ces deux minéraux soit optimale ; dans le lait, ce rapport est proche de 1,4, ce qui fait que le calcium du lait est très bien assimilé au niveau de l'intestin. D'autres facteurs sont favorables à cette assimilation : présence de protéines, de lactose, de vitamine D (quand le lait n'est pas écrémé).

Teneur en vitamines

Les teneurs en vitamines du lait commercialisé sont constantes même si les laits de printemps et d'été sont en théorie plus riches en vitamines A et D, quand les vaches sont dans les pâturages. Mais beaucoup de laits que nous consommons proviennent de vaches nourries toute l'année essentiellement par du fourrage, ce qui atténue les variations saisonnières.

• **Vitamines hydrosolubles.** La teneur en vitamine B2 (0,17 mg pour 100 ml) et B12 (0,4 µg pour 100 ml) est intéressante. La vitamine C existe en quantité variable dans le lait frais (variation saisonnière). Cependant, elle est pratiquement détruite au cours des différentes manipulations pour la commercialisation du lait (pasteurisation, stérilisation, ébullition).

• **Vitamines liposolubles.** La vitamine liposoluble la plus présente est la vitamine A (40 µg pour 100 ml) ; le lait contient peu de vitamine D (0,1 µg pour 100 ml), qui permet cependant la bonne absorption du calcium.

Liées aux matières grasses, les vitamines liposolubles sont absentes du lait écrémé.

Traitements du lait

Dans le commerce, le lait de vache est vendu sous différentes dénominations, liées aux traitements subis pour sa conservation : pasteurisation, stérilisation, concentration, séchage.

Le lait cru

Ce lait ne subit aucun traitement autre que la réfrigération à 4 °C immédiatement après la traite à la ferme. Pour être vendu, l'état sanitaire des vaches qui le fournissent est très contrôlé. Il est conditionné sur les lieux mêmes de production.

La mention « lait cru » ou « lait cru frais » est obligatoire sur l'emballage, dont la couleur est à dominante jaune. Son délai de consommation est de 72 heures.

Dans le lait cru, les microbes pathogènes n'ont pas été détruits par la chaleur. Il est donc obligatoire de le faire bouillir avant toute consommation (surtout pour les enfants) pendant 5 minutes en hiver et 10 minutes en été. Conservé au réfrigérateur, il doit être utilisé dans les 48 heures.

La bouteille entamée, il ne se conserve pas au-delà de 24 heures à 4 °C.

Sa valeur nutritionnelle est variable, surtout sa teneur en lipides (4 à 4,5 g pour 100 ml).

C'est le lait préféré des amateurs de lait, car il garde toutes les qualités gustatives du « vrai » lait de vache ; en effet, il n'est ni standardisé, ni écrémé, ce qui en fait un lait onctueux et parfumé.

Le lait pasteurisé

La pasteurisation consiste en un chauffage modéré du lait (entre 72 et 85 °C pendant 15 à 20 secondes) puis immédiatement refroidi. Elle permet de détruire tous les microbes pathogènes éventuellement présents ainsi que la majorité des bactéries responsables d'altération. Le lait pasteurisé est un lait qui conserve une certaine population microbienne inoffensive.

L'étiquetage porte les mentions « lait pasteurisé conditionné » ou « lait frais pasteurisé ». Lorsqu'il comprend la mention « lait pasteurisé de haute qualité », la pasteurisation a été effectuée à chaleur moins élevée et de plus courte durée : 72 °C pendant 15 secondes au maximum ; les qualités gustatives sont optimales.

Conservation

Le lait pasteurisé doit être consommé dans les 7 jours qui suivent son conditionnement et placé au réfrigérateur à 4 °C. À l'intérieur de ce délai, il faut l'utiliser dans les 2 à 3 jours après l'ouverture.

Le lait pasteurisé conditionné en bouteille plastique ou en Tetra Brick est standardisé, c'est-à-dire écrémé pour faire correspondre le taux de matière grasse à celui exigé par la réglementation. On trouve :

– le lait entier (35 g/l de matières grasses). Pour le reconnaître, les capsules ou les inscriptions sont en rouge ;

– le lait demi-écrémé ou allégé (15 à 18 g/l de matières grasses). Les capsules ou inscriptions sont en bleu.

La pasteurisation ne diminue pas la valeur nutritionnelle du lait : les taux de protéines et de calcium ne sont pas modifiés, aucune vitamine n'est altérée – sauf la vitamine C, mais le lait n'en est pas une source importante.

Le lait microfiltré

C'est une nouvelle technique de conservation du lait qui est encore peu répandue en France. Elle consiste à séparer la crème du lait ; la crème est pasteurisée pour supprimer les bactéries indésirables et le lait écrémé, de son côté, est filtré à travers des membranes extrêmement fines qui retiennent les bactéries. Puis la crème et le lait sont à nouveau mélangés selon les proportions voulues.

Ce lait se garde au froid à 4 °C, plus longtemps que le lait pasteurisé (quinze jours).

Ses qualités gustatives sont en partie préservées, car il n'a pas été chauffé.

Le lait stérilisé

La stérilisation est un procédé de longue conservation par lequel tous les microbes sont tués. Préalablement conditionné dans un emballage hermétique et stérile, le lait est chauffé à 115 °C pendant 15 à 20 minutes, puis rapidement refroidi.

Conservation

Il peut être conservé 150 jours (5 mois) à une température de 15 °C tant que l'emballage n'aura pas été ouvert. Une fois ouvert, il doit être conservé au réfrigérateur à 4 °C et consommé dans les 2 à 3 jours.

Ce procédé de conservation est de moins en moins utilisé. Le lait perd ses qualités gustatives et sa couleur est moins blanche en raison du long chauffage à haute température.

Le lait stérilisé UHT

Le procédé par ultra haute température consiste en un chauffage instantané du lait à 140-150 °C, pendant quelques secondes, suivi d'un conditionnement dans des récipients stériles (Tetra Brick ou bouteilles en plastique). Avant cette opération, le lait est homogénéisé (les globules gras sont éclatés en fines particules) pour éviter la séparation de la matière grasse au cours de la conservation. Cette stérilisation du lait permet la destruction de tous les micro-organismes.

Ce procédé permet d'écourter le temps de chauffage et donc de préserver les qualités gustatives du lait.

Les modifications de la valeur alimentaire du lait UHT sont minimes : pas de modification des taux de protéines et de calcium, pas ou peu de pertes en vitamines B.

Conservation

Le lait UHT pourra être conservé pendant 90 jours (3 mois) hors du réfrigérateur, à l'abri de la chaleur (température de 15 °C) et de la lumière, emballage fermé.

Une fois ouvert, le lait devra être consommé rapidement (dans les 3 jours) et conservé au réfrigérateur à 4 °C.

Le lait stérilisé et le lait UHT sont standardisés comme le lait pasteurisé. Ils peuvent être :

– entier (35 g/l de matières grasses), capsules ou inscriptions rouges ;

– demi-écrémé (15 à 18 g/l de matières grasses), capsules ou inscriptions bleues ;

– écrémé (moins de 2 g/l de matières grasses), capsules ou inscriptions vertes.

Le lait aromatisé

Cette dénomination est réservée aux boissons stérilisées constituées de lait – écrémé ou non, sucré ou non – additionné de substances aromatiques naturelles : laits chocolatés, laits aromatisés à la vanille, à la fraise... Ces laits aromatisés sont souvent riches en glucides (environ 10 g pour 100 ml).

Ils se conservent dans les mêmes conditions que les laits stérilisés.

Le lait concentré

Le lait concentré existe sous deux formes :

- le lait concentré non sucré ;
- le lait concentré sucré.

Tous les deux résultent d'une concentration du lait sous vide par évaporation partielle de l'eau contenue dans le lait.

Dans le cas du lait concentré non sucré, 50 à 55 % d'eau est éliminée après pasteurisation du lait. Puis il est conditionné en boîtes de métal et enfin stérilisé.

Le lait concentré non sucré commercialisé peut fournir, une fois reconstitué, du lait entier, ou demi-écrémé.

Le lait concentré sucré, pour sa part, ne subit pas de stérilisation, car le sucre empêche les micro-organismes de se multiplier. Après pasteurisation, il est additionné de 40 à 42 % de sucre. Le lait concentré sucré est assimilable à une confiture. Il est commercialisé soit entier, soit écrémé en boîte de métal, tubes ou mini-berlingots.

Conservation

Tant que les boîtes ne sont pas ouvertes, les laits concentrés sont des laits dont la durée de conservation est très longue :

• Le lait concentré non sucré peut être conservé entre 12 à 18 mois après la date de fabrication à température ambiante tant que le conditionnement n'est pas ouvert. Une fois ouvert, il doit être conservé au réfrigérateur et consommé dans les 3 jours.

• Le lait concentré sucré se conserve de 12 à 18 mois après la date de fabrication, conditionnement fermé. Après ouverture, il se conserve au réfrigérateur 8 jours maximum.

Consommation

On trouve du lait concentré non sucré :
– demi-écrémé, à 4 % de matières grasses ;
– entier, à 7,5 % de matières grasses ;
– et aussi à 9 % de matières grasses.

La reconstitution de lait normal se fait par ajout au lait concentré non sucré du même volume d'eau ; on obtient :
– un lait demi-écrémé (2 g de matières grasses pour 100 ml) ;
– un lait entier (3,7 g de matières grasses pour 100 ml) ;
– un lait plus riche en matières grasses que les laits standardisés commercialisés (4,5 g pour 100 ml) mais qui est souvent apprécié pour des recettes plus onctueuses.

Le lait concentré non sucré, en particulier celui à 9 % de matières grasses, peut être utilisé en remplacement de la crème fraîche dans de nombreuses recettes, ce qui permet de les alléger.

Le lait concentré sucré est commercialisé :
– entier (9 % de matières grasses), avec 55 g de sucre pour 100 g ;
– écrémé (sans matière grasse) avec 61 g de sucre pour 100 g.

C'est un produit très sucré. Le berlingot, très apprécié par les enfants, apporte près de 17 g de sucre (équivalent de plus de 3 morceaux de sucre).

Le lait en poudre

C'est un lait dont la presque totalité d'eau a été supprimée (96 %). Après pasteurisation et concentration, le lait est projeté en minuscules gouttelettes dans une enceinte. Celles-ci sont séchées par envoi d'air chaud à 200 °C qui provoque instantanément l'évaporation de l'eau dans la tour de séchage.

Il existe :

– le lait en poudre entier (26 g de matières grasses pour 100 g de poudre) ;

– le lait en poudre demi-écrémé (14 g de matières grasses pour 100 g de poudre) ;

– le lait en poudre écrémé (0,8 g de matières grasses pour 100 g de poudre).

La valeur alimentaire du lait en poudre n'est pas modifiée par rapport à un lait ordinaire : taux de protéines inchangé, pertes en vitamines minimes.

Conservation

Dans ce milieu privé d'eau, les micro-organismes ne se développent pas. Si l'emballage n'est pas ouvert, la conservation des laits en poudre est de un an, à l'abri de l'humidité et de la chaleur, à température ambiante.
Si l'emballage est ouvert :

- Le lait entier se conserve 10 jours.
- Le lait demi-écrémé se conserve 2 semaines.
- Le lait écrémé se conserve 3 semaines.

Les laits entier et demi-écrémé se conservent moins longtemps car la matière grasse s'oxyde et peut être à l'origine d'un goût de suif désagréable.

Consommation

Le lait doit être reconstitué en dissolvant la poudre dans de l'eau (les proportions d'eau et de poudre à utiliser sont mentionnées sur l'emballage). La poudre est versée lentement dans l'eau tout en agitant.

Il est inutile de faire bouillir le lait reconstitué, qui doit être consommé immédiatement. En effet, ce lait est rapidement altérable.

Les laits enrichis

Actuellement, de nombreux laits à composition enrichie envahissent le rayon lait. Pour la plupart, ils n'ont guère d'intérêt et leur prix est élevé. On peut trouver :

– des laits enrichis en vitamine D. Cet enrichissement aurait un intérêt pour les enfants, les adolescents, les femmes enceintes, les personnes âgées, mais si on vérifie sa teneur sur l'étiquette, la différence avec un lait non enrichi est minime ;

– des laits enrichis en cocktail de vitamines (A, B1, B2, B5…) ou « à teneur garantie ». Or, non seulement on n'a pas besoin de ces suppléments de vitamines, mais le lait n'en est pas, normalement, un vecteur important ;

– des laits enrichis en calcium. Mais le lait est un aliment qui est naturellement riche en calcium (120 mg/100 ml) et l'ajout est au maximum de 25 mg pour 100 ml ;

– des laits enrichis en fibres. Il s'agit de fibres solubles, favorables au transit intestinal, mais la quantité ajoutée est tellement faible qu'elle n'a pas l'effet désiré ;

– des laits enrichis en magnésium et/ou zinc et/ou fer. Comme pour le calcium, l'ajout de ces minéraux est minime ;

– des laits enrichis en protéines. Non seulement les besoins en protéines sont couverts chez les adultes et les enfants, qui en consomment plutôt en excès, mais ce lait n'en apporte qu'une quantité supplémentaire négligeable : 0,5 g pour 100 ml ;

– des laits enrichis en oméga 3. Ce sont des laits auxquels on a ajouté une huile riche en oméga 3. La teneur en oméga 3 est minime. Il est préférable de consommer des aliments source naturelle d'oméga 3 (poissons gras, huile de colza, de noix par exemple).

Les laits modifiés

Les laits à teneur réduite en lactose

Ce sont des laits qui contiennent moins de 0,5 g de lactose par litre ; il a été hydrolysé en deux glucides : le glucose et galactose. Il est conseillé aux personnes qui digèrent mal le lait car ils sont intolérants au lactose.

On les trouve demi-écrémé et écrémé.

Les boissons lactées au jus de fruits

Ce sont des boissons obtenues par un mélange de lait UHT écrémé, de jus de fruits et de sucre. Bien que leur teneur en calcium soit identique à celle du lait (120 mg/100 ml), ces boissons sont riches en sucre (12 %).

Les autres laits

Nous consommons essentiellement du lait de vache, mais les laits de brebis et de chèvre sont aussi appréciés et se trouvent dans les rayons lait. Les laits d'ânesse, de jument, de bufflonne, de chamelle peuvent être consommés, cependant ils sont peu commercialisés et leur prix est élevé.

Le lait de brebis

Il est nutritionnellement plus riche que le lait de vache. Il contient 7 % de lipides et 5 % de protéines, ce qui en fait un lait plus énergétique que le lait entier de vache (105 kcal/100 ml). Il apporte aussi plus de calcium : 188 mg pour 100 ml.

Le lait de chèvre

Sa valeur nutritionnelle se rapproche de celle du lait de vache entier. Cependant, ses protéines sont différentes de celles du lait de vache, ce qui lui confère des propriétés non allergisantes.

Tableau récapitulatif des différentes sortes de lait

Nature du lait	Valeur énergétique et composition pour 100 ml	Conservation	Ébullition
Lait cru	69 kcal (290 kJ) lipides : 4 g protéines : 3,4 g glucides : 5 g	Avant ouverture : 3 jours au réfrigérateur Après ouverture : 24 heures au réfrigérateur	Oui : 5 min en hiver, 10 min en été
	Lait pasteurisé		
entier	65 kcal (270 kJ) lipides : 3,4 g protéines : 3,5 g glucides : 5 g	Emballage non ouvert, DLC* : 7 jours au réfrigérateur. emballage ouvert : 2 à 3 jours au réfrigérateur	Non
demi-écrémé	48 kcal (200 kJ) lipides : 1,5 à 1,7 g protéines : 3,4 g glucides : 5 g		
	Lait stérilisé et UHT		
entier	Comme le lait pasteurisé entier	Avant ouverture : stérilisé 5 mois, UHT 3 mois Après ouverture : 3 jours au réfrigérateur	Non
demi-écrémé	Comme le lait pasteurisé demi-écrémé		
écrémé	31 kcal (130 kJ) Lipides : traces Protéines : 3,4 g Glucides : 5 g		
	Lait concentré non sucré		
entier	132 kcal (550 kJ) Lipides : 7,5 g Glucides : 10 g Protéines : 6 g	Avant ouverture : 12 à 18 mois Après ouverture : 3 jours au réfrigérateur	Non
demi-écrémé	110 kcal (460 kJ) Lipides : 4 g Glucides : 11,6 g Protéines : 6,9 g		

*DLC : Date limite de consommation

<table>
<tr><td>à 9 % de matières grasses</td><td>160 kcal (670 kJ)
Lipides : 9 g
Glucides : 11,8 g
Protéines : 8,1 g</td><td>Avant ouverture :
12 à 18 mois
Après ouverture :
3 jours au réfrigérateur</td><td>Non</td></tr>
<tr><td colspan="4">Lait concentré sucré</td></tr>
<tr><td>entier</td><td>Pour 100 g :
337 kcal (1 400 kJ)
Lipides : 9 g
Protéines : 8,5 g
Glucides : 55,5 g</td><td rowspan="2">Avant ouverture :
12 à 18 mois
Après ouverture :
8 jours</td><td rowspan="2">Non</td></tr>
<tr><td>écrémé</td><td>Pour 100 g :
283 kcal (1 180 kJ)
Lipides : traces
Protéines : 9,8 g
Glucides : 60,6 g</td></tr>
<tr><td colspan="4">Lait en poudre</td></tr>
<tr><td>entier</td><td rowspan="3">Identiques au lait liquide après reconstitution</td><td rowspan="3">Avant ouverture : 1 an
Après ouverture :
– entier : 10 jours,
– demi-écrémé :
2 semaines,
– écrémé : 3 semaines</td><td rowspan="3">Non</td></tr>
<tr><td>demi-écrémé</td></tr>
<tr><td>écrémé</td></tr>
</table>

Les laits fermentés

Les yaourts

L'appellation « yaourt » est réglementée, puisqu'il est obtenu par fermentation du lait par deux bactéries : *Lactobacillus bulgaricus* et *Streptococcus thermophilus*. De plus, ces bactéries doivent être vivantes et nombreuses dans le produit fini (au moins 10 millions de bactéries par gramme). Le yaourt est un produit vivant. Les ferments vont transformer le lactose (sucre du lait) en acide lactique. Il s'ensuit une coagulation des protéines.

Dans l'industrie, les yaourts sont fabriqués à partir de lait pasteurisé entier, demi-écrémé ou écrémé. Selon les recettes, il peut être additionné de poudre de lait, de protéines de lait, pour lui conférer une consistance plus ferme. On peut trouver les yaourts suivants :

Les yaourts traditionnels

La fermentation a lieu en pot : yaourt nature et yaourt aromatisé ou aux fruits.

Les yaourts « brassés » ou « veloutés »

La fermentation a lieu dans des cuves. Le mélange subit ensuite un brassage pour le fluidifier avant d'être mis en pots : yaourt velouté nature et yaourt velouté aux fruits.

La fabrication ménagère du yaourt est facile à réaliser. Le lait, après avoir été porté à ébullition, est ensemencé à une température de 45 °C par un yaourt frais du commerce. Il suffit d'un yaourt pour un litre de lait. Du lait en poudre (1 à 2 cuillerées à soupe) peut y être ajouté afin d'obtenir un yaourt de consistance plus ferme. Le lait ensemencé est réparti dans des pots qui seront maintenus à une température de 40-45 °C dans une enceinte close (yaourtière). La fermentation dure de 6 à 8 heures.

Les yaourts liquides à boire

Après obtention des yaourts brassés, ils sont battus pour obtenir la texture liquide.

Valeur alimentaire

Le yaourt a la même valeur alimentaire que le lait utilisé pour sa fabrication. On trouve :

– les yaourts maigres, si le lait utilisé est écrémé (traces de lipides) ;

– les yaourts nature, les plus couramment utilisés, si le lait est demi-écrémé (1 % de lipides) ;

– les yaourts au lait entier, si le lait utilisé contient plus de 3 % de lipides.

La teneur en glucides peut varier suivant que le yaourt est nature, aromatisé ou aux fruits (cf. tableau ci-dessous).

Composition des yaourts (pour 1 pot)

Yaourts	**Valeur énergétique**	**Protéines (en g)**	**Lipides (en g)**	**Glucides (en g)**	**Calcium (en mg)**
Nature	59 kcal (250 kJ)	5	1,25	6	179
Maigre	49 kcal (200 kcal)	5,5	–	6	188
Au lait entier	88 kcal (370 kJ)	4,75	4,5	6,25	158
Sucré	104 kcal (450 kJ)	5	1,2	17	159
Aux fruits	115 kcal (480 kJ)	4	2	19	142
Édulcoré	57 kcal (240 kJ)	3,5	5	2	155
Brassé nature	90 kcal (380 kJ)	5,9	4,25	7	200
Au lait de chèvre	47 kcal (195 kJ)	4	1,87	3,37	140
Au lait de brebis	137 kcal (570 kJ)	6	9,4	7	188

Digestibilité

le yaourt est un aliment très digeste même pour les personnes auxquelles la lactase fait défaut. En effet, les bactéries lactiques vivantes vont transformer une partie du lactose du lait en glucose et galactose puis en acide lactique.

L'opinion selon laquelle le yaourt est décalcifiant est un non-sens. Au contraire, la présence d'acide lactique favorise l'assimilation du calcium.

Conservation

Le yaourt doit être conservé au réfrigérateur à une température de 5 à 7 °C, en respectant la date limite de consommation inscrite sur l'emballage.

Les autres laits fermentés

La fabrication de laits fermentés est une pratique commune à de nombreux pays. Bien que le résultat obtenu diffère suivant les régions, le but recherché de la fermentation est toujours le même : la conservation du lait et l'amélioration de son assimilation par l'homme, le lactose étant transformé en acide lactique.

Par exemple, on peut trouver :

– le lait ribot en France et en particulier en Bretagne, dont la valeur nutritionnelle est équivalente à celle du lait écrémé ;

– le *laban* au Moyen-Orient ;

– le *lassi* en Inde ;

– le *buttermilk* aux États-Unis et en Grande-Bretagne ;

– le kéfir ou *koumis* dans les pays de l'Est.

Dans le rayon frais sont commercialisés des produits dont le pot ressemble souvent à celui du yaourt ; ils n'ont pas le droit à cette appellation car, lors de leur fabrication, d'autres souches bactériennes sont associées ou non à celles utilisées pour la fabrication du yaourt.

Leur goût varie suivant la souche bactérienne utilisée ; ils sont souvent plus appréciés que le yaourt car ils sont plus doux.

Leur valeur nutritionnelle est proche de celle des yaourts.

On trouve dans le rayon frais des laits fermentés au *Lactobacillus acidophilus*, au *Lactobacillus bifidus*, au *Lactobacillus casei*.

Selon les publicités, ces laits fermentés auraient de nombreux bienfaits sur notre santé. En réalité, ils n'ont pas d'effets plus bénéfiques que le yaourt nature en dépit d'un prix plus élevé.

Les laits gélifiés et emprésurés

Les laits gélifiés et les laits emprésurés ne sont pas à confondre avec les yaourts, bien qu'ils soient vendus dans des pots identiques. La consistance de ces laits a été modifiée :

– par addition de gélifiants d'origine végétale (agar-agar : E406, carraghénanes : E407, cf. « Les additifs alimentaires » p.186). On obtient des laits gélifiés, des crèmes desserts ;

– par l'action coagulante de la présure, une enzyme extraite de l'estomac des jeunes ruminants. On obtient des laits emprésurés.

Par l'adjonction d'ingrédients (sucre, chocolat, caramel, café...), on obtient une gamme de produits de goûts différents.

Valeur alimentaire

Elle est très variable. On y trouve tous les éléments nutritifs du lait. Il faut y ajouter ceux des ingrédients permettant une diversification des produits : sucre, chocolat, crème...

Conservation

Bien qu'un traitement thermique en assure la conservation, les laits gélifiés et les laits emprésurés sont des produits fragiles. Il ne faut donc pas les consommer au-delà de la date limite de consommation.

Les desserts lactés

Le rayon frais de nos magasins d'alimentation est envahi par les desserts lactés, qui sont souvent très appréciés par les petits mais aussi par les grands. S'ils sont réalisés avec un peu de lait, ils contiennent aussi des matières grasses, des sucres, parfois en forte quantité, de la crème fraîche, et souvent beaucoup des additifs (émulsifiants, épaississants...), des arômes (cf. « Les additifs alimentaires » p.186).

Quelques exemples de desserts lactés que l'on peut trouver :

- Les flans : ils contiennent du lait, du sucre, des épaississants et des arômes. Ils contiennent rarement des œufs, contrairement à la recette maison.
- Les viennois et les liégeois : ce sont des laits gélifiés sucrés surmontés d'une crème aérée.
- Les crèmes desserts : elles sont à base de lait, de sucre, de sirop de glucose-fructose, de crème.
- Les mousses : ce sont des desserts foisonnés contenant un peu de lait et éventuellement des œufs et de la crème.
- Les entremets céréaliers : semoule, riz au lait, gâteaux de semoule, de riz.

Valeurs nutritionnelles de quelques desserts lactés du commerce (pour 100 g)

Desserts lactés	Valeur énergétique	Protéines	Lipides	Glucides	Calcium
Crème dessert	126 kcal (530 kJ)	4,6 g	3 g	19 g	154 mg
Mousse au chocolat	178 kcal (750 kJ)	5,6 g	7,8 g	19 g	103 mg
Liégeois	198 kcal (830 kJ)	3,2 g	10 g	23,8 g	95 mg
Gâteau de riz	148 kcal (620 kJ)	3,2 g	3,3 g	26 g	72 mg

Les fromages

La France est le pays du fromage. On en compte plus de 1 000 variétés, fabriquées surtout à partir de lait de vache, mais aussi à partir de lait de chèvre et de brebis.

Un décret du 30 décembre 1988 définit le terme « fromage » comme étant réservé au « produit fermenté ou non obtenu par coagulation du lait, de la crème ou de leur mélange, suivie d'un égouttage ».

Lors de leur fabrication, les fromages sont donc soumis :

– au caillage ou coagulation du lait ;

– à l'égouttage (le caillé se contracte). Le liquide (lactosérum) qui est éliminé se compose d'eau et d'éléments solubles du lait (sels minéraux, lactose). Cet égouttage peut être soit naturel (il est lent : 15 à 24 heures, et la perte de sels minéraux, surtout le calcium, éliminés avec le liquide est importante), soit accéléré mécaniquement (les sels minéraux, notamment le calcium, sont ainsi mieux retenus dans le caillé) ;

– au salage et à l'affinage (sauf pour les fromages frais). Ce dernier est responsable de la consistance, de l'odeur et de la saveur du fromage. Les caractères spécifiques de chaque type de fromage apparaissent. Suivant la quantité de sel et le moment où il est ajouté, les fromages ont une odeur et un goût particuliers.

Selon les procédés de fabrication, les fromages ont été classés en différentes catégories.

Les fromages frais

Ils ne sont pas affinés. On les classe en cinq catégories :

– les fromages blancs lisses, caillés, additionnés de crème fouettée (fontainebleau) ;

– le suisse. C'est un fromage frais de forme cylindrique, pesant 30 à 60 g et renfermant au minimum 40 % de matière grasse. Il existe des « suisses » à 60 % de matière grasse. Le « petit-suisse » doit peser 30 g ;

– les fromages aromatisés. Le caillé égoutté est aromatisé à l'ail, aux fines herbes, au poivre, au piment d'Espelette... Ils sont souvent enrichis en matière grasse ;

– les spécialités régionales. Ce sont la brousse de Provence, le broccio corse, les crémets d'Anjou...

– les pâtes molles avant affinage. Parfois, certains fromages à pâte molle sont commercialisés avant l'affinage qui détermine leur appartenance définitive. Il sont alors considérés comme des fromages frais : fromage de chèvre (le Petit Billy), le Brillat-Savarin…

Ils sont riches en eau : de 70 à plus de 85 %. Leur teneur en matières grasses dépend du lait utilisé à la base et de l'adjonction ou non de crème. Leur teneur en lipides est donc très variable : de 0 à 60 % de matières grasses.
Du fait de leur richesse en eau, la conservation des fromages frais est courte. Elle se fait au réfrigérateur à la température de 5-6 °C. Il est préférable de ne pas les consommer au-delà de la date limite de consommation inscrite sur l'emballage.

Les fromages affinés

Les fromages fermentés à pâte molle

Ils sont affinés durant une période relativement courte, égouttés et moulés, mais non pressés et non cuits. Les matières grasses représentent de 20 à 26 % du poids du fromage. On distingue les fromages suivants :
– les fromages à croûte fleurie (camembert, brie, coulommiers, saint-marcellin…). Ils doivent ce nom au duvet de moisissures qui se développe durant l'affinage et qui donne à la croûte son aspect velouté) ;
– les fromages à croûte lavée (livarot, munster, pont-l'évêque, maroilles…). Durant l'affinage, ils sont lavés avec de l'eau salée, puis brossés pour éliminer les moisissures. Leur croûte a un aspect humide et prend une couleur orangée.

Les fromages fermentés à pâte pressée dure ou demi-dure

Le caillé est découpé et égoutté mécaniquement sous forte pression. On distingue les pâtes suivantes :

– les pâtes pressées non cuites (cantal, gouda, saint-paulin, édam, mimolette…) ;

– les pâtes pressées cuites. Le caillé est chauffé pendant moins d'une heure afin de l'affermir (emmenthal, comté, gruyère, raclette, beaufort…).

Les fromages à pâte pressée apportent au minimum 28 à 30 % de matières grasses.

Les fromages à pâte persillée, à moisissures internes

Ils sont réensemencés de moisissures dans la masse après un léger égouttage. Après séchage, le caillé est piqué avec de longues aiguilles pour favoriser le développement des moisissures. Ces fromages contiennent au minimum 28 % de matières grasses.

Ce sont le roquefort, le bleu d'Auvergne, la fourme…

Les fromages fondus

Ils sont obtenus par la fonte d'un ou plusieurs fromages auxquels on ajoute, éventuellement, du lait en poudre, du beurre, de la crème, de la caséine, parfois des aromates.

Les fromages fondus peuvent contenir de 8 à 23 % de matières grasses.

Les fromages de chèvre

Les fromages de chèvre sont des fromages à pâte molle et à croûte naturelle et peuvent être fabriqués avec du lait de chèvre seul ou mélangé à du lait de vache. Ils présentent, en général, une pâte fraîche ou molle à croûte fleurie. Dans cette catégorie, on trouve le chevrotin, le crottin de Chavignol, le valençay. Leur teneur en matières grasses varie de 17 à 27 %.

Valeur alimentaire

La valeur alimentaire des fromages affinés varie suivant les procédés de fabrication et la teneur en eau (cf. tableau ci-après).

La teneur en protéines des fromages est en général assez élevée. Ces protéines sont d'excellente qualité.

La teneur en lipides est très variable, car les fromages peuvent être fabriqués à partir de lait entier, de lait plus ou moins écrémé ou de lait enrichi en crème. Elle est en moyenne de 25 g de lipides pour 100 g de fromage. Leur composition est identique à celle du lait ; ce sont des triglycérides constitués en majeure partie par des acides gras saturés.

La teneur moyenne en cholestérol est de 80 mg pour 100 g.

Depuis 2007, l'application d'un nouveau décret impose l'affichage sur les étiquettes de la teneur en matières grasses sur le produit fini et non plus sur la matière sèche. Cette nouvelle règle permet au consommateur de connaître exactement la quantité de matières grasses du fromage qu'il mange. Un fromage blanc auparavant étiqueté à 20 % de MG ou à 40 % de MG affiche aujourd'hui respectivement 3,25 % de MG ou 7,7 % de MG, la teneur en eau atteignant 82 à 85 %. Les autres fromages à 45 % de MG de types camembert, cantal, morbier, saint-nectaire, comté, qui contiennent 36 à 54 % d'eau, annoncent avec le nouvel étiquetage 22 à 31 % de MG.

Plus un fromage est sec, plus sa teneur en matière grasse est élevée.

Les fromages, en particulier les fromages à pâte dure tels le gruyère, le cantal, le hollande, sont riches en calcium (1 000 à 1 400 mg pour 100 g) et en phosphore (90 à 100 mg pour 100 g). Ces sels minéraux se retrouvent surtout dans les zones périphériques de la croûte. Attention, les fromages affinés sont très riches en sodium, en particulier les fromages à pâte persillée.

Ils contiennent une quantité non négligeable de vitamine A, qui varie en fonction de la richesse du lait utilisé, de sa teneur en lipides.

Valeur alimentaire de quelques fromages

	Eau (en %)	**Protéines (en g)**	**Lipides (en g)**	**Glucides (en g)**	**Calcium (en mg)**	**Valeur énergétique**
Fromage blanc à 0 % de MG	87	7,5	traces	4	118	48 kcal (200 kJ)
Fromage blanc à 20 % de MG	85	8	3,25	3,8	123	78 kcal (325 kJ)
Fromage blanc à 40 % de MG	82	7,3	7,7	3,6	112	113 kcal (470 kJ)
Camembert	54	22,5	20,7	0	456	277 kcal (1 160 kJ)
Munster	48	20	28	0	370	329 kcal (1 375 kJ)
Cantal	41	24	30	0	798	365 kcal (1 525 kJ)
Emmenthal	38	28,5	30	0	1 055	383 kcal (1 600 kJ)
Roquefort	42	18,5	32	0	608	366 kcal (1 530 kJ)
Saint-marcellin	56	12,7	27	0	138	292 kcal (1 220 kJ)
Fromage de brebis	38	24,5	33	0	721	396 kcal (1 655 kJ)

Les laits utilisés

On trouve :

– ***des fromages au lait cru*** *: le lait n'a subi aucun traitement thermique. Ils sont mis en œuvre pour la fabrication du fromage au maximum quelques heures après la traite des animaux. Il conserve sa flore bactérienne naturelle qui favorise la production de goût, d'odeur et d'arômes dans les fromages ;*

– ***des fromages au lait thermisé*** *: la thermisation est un léger chauffage que subit le lait (57 à 68 °C pendant*

15 secondes). Le but est de détruire certains germes pathogènes tout en préservant une bonne partie de la flore bactérienne naturelle initiale. Au final, les fromages auront un peu moins de la typicité propre au produit ;

*– **des fromages au lait pasteurisé** : c'est un traitement thermique du lait (72 °C pendant 15 secondes) qui a pour but d'éliminer tous les germes pathogènes présent dans le lait. Les fromages obtenus ont des goûts et des saveurs plus uniformes et moins atypiques.*

Conservation

Les fromages à pâte molle à croûte fleurie ou lavée ainsi que les fromages persillés peuvent se conserver quelques jours à une température de 10-12 °C. Le délai peut être prolongé si on les maintient à une température de 5-6 °C. Dans les mêmes conditions, les fromages à pâte pressée peuvent se conserver plus longtemps.

L'endroit où les fromages sont conservés est très important : il ne doit être ni trop sec, ni trop humide. Conserver ses fromages dans le bac à légumes du réfrigérateur est le meilleur endroit, à condition :

– d'envelopper soigneusement chaque morceau dans son emballage d'origine ou dans du papier d'aluminium ;

– de les sortir une heure avant de les consommer pour qu'ils retrouvent toute leur souplesse et leur arôme.

En France, ce groupe d'aliments est la principale source de calcium. Le lait et les produits laitiers sont des aliments indispensables non seulement aux enfants mais aussi aux adultes et notamment aux personnes âgées. Les recommandations du programme national nutrition santé (PNNS) sont de trois produits laitiers par jour, voire quatre pour les adolescents, les femmes enceintes et les personnes âgées.

Les fromages fournissent aussi :

– des protéines ;

– des vitamines B et de la vitamine A quand ils ne sont pas écrémés.

Équivalences en calcium

150 ml de lait apportent 150 mg de calcium. Pour avoir à peu près la même quantité de calcium, on peut remplacer le lait par :

– 1 pot de yaourt de 12 cl ;

– 200 g de fromage blanc ;

– 20 g d'emmenthal (ou autre fromage à pâte pressée cuite) ;

– 20 g de cantal ou de hollande (ou autre fromage à pâte pressée) ;

– 30 g de camembert (ou autre fromage à pâte molle à croûte fleurie) ;

– 25 g de roquefort (ou autre fromage à pâte persillée) ;

– 90 g de fromage de chèvre.

Il est raisonnable que la consommation quotidienne de lait ou d'équivalent soit de :

– 0,75 l pour les enfants et les adolescents ;

– 0,5 l pour les adultes ;

– 0,75 l pour les femmes enceintes et les femmes allaitantes ;

– 0,75 l pour les personnes âgées.

Les fruits et les légumes

« Manger cinq fruits et légumes par jour » est une recommandation du plan national nutrition santé. Grâce à leur apport en micronutriments protecteurs (vitamines, minéraux, polyphénols), en fibres alimentaires, ils permettent de prévenir de nombreuses pathologies (cancers, maladies cardio-vasculaires, obésité).

Il est donc conseillé de manger 2 ou 3 fruits par jour et 2 ou 3 portions de légumes (dont au moins une crudité).

Valeur alimentaire

Teneur en glucides

Les fruits et les légumes sont des aliments riches en eau : 85 à 95 %. Leur valeur énergétique dépend de leur teneur en glucides. Elle est faible pour les légumes (une moyenne de 5 %) et variable pour les fruits :

– 5 % pour les fraises, les framboises, les baies ;

– 5 à 10 % pour les agrumes (oranges, pamplemousses), les melons, les pastèques, les kiwis ;

– 10 à 15 % pour les fruits à pépins (pommes, poires) et à noyau (abricots, pêches, prunes...) et l'ananas ;

– 15 à 20 % pour les raisins, les cerises, les figues et les bananes.

Les glucides sont essentiellement du fructose, qui confère aux fruits et aux légumes un index glycémique bas.

Teneur en protéines et en lipides

L'apport en protéines et en lipides des fruits et des légumes est négligeable. Seul l'avocat est riche en lipides (14 %), donc il est plus énergétique que les autres légumes.

Valeur énergétique

Les légumes sont des aliments peu énergétiques : 30 kcal pour 100 g en moyenne (sauf l'avocat : 137 kcal pour 100 g). Ils sont très appréciés dans les régimes hypocaloriques car, étant très volumineux dans l'assiette, ils sont rassasiants. Cependant, attention à leur assaisonnement : par exemple, une cuillerée à soupe de vinaigrette dans une salade multiplie par six la valeur énergétique de la préparation !

La valeur énergétique des fruits varie selon leur teneur en glucides : elle va de 88 kcal pour 100 g pour les fruits les plus sucrés (banane) à 30 kcal pour 100 g pour les fruits les moins sucrés (fraises).

Les sels minéraux

Fruits et légumes apportent des sels minéraux. Ils sont riches en potassium, richesse alliée à une pauvreté en sodium, ce qui en fait des aliments diurétiques.

Après les produits laitiers, les fruits et les légumes sont les meilleures sources alimentaires de calcium (en particulier le brocoli, le chou vert, les haricots verts, les agrumes, le kiwi, les baies). Leur calcium est, en général, bien assimilé : la ration de fruits et de légumes couvre 30 à 35 % des besoins.

Une exception doit être faite pour certains fruits et légumes riches en acide oxalique, qui en diminue l'absorption : c'est le cas des épinards, de l'oseille, des blettes, de la rhubarbe.
Les fruits et les légumes apportent aussi :

– du fer. Les légumes en sont une source appréciable (1 mg/100 g) et les fruits en sont une source faible (0,5 mg/100 g). Cependant, il est mal absorbé (fer non héminique). Les plus riches en fer sont le persil, le cresson, le pissenlit, le brocoli, les champignons, le fenouil et les baies acides. Ce fer est mieux assimilé quand les fruits et légumes sont consommés crus, grâce à la présence de la vitamine C ;

– du magnésium (bananes, figues, légumes à feuilles) ;

– de l'iode (les légumes frais sont la deuxième source d'iode après les produits de la mer).

Même si les fruits et légumes apportent une quantité relativement faible d'oligoéléments (cuivre, manganèse, sélénium), la quantité importante consommée en fait des sources non négligeables.

Les vitamines

Les fruits et les légumes sont des sources de vitamines hydrosolubles.

La vitamine C

La teneur en vitamine C des fruits et des légumes varie suivant de nombreux facteurs : espèces, saison, stockage, utilisation...

Les plus riches en vitamine C (pour 100 g)

Légumes	
Persil	170 mg
Poivron	126 mg
Brocoli, choux de Bruxelles cuits	60 mg
Cresson	60 mg
Chou-fleur	60 mg
Épinards	50 mg
Pissenlit	35 mg
Tomate	30 mg

Fruits	
Cassis	200 mg
Kiwi	80 mg
Fraise	60 mg
Citron, orange	50 à 60 mg
Clémentine, pamplemousse	40 mg
Groseille	30 mg
Abricot pêche, poire, pomme, raisin	4 à 15 mg

Le bêta-carotène (ou provitamine A)

Les pigments caroténoïdes dont le bêta-carotène sont responsables de la couleur orange des fruits et légumes. Ils sont associés aux chlorophylles, ce qui explique qu'on les trouve surtout dans les légumes et fruits très colorés.

Apports moyens pour 100 g de partie comestible

Légumes	
Pissenlit	8,4 mg
Carottes	7 mg
Persil	7 mg
Épinards	4 mg
Fenouil	3,7 mg
Chou vert	3 mg
Potiron	2 mg
Melon	2 mg
Fruits	
Mangue	3 mg
Abricots	1,5 mg
Pêche	0,5 mg
Cerises	0,4 mg
Clémentine	0,3 mg
Pastèque	0,3 mg
Prune	0,18 mg
Orange	0,12 mg

REMARQUE

Le lycopène, appartenant à la famille des caroténoïdes mais dénué d'activité vitaminique, est un puissant antioxydant. Il pourrait apporter une certaine protection contre divers cancers, notamment le cancer de la prostate. La tomate est l'aliment le plus riche en lycopène (teneur variable selon la variété, les conditions de culture, la saison). Sa biodisponibilité est augmentée par la cuisson et la présence de matière grasse.

Les vitamines B

Les légumes frais contiennent des quantités appréciables de vitamines du groupe B (vitamines B2, B3, B9...). Les fruits frais en sont des sources secondaires.

Apports moyens pour 100 g de partie comestible

Légumes	
Cresson	0,2 mg
Épinards, pissenlit	0,19 mg
Persil	0,17 mg
Chou vert, poireau, fenouil	0,10 mg

Les fibres alimentaires

Les fruits et les légumes sont une des sources principales de fibres alimentaires. Ils apportent des fibres insolubles (lignine, cellulose et hémicellulose) et des fibres solubles (pectines).

Ce sont les légumes et les fruits consommés crus qui sont les plus efficaces pour lutter contre la constipation (les fibres n'ont pas été attendries et dissociées comme après la cuisson).

Les autres végétaux

Les fruits secs

Abricots, bananes, figues, pruneaux, raisins secs... sont obtenus par déshydratation du fruit frais moyennant une exposition prolongée à une source de chaleur naturelle (soleil) ou artificielle (industrie alimentaire).

On retrouve dans les fruits secs les mêmes composants des fruits frais mais quatre à cinq fois plus concentrés.

Riches en glucides (50 à 70 %), ils possèdent une valeur énergétique variable selon la nature du fruit (280 kcal en moyenne pour 100 g).

Leur grande richesse en fibres (6 à 11 %) peut les rendre irritants pour la muqueuse intestinale et même laxatifs.

Ils sont une source importante de potassium (770 à 1 500 mg pour 100 g), de fer (1,3 à 5 mg pour 100 g) mais qui est mal absorbé car non héminique, de magnésium (50 à 90 mg pour 100 g).

La vitamine C a disparu lors du séchage des fruits.

Les fruits oléagineux

Amandes, noix, noisettes, cacahuètes, noix de pécan, graines de sésame, pignons de pin, pistaches... apportent des protéines carencés en certains acides aminés indispensables. La complémentation avec les protéines des céréales ou des légumes secs en feront des protéines de bonne qualité.

Ils sont très riches en lipides (50 à 60 %), constitué essentiellement d'acides gras insaturés ayant un rôle positif pour la prévention des maladies cardio-vasculaires :

- Les cacahuètes, noisettes, pistaches sont source d'oméga 9 ;
- Les amandes sont source d'oméga 6 ;
- Les noix sont sources d'oméga 6 et d'oméga 3.

Les fruits oléagineux apportent beaucoup de sels minéraux et d'oligoéléments : phosphore, potassium, fer non héminique, magnésium, zinc, cuivre.

Ils sont riches en vitamine E (de 3 à 21 mg [noix] pour 100 g).

Attention : ils sont très caloriques (600 à 700 kcal soit 2500 à 2930 kJ pour 100 g) : une portion de 20 g a la même valeur énergétique qu'une cuillerée à soupe d'huile (90 kcal soit 380kJ).

Les fruits amylacés

Les châtaignes sont plus petites que les marrons et sont à trois par bogue alors que les « marrons » (qui sont en fait des châtaignes et non le fruit du marronnier) sont plus gros et solitaires.

Ils sont riches en glucides (plus de 38 %) sous forme d'amidon, donc énergétiques (180 kcal [750 kJ] pour 100 g). Ils apportent des fibres (5 %), ce qui leur confère un index glycémique bas. L'apport global en minéraux est important : il est très riche en potassium (600 mg pour 100 g) ; l'apport en magnésium est intéressant (45 mg pour 100 g) ; le calcium (33 mg pour 100 g) et le fer (1,3 mg pour 100 g) figurent à des taux appréciables ; de nombreux oligoéléments sont présents (manganèse, cuivre, zinc, sélénium, iode). Ils sont aussi une bonne source de vitamines du groupe B.

Le marron glacé est un produit sucré. Il est gorgé de sucre, ce qui en augmente fortement la valeur énergétique : 250 kcal (1 050 kJ) pour 100 g.

Facteurs influençant la valeur alimentaire des fruits et des légumes

On distingue :

– les facteurs qui agissent avant la récolte (variété, composition du sol où les végétaux sont cultivés, engrais utilisés, conditions climatiques) ;

– les facteurs qui agissent après la récolte (stockage, préparation, cuisson).

Dans le premier cas, le consommateur ne peut pas avoir d'influence. Dans le deuxième cas, il peut intervenir pour conserver au maximum la valeur alimentaire des fruits et des légumes, en particulier des vitamines et des sels minéraux.

En ce qui concerne le stockage, deux cas se présentent :

– les végétaux faciles à conserver (racines, bulbes, pommes, bananes...). Ils ne perdent que lentement leur vitamine C et leur carotène ;

– les végétaux périssables : les pertes en vitamines sont plus rapides. À température ordinaire, les légumes à feuilles peuvent perdre en 24 heures 10 à 50 % de leur vitamine C. Il faudra donc prendre certaines précautions pour leur conserver au maximum leurs vitamines : consommer les fruits et les légumes le plus rapidement possible après l'achat. S'ils ne sont pas consommés dans l'immédiat, les conserver à l'abri de la lumière, à une température de 5 °C (bac à légumes du réfrigérateur, par exemple). Une exception est à faire pour les bananes, qui ne doivent jamais être conservées au froid.

Lors de leur préparation, quelques conseils sont à suivre pour garder au maximum les vitamines et les minéraux des fruits et des légumes :

– éplucher en surface les légumes et les fruits, les sels minéraux et les vitamines étant surtout situés à la périphérie des végétaux ;

– utiliser du matériel inoxydable pour l'épluchage et la préparation (la vitamine C est détruite par les oxydants) ;

– laver les fruits et les légumes entiers, sous l'eau courante, sans les laisser tremper. Les sels minéraux et les vitamines sont solubles dans l'eau. Un trempage prolongé entraînerait un passage de ces éléments nutritifs dans l'eau, d'où leur perte ;

– si les légumes ou les fruits doivent être râpés, le faire au dernier moment. L'adjonction de jus de citron augmente l'apport en vitamine C et les protège du brunissement.

La cuisson va détruire une partie des vitamines, surtout la vitamine C. Ce traitement modifie la consistance des fruits et des légumes en attendrissant les fibres. La digestibilité en est améliorée. Des pertes de sels minéraux ont lieu par leur passage dans l'eau de cuisson. L'intensité des pertes dépend de plusieurs facteurs :

– la dimension des morceaux mis à cuire. Plus la surface de contact avec l'eau est importante, plus les pertes par dissolution sont grandes ;

– la durée de la cuisson. La perte de vitamine C par oxydation dépend davantage de la durée de cuisson que de la température atteinte ;

– la quantité d'eau de cuisson. Plus elle est grande, plus les pertes sont élevées.

Pertes de vitamines à la cuisson (eau de cuisson jetée)

Cuisson	Vitamine C (en %)	Carotène (en %)
Beaucoup d'eau, cuisson longue	55-75	20
Peu d'eau, cuisson courte	25-45	14
À la vapeur	30-40	5
Sous pression	20-30	12
À l'étouffée	30	15
À la poêle ou dans un wok	25	15

Les moyens pour limiter les pertes de vitamines lors de la cuisson consistent à :

– les couper en gros morceaux, juste avant la cuisson ;

– les cuire dans peu d'eau, ou mieux à l'étouffée, à la vapeur, à la poêle, en casserole couverte ou à l'autocuiseur. S'il y a une eau de cuisson, il est conseillé de l'utiliser (pour un potage, une sauce...) afin de consommer les sels minéraux et les vitamines des végétaux qui s'y sont solubilisés ;

– plonger les fruits et légumes dans de l'eau bouillante. Les enzymes responsables de la dégradation des vitamines sont ainsi détruits ;

– ne pas dépasser le temps de cuisson.

Certains légumes à goût fort (chou, chou-fleur...) doivent être cuits sans couvercle dans deux eaux successives. Ils contiennent des composés soufrés volatiles qui doivent s'échapper, sinon leur digestibilité est moins bonne.

Conservation des fruits et des légumes

Différents procédés de conservation des légumes et des fruits permettent de les consommer toute l'année, même s'ils ne sont pas de saison, à des prix abordables : conserves, surgelés, produits déshydratés, sous atmosphère contrôlée, sous vide (cf. chapitre « La conservation »).

Conseils d'achat

Nos marchés proposent une grande variété de fruits et de légumes. Certains sont présents toute l'année : carottes, navets, choux, choux-fleurs, poireaux, salades, champignons, bananes, oranges, citrons, et d'autres n'ont qu'une production saisonnière.

Quels fruits et légumes selon la saison ?

Hiver

Endives, choux de Bruxelles, céleri branche, céleri-rave.

Pommes, poires, clémentines.

Printemps

Asperges, artichauts, épinards, petits pois, radis, concombres, carottes, pommes de terre, primeurs, tomates.

Cerises, fraises.

Été

Artichauts, concombres, courgettes, tomates, aubergines, melons.

Abricots, pêches, nectarines, poires, prunes.

Automne

Choux-fleurs, choux pommés, poireaux, salades, carottes, tomates, courgettes.

Raisins, pommes, poires, figues, prunes.

Bien que le consommateur trouve presque tous les fruits et les légumes tout au long de l'année, il est conseillé de les acheter lors de leur période de production. Leur saveur est meilleure, leur prix moins élevé.

Les fruits et les légumes choisis bien mûrs contiennent ainsi plus de vitamine C et de carotène.

L'étiquetage des fruits et des légumes par le commerçant est obligatoire. Il doit indiquer :

– la variété et la provenance du produit, même s'il est importé ;

– la catégorie (extra : étiquette rouge ; catégorie I : étiquette verte ; catégorie II : étiquette jaune, catégorie III : étiquette grise). Pour chacune de ces catégories, un certain nombre de critères de présentation est requis. Ils varient en fonction du produit : par exemple, les abricots extra doivent être sans défaut, ceux de la catégorie I ne doivent pas présenter de taches de plus de 1 cm ni d'autres défauts de plus de 0,5 cm ;

– le calibre (selon les cas).

La catégorie et le calibre ne déterminent que la qualité extérieure des produits et non leur saveur : des pommes « ratatinées » peuvent avoir plus de saveur que de belles pommes sans défaut. Les fruits et les légumes doivent être présents dans notre alimentation quotidienne. Il ne faut pas oublier qu'ils sont nos principales sources de vitamine C et de carotène, de sels minéraux et de fibres alimentaires.

Il est conseillé, quels que soient l'âge et l'activité d'un individu, de consommer chaque jour :

– une portion de crudités (carottes râpées, salade, tomates...). Les betteraves ne sont pas des crudités mais des légumes cuits ;

– une à deux portions de légumes frais cuits ;

– deux à trois fruits dont un cru.

Il faut varier sa consommation de fruits et légumes, chaque groupe présentant un profil nutritionnel spécifique : certains sont riches en vitamine C (kiwi, poivron, brocoli...), d'autres sont plus concentrés en bêta-carotène (carotte, melon, abricot...).

En culture conventionnelle, les fruits et légumes sont traités par des pesticides pour lutter contre les insectes et les parasites nuisibles. Par exemple, les vergers de pommiers reçoivent en moyenne 35 traitements par an ; on retrouvera des résidus de pesticides dans les pommes, en particulier sur leur peau.

Il vaut mieux bien laver et éplucher les légumes et les fruits avant de les consommer. Les produits bio sont traités de façon plus naturelle, la réglementation interdisant l'emploi de pesticides de synthèse. Les légumes et les fruits bio peuvent être contaminés par des résidus chimiques provenant d'une culture conventionnelle, mais cette contamination est rare.

Les nitrates provenant des engrais chimiques peuvent contaminer les légumes feuilles (salade, épinards, blettes...) et racines (carottes, navets...), qui les fixent davantage que les « légumes fruits » (tomates, courgettes...). Les légumes bio en contiennent moins, la fertilisation organique (fumier, compost...) remplaçant les engrais de synthèse est absorbée plus lentement et partiellement par les plantes. Les nitrates ne sont pas nocifs pour la santé, mais c'est leur concentration dans le corps humain qui peut poser des problèmes, en particulier chez les nourrissons : ils empêchent l'hémoglobine de transporter l'oxygène. Il est préférable de donner aux enfants en bas âge des légumes et en particulier des légumes feuilles ou racines bio, ou des « petits pots » garantis à teneur contrôlée en nitrates.

Idées fausses

Une banane peut remplacer un steak.

FAUX : la banane est un fruit qui apporte des sucres (20 %), des vitamines et des sels minéraux mais peu de protéines (1,5 %). Le steak grillé apporte surtout des protéines (28 % environ).

Lors d'un régime amaigrissant, les fruits peuvent être consommés à volonté car ils ne font pas grossir.

FAUX : les fruits contiennent du sucre (5 à 20 %). Ils ne doivent donc pas être consommés sans mesure.

Les épinards sont riches en fer.

VRAI et FAUX : les épinards contiennent du fer (4 %). Mais ce fer est peu assimilé, car il est non héminique car la présence d'acide oxalique en détourne une partie : 5 % est absorbé, le reste est rejeté dans les matières fécales.

Les fruits et les légumes sont moins bons pour la santé quand ils sont en conserve ou surgelés.

FAUX : leur valeur alimentaire est au moins égale (si ce n'est plus) aux fruits et aux légumes frais préparés à la maison. Les procédés modernes de conservation préservent toutes leurs qualités nutritionnelles.

Les algues

Très prisées au Japon depuis des millénaires, elles rencontrent de plus en plus d'amateurs en France. On trouve :

– les algues brunes : le kombu *se cuisine en bouillon ou en fond de sauce, le* wakamé*, l'*aramé*, l'*iziki *se mangent en salades, potages et gratins ;*

– les algues rouges : le nori *accompagne les céréales, les poissons et les légumes, le* dulce *est utilisé dans les potages, les salades et les gâteaux ;*

– les algues vertes : la spiruline *est vendue en poudre et peut être ajoutée aux potages, aux céréales et au yaourt, la* laitue de mer *peut se manger crue, en garniture.*

Elles sont riches en :

– protéines : la spiruline est l'un des aliments les plus riches en protéines, elle en contient plus que la viande ou les œufs : 70 % ;

– en minéraux : l'apport conseillé en iode pour un adulte (150 µg par jour) peut être couvert par quelques grammes d'algues ;

– en vitamines : provitamine A (algues rouges), vitamine C (algues brunes et vertes), vitamine E (algues brunes) et vitamine B12 (ce sont les seuls végétaux qui en renferment) ;

– en fibres.

Ne contenant pas ou très peu de glucides et de lipides, les algues sont peu énergétiques.

Les céréales, la pomme de terre et les légumes secs

Ce groupe d'aliments est délaissé par les Français. Nous mangeons deux fois moins de pain qu'il y a 50 ans (265 g par jour en 1960, 140 g par jour en 2010,), moins de pommes de terre fraîches (100 kg par personne et par an en 1960, 40 kg en 2010). La consommation de légumes secs est tombée de 7,3 kg par personne et par an en 1925 à 1,6 kg en 2010.

Cette diminution de consommation est liée à l'augmentation du niveau de vie (le consommateur mange plus de viande, de fromage...), aux nombreuses idées fausses véhiculées sur ces aliments (« ils font grossir », « ils sont indigestes »...) ainsi qu'aux nombreux produits transformés à partir des céréales (biscuits, céréales pour petit déjeuner, barres de céréales...) ou de pommes de terre (frites, chips, purée, etc., 25 kg par an par personne en plus de la consommation de pommes de terre fraîches).

Ce groupe alimentaire est indispensable à notre équilibre alimentaire : il nous apporte des glucides complexes, des fibres, des vitamines B, des minéraux en abondance, tandis qu'il est dépourvu de lipides, qui sont consommés souvent en excès. Par contre, les produits transformés à partir de ce groupe d'aliments sont souvent riches en sucre et en lipides (biscuits, frites...).

Les céréales

Les principales céréales consommées en France sont le blé et le riz. L'avoine, le seigle, le maïs, l'orge, le sarrasin sont aussi commercialisées mais leur consommation est moins fréquente. Le quinoa ne fait pas partie de la famille des céréales mais sa composition nutritionnelle le fait considérer comme une pseudo-céréale.

Les céréales sont essentiellement constituées de glucides complexes (amidon) : 70 à 79 %.

Elles sont très pauvres en lipides (2,5 à 4 %), situés surtout dans le germe, qui est éliminé lors de la mouture.

Leur teneur en protéines est de 9 à 12 %. Bien que déficientes en certains acides aminés indispensables (lysine), elles ne sont pas à négliger dans notre alimentation. Associées à un produit laitier ou à des légumes secs, ces protéines voient leur qualité devenir comparable à celle des produits animaux.

Les sels minéraux (phosphore, potassium, magnésium) et les oligoéléments (sélénium, zinc...) se situent en majorité à la périphérie des grains de céréales. La présence d'acide phytique (ou phytates) dans l'enveloppe des céréales gêne l'assimilation de certains sels minéraux (calcium, fer, magnésium, cuivre, zinc...). Lors de leur raffinage, ces sels minéraux vont être en grande partie éliminés ainsi que les phytates.

Il en est de même pour les vitamines (vitamines B), qui se trouvent à la périphérie et dans le germe des grains des céréales.

Les céréales complètes contiennent du son, riche en fibres alimentaires qui ont une action stimulante sur le transit intestinal.

Le blé

La farine est le produit de transformation le plus usuel du blé. On peut avoir différents types de farines : ils sont fonction du taux d'extraction. Ce taux représente la quantité de farine obtenue à partir de 100 kg de blé. La farine courante est extraite à environ 75 %, c'est-à-dire qu'on retire 75 kg de farine de 100 kg de blé.

Les différents type de farines commercialisés sont définis par leur taux de cendres : par exemple, l'incinération de 100 g de farine produisant 0,55 g de cendres minérales donnera une farine de type 55 (inscrit sur le paquet de farine). Plus le taux de cendres est faible, plus la farine est pure et blanche, car les matières minérales sont surtout contenues dans le son.

Les différents types de farines

Type de farine	Taux d'extraction	Utilisation
45	70 % (farine la plus blanche, faite avec l'amande du grain)	Pâtisserie, viennoiserie, pâtes à crêpes, liaison de sauce
55	75 %	Pain, pâtisserie, pâte à tarte, pizza
65	80 %	Pain, pizza
80	82 %	Pain spécial
110	85 % (farine de couleur bise)	Pain complet
150	90 % (farine comprenant la majorité de l'écorce du grain)	Pain au son

En plus du type, différentes farines sont commercialisées :

• **La farine ordinaire** : sa granulation n'est pas homogène, elle fait des grumeaux.

• **La farine supérieure ou de luxe** : c'est une farine plus élastique, levant mieux. Elle est utilisée en pâtisserie.

• **La farine sans grumeaux ou tamisée** : c'est une farine à granulation homogène, elle ne fait pas de grumeaux.

• **La farine à levure incorporée** : elle contient de la levure dans des proportions de 3 % environ.

Le riz

C'est la céréale la plus consommée dans le monde.

Après récolte, le riz doit subir un certain nombre de transformations pour être consommable. Après séchage, le riz est débarrassé de son enveloppe externe non comestible (la balle) : on obtient du riz cargo, appelé également riz brun ou riz complet. Ce riz cargo va être décortiqué : on le prive des différentes enveloppes qui l'entourent et du germe. Ce riz est blanchi, puis poli (privé des farines adhérant au grain). Il peut être glacé avec du talc et du glucose. Si le riz est talqué, il est obligatoire de le laver avant sa cuisson.

Le consommateur a le choix entre les types de riz suivants :

• **Le riz à grain rond** : ce riz est surtout utilisé pour la confection des desserts.

• **Le riz à grain long** : ce riz convient aux préparations salées.

• **Le riz étuvé ou prétraité** : ce riz est passé à la vapeur avant son blanchiment. Il se conserve mieux, son aspect extérieur est plus agréable et il colle moins à la cuisson.

• **Le riz précuit** : ce riz subit une cuisson partielle, à la vapeur, suivie d'un séchage. Sa cuisson est diminuée et il ne colle pas.

• **Le riz complet** : c'est un riz dont une partie de l'enveloppe est laissée. Il est plus riche en sels minéraux et en vitamines que le riz blanc, mais la présence d'acide phytique et de cellulose diminue leur assimilation. Son principal intérêt est sa richesse en cellulose donc en fibres.

Comme toutes les céréales, le riz est un aliment énergétique (350 kcal pour 100 g de riz cru, 120 kcal pour 100 g de riz cuit), à l'énergie apportée essentiellement par les glucides sous forme d'amidon (78 %). C'est un aliment très digeste qui a des propriétés antidiarrhéiques.

Les autres céréales

Leur utilisation est surtout régionale.

Du seigle et du sarrasin, on extrait des farines destinées à la panification et à la fabrication de crêpes.

Le maïs fournit de la semoule (polenta), de la farine (utilisée dans des préparations en Aquitaine), du pop-corn (grain de maïs entier éclaté sous l'action de la chaleur), des corn flakes (maïs cuit et aplati). Sa teneur relativement élevée en lipides (5 %) fait que la semoule et la farine se conservent moins longtemps que les produits issus des autres céréales. La fécule de maïs, composée exclusivement d'amidon (90 %), est plus connue sous le nom commercial de Maïzena® ; elle est utilisée pour lier des sauces et obtenir des gâteaux plus légers.

L'avoine fournit des flocons qui sont obtenus par réduction des grains en fines lamelles que l'on retrouve dans les céréales prêtes à consommer ou pour faire le porridge ; on trouve aussi des biscuits à base d'avoine.

Quant à l'orge, elle est surtout employée en brasserie et plus accessoirement en grains pour les potages.

Le quinoa

Cette plante est cultivée en Amérique du Sud. Rondes et petites, les graines de quinoa sont riches en protéines (15 %) contenant tous les acides aminés indispensables. Elle apporte 70 % de glucides sous forme d'amidon, 6,5 % de lipides, 9 à 10 % de fibres. C'est une excellente source de magnésium, de fer et de calcium.

Le quinoa est commercialisé sous forme de graines (blondes, rouges), de farine, de flocons, de crème... essentiellement dans les magasins « diététiques ». Pour consommer les graines, il faut bien les rincer dans l'eau pour éliminer leur goût amer.

Les dérivés des céréales

Les semoules et les pâtes alimentaires

Les semoules sont obtenues par broyage et tamisage du blé dur. On distingue les semoules grosse et moyenne (pour la confection du couscous et du taboulé), et fine (pour les entremets).

Les pâtes alimentaires sont fabriquées à partir de semoule de blé dur additionnée d'eau potable. On trouve :

– les pâtes sèches, contenant moins de 12 % d'eau, se conservant à température ambiante ;

– les pâtes fraîches, qui ne sont pas desséchées et sont conservées au réfrigérateur car plus riches en eau (plus de 12 %).

Sont autorisées les additions suivantes : les œufs (au minimum 140 g d'œuf entier par kilo de semoule), le gluten, le lait et le lait écrémé, les légumes frais (tomates, carottes, épinards), les sucs ou extraits de légumes ainsi que les aromates (donnant des pâtes de couleur variée).

Leur valeur alimentaire est identique à celle de la farine de blé. L'addition de substances chimiques aux pâtes alimentaires est interdite ainsi que celle de colorants.

Composition des pâtes (pour 100 g)

	Valeur énergétique	**Protéines (en g)**	**Lipides (en g)**	**Glucides (en g)**	**Fibres (en g)**	**Vitamine B1 (en mg)**
Pâtes ordinaires crues	350 kcal (1 460 kJ)	12	1,5	76	0,4	0,1
Pâtes ordinaires cuites	115 kcal (480 kJ)	4	0,6	23,5	–	–
Pâtes aux œufs crues	275 kcal (1 150 kJ)	11	4	50	3	0,2

Les pâtes sont rarement consommées nature. Elles sont souvent accompagnées de fromage, qui apporte l'acide aminé indispensable, la lysine, présente en quantité insuffisante dans les produits céréaliers.

Mais l'ajout de fromage, beurre, crème... modifie la valeur énergétique d'une assiette de pâtes nature : une portion de pâtes sèches pour une personne (60 à 70 g) apporte 210 à 250 kcal ; mais cela peut aller de 300 kcal jusqu'à 450 kcal selon que leur mode de préparation est plus ou moins raisonnable.

Préférez les pâtes cuites *al dente*. Leur index glycémique est deux fois moins élevé que les pâtes cuites longtemps, ce qui permet de diffuser l'énergie plus lentement sur une plus grande durée. C'est pour cette raison que les pâtes sont l'aliment préféré des sportifs.

Le blé dur précuit

Apparu au début des années 1990, ce produit est obtenu à partir de grains de blé dur précuits, décortiqués puis séchés. On le trouve par exemple sous la marque Ebly®.

Sa valeur nutritionnelle est comparable à celle des autres céréales. Cependant, comme il conserve une partie de l'enveloppe du grain de blé, sa teneur en fibres (6 g/100 g) et en vitamine B3 (8,4 mg/100 g) est élevée.

Le boulgour et le pilpil

Le boulgour est obtenu à partir des grains de blé germés, précuits, séchés et concassés. Il est à la base du taboulé libanais, mais peut aussi se cuisiner comme le riz chaud ou en salade.

Le pilpil est obtenu à partir des grains de blé complet précuits, séchés et concassés. Il se cuit comme le riz et peut être utilisé en garniture, en gratin, dans des salades.

Le boulgour et le pilpil ont une valeur nutritionnelle comparable à celle des autres céréales. Notons, cependant, la richesse en fibres du pilpil issu du grain entier de blé : 9 g pour 100 g.

Le pain

Le pain est fabriqué avec de la farine de blé, de l'eau, du sel et un agent de fermentation (levain ou levure de boulanger). Des améliorants et des additifs sont autorisés pour corriger les défauts de certaines farines ou pour faciliter les opérations de fabrication. Par exemple :

- la farine de fève ou de soja, pour la fermentation ;
- la lécithine de soja (E322), pour obtenir une mie plus homogène ;
- le gluten, pour une meilleure levée lors de la fermentation ;
- l'acide ascorbique ou vitamine C (E300), pour blanchir la pâte ;
- le malt de blé ou d'orge pour accélérer la fermentation.

La valeur alimentaire du pain dépend du taux d'extraction de la farine.

Valeur nutritionnelle des pains français (pour 100 g)

	Pain blanc (baguette courante)	**Pain au levain**	**Pain complet**	**Pain au son**
Valeur énergétique	255 kcal (1 065 kJ)	257 kcal (1 075 kJ)	233 kcal (980 kJ)	228 kcal (950 kJ)
Protéines	9,5 g	9,2 g	9,7 g	9,6 g
Lipides	0,3 g	0,9 g	0,8 g	1,2 g
Glucides	57,7 g	56,5 g	55,5 g	52 g
Fibres	3,8 g	3,3 g	8,8 g	7,4 g
Sodium	575 mg	490 mg	638 mg	410 mg
Magnésium	25 mg	19 mg	64 mg	56 mg
Fer	1 mg	1,3 mg	2,2 mg	2,3 mg
Vitamine B1	0,1 mg	0,1 mg	0,2 mg	0,1 mg
Vitamine B3	1,3 mg	1,2 mg	3,9 mg	3,2 mg

Le pain est un aliment énergétique, à l'énergie fournie par des glucides complexes (amidon). Si l'index glycémique du pain blanc est élevé, celui du pain complet et du pain au levain est plutôt bas. Le pain est souvent mangé avec d'autres aliments, ce qui tend à faire baisser son index glycémique. Tous les pains sont pauvres en lipides, ce qui est un avantage car nous consommons, par ailleurs, ces derniers en quantité souvent trop importante. C'est une source intéressante de protéines végétales, de fibres (sous forme de cellulose) et de vitamines B.

En comparant la composition du pain blanc à celle du pain complet ou au son, on peut constater que les pains complet et au son sont plus riches en sels minéraux et en vitamines. Cependant la présence d'acide phytique et de fibres va en diminuer l'assimilation ; au final, leur absorption sera équivalente, que l'on ingère du pain blanc ou du pain complet ou au son.

L'atout du pain au levain

Le pain au levain contient des enzymes, les phytases, qui dégradent l'acide phytique, d'où une meilleure assimilation des sels minéraux et des vitamines de ce pain.

Le principal avantage du pain complet et au son sur le pain blanc est leur richesse en cellulose, donc en fibres qui permettent de lutter contre la constipation.
Le pain est un aliment en général très digeste. Il faut bien le mastiquer pour assurer sa digestion (la digestion de l'amidon commence dans la bouche, grâce à la salive). Il est conseillé aux personnes qui trempent leur pain dans un liquide (cas fréquents des personnes âgées qui ont des problèmes de mastication) de ne pas l'avaler sans l'avoir, au préalable, bien mâché pour l'imprégner de salive.
Le pain frais, chaud, riche en mie peut provoquer des troubles digestifs (ballonnements). En effet, sa mie est collante et ne s'imprègne pas de sucs digestifs. L'amidon est moins bien digéré, ce qui entraîne flatulences et fermentations au niveau du côlon. Dans ces cas, il faut donner la préférence à un pain légèrement rassis.
Le pain complet ou au son peut entraîner des troubles intestinaux chez les personnes qui ont l'intestin fragile. La cellulose peut irriter la muqueuse intestinale.

Les différents types de pain

Il existe une très grande variété de pains qui se différencient par leurs recettes mais également par leurs formes (baguette, bâtard, boule, épis...).

La texture, la couleur, le goût, l'arôme du pain dépendent non seulement de la farine utilisée mais du type de pétrissage :

– pétrissage intensif : on obtient un pain à la mie blanche, aux alvéoles petites et régulières, sans goût et à croûte fine, qui rassit rapidement. C'est souvent du pain industriel ;

– pétrissage lent : le pain obtenu est généralement compact, sa mie est irrégulière, bien alvéolée, de couleur crème et son goût est développé ;

– pétrissage amélioré : c'est un compromis entre le pétrissage intensif et le pétrissage lent. Le pain est correctement développé, sa mie n'est pas trop blanche et son goût est correct. C'est ce pétrissage qui est souvent utilisé par les boulangers.

Un décret de 1993 décrit la composition du pain de tradition française et du pain au levain. Pour la majorité des pains, les usages les définissent.

• **Le pain de tradition française.** Il est fabriqué à partir d'un mélange de farine de blé, d'eau potable, de sel, de levure ou de levain et contient éventuellement une très faible quantité de farine de fève, de soja, de gluten. Il ne doit subir aucun traitement de surgélation. C'est le pain courant que l'on trouve chez le boulanger.

• **Le pain « maison ».** C'est un pain entièrement pétri, façonné et cuit sur les lieux de vente au consommateur final. Toutes sortes de pains existent chez notre boulanger de forme et de poids différents.

• **Le pain au levain.** Il est préparé à partir d'un levain défini comme une pâte composée de farine de blé et/ou de seigle, d'eau potable, de sel. Le pain obtenu est compact et dense, son goût est légèrement acide et il a plus d'arômes qu'un pain à la levure de boulanger. Il se conserve aussi plus longtemps.

• **Le pain de campagne.** Il est constitué de farine de blé en mélange ou non avec de la farine de seigle.

• **Le pain complet.** Il est préparé avec de la farine complète issue du grain de blé entier (farine de type 150).

• **Le pain au son.** Il se compose de farine de blé additionnée de son (enveloppe du blé). Suivant le boulanger, la quantité de son ajoutée est très variable.

• **Le pain bis.** Il est préparé avec une farine de blé de type 80 ou 110.

• **Le pain bio.** Il est fabriqué à partir de céréales issues de l'agriculture biologique. Son agent de fermentation est le levain.

• **Le pain de seigle.** Il contient deux tiers de farine de seigle et un tiers de farine de blé. La farine de seigle seule est difficilement panifiable, c'est pourquoi elle est toujours associée à la farine de blé qui permet d'avoir un pain bien levé. Le **pain au seigle** contient au moins 10 % de farine de seigle.

• **Les pains spéciaux.** Ils font entrer dans leur composition, outre les ingrédients classiques du pain, des matières grasses, sucrantes, des produits laitiers, des additifs autorisés et/ou des farines d'autres céréales (épeautre, maïs, avoine...) ou des mélanges de céréales et graines (lin, pavot, tournesol...) : pain viennois, pain de mie, pain aux cinq céréales et graines...

Les biscottes, pains grillés, Cracottes®, pains suédois

Ils contiennent, en plus de la farine, de l'eau, du sel et de la levure, du sucre et de la matière grasse. Le sucre ajouté permet une fermentation progressive et régulière, la matière grasse favorise la formation d'alvéoles fines et régulières.

Comme pour le pain, divers additifs sont autorisés : acide ascorbique, lécithine, extrait de malt, afin d'améliorer les qualités de la pâte.

Après cuisson, ces produits sont tranchés, et grillés ; les Cracottes® sont extrudées (procédé de fabrication responsable de leur légèreté). Par rapport au pain, ils ont une teneur en eau plus faible (2 à 5 %, contre 37 % environ pour le pain). Ils auront donc une durée de conservation plus longue que celle du pain : de l'ordre de six mois.

À poids égal, leur valeur énergétique et leur teneur en nutriments seront supérieures à celles du pain. Leur index glycémique est élevé, ils font grimper la glycémie plus rapidement que le pain.

Valeur nutritionnelle (pour 100 g)

	Valeur énergétique	Teneur en eau (en %)	Protéines (en %)	Lipides (en %)	Glucides (en %)
Biscottes	394 kcal (1 650 kJ)	5	10	6,85	73
Pains grillés	408 kcal (1 700 kJ)	5	11	8	73
Cracotte®	384 kcal (1 600 kJ)	0	10	5,5	73
Pain suédois	400 kcal (1 670 kJ)	5	11	8,5	69

La digestibilité de ces produits est excellente.

Grâce à leur friabilité, ils se désagrègent rapidement dans la bouche, facilitant ainsi l'action de la salive.

Le pain d'épices

Le pain d'épices est fabriqué soit à partir de farine de seigle (couques ou pavés), soit à partir de farine de blé (nonnettes), ou encore des deux réunies. On y ajoute des matières sucrantes (miel, sucre, glucose), de la poudre levante, des œufs et des aromates (girofle, cannelle, anis).

Le pain d'épices est un aliment à l'heure actuelle moins consommé qu'autrefois. On lui préfère les biscuits, les viennoiseries. Il a pourtant l'avantage par rapport aux biscuits et aux viennoiseries d'être pauvre en matières grasses, consommées trop souvent en excès.

Le pain d'épices devrait être plus souvent présent au petit déjeuner et au goûter des enfants et des adolescents.

Composition du pain d'épices (pour 100 g)

Valeur énergétique	Teneur en eau (en %)	Protéines (en %)	Lipides (en %)	Glucides (en %)
324 kcal (1 350 kJ)	19,5	3	2	74

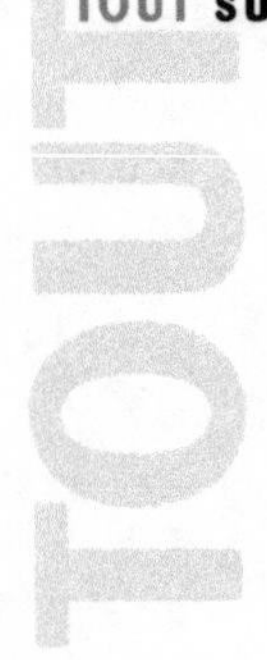

Les biscuits

Les biscuits sont aussi diversifiés par leurs formes que par leur composition. Sucrés ou salés, ils sont tous fabriqués avec de la farine, des matières grasses et des œufs. Suivant le biscuit, divers ingrédients peuvent être ajoutés : sucre, chocolat, fruits confit, confiture, fromage...

Composition des biscuits (pour 100 g)

	Valeur énergétique	**Protéines (en %)**	**Lipides (en %)**	**Glucides (en %)**
Cookies	511 kcal (2 135 kJ)	7	26	62
Sablés	491 kcal (2 050 kJ)	6,5	21	70
Petit-beurre	450 kcal (1 880 kJ)	8	12	77
Goûter fourré chocolat	494 kcal (2 065 kJ)	7	24	64
Crackers fromage	546 kcal (2 280 kJ)	11,5	33	51
Crackers nature	475 kcal (1 985 kJ)	8	17,5	71

La valeur alimentaire des biscuits est donc très variable selon le produit. Les biscuits apportent essentiellement des glucides, sous forme de glucides complexes (amidon de la farine) et de glucides simples (produits sucrés), et aussi des lipides. Leur valeur énergétique est assez élevée : environ 450 à 550 kcal (1 880 à 2 300 kJ) pour 100 g.

Ils enrichissent la ration alimentaire sous une forme agréable et pratique. Mais il ne faut pas en abuser, car ils apportent surtout du sucre et des lipides, que nous consommons déjà en excès.

les viennoiseries et les pâtisseries

Les viennoiseries sont des produits de boulangerie à base de farine, de matière grasse et de sucre : croissant, brioche, chouquette, pain au chocolat...

La pâtisserie recouvre un ensemble de produits se composant généralement de farine, de matières grasses, d'œuf, de sucre, avec une garniture ou non à base de fruits, de crèmes (pâtissière, au beurre...), d'alcool, etc. : éclairs, choux, babas au rhum, génoise fourrée, tartes...

Il existe de nombreuses variétés de pâtisseries, dont la composition change suivant les régions et les recettes.

Valeur énergétique

En moyenne, la valeur énergétique des viennoiseries et pâtisseries est de 300 à 500 kcal (1 470 à 2 100 kJ) pour 100 g, se décomposant en :

– 5 à 12 % de protéines ;

– 70 à 75 % de glucides ;

– 10 à 25 % de lipides.

La digestibilité des viennoiseries et des pâtisseries dépend de leur teneur en matières grasses. Une viennoiserie riche en matières grasses (beignet, pain au chocolat) ou une pâtisserie riche en crème (mille-feuille, moka) seront plus difficiles à digérer qu'une viennoiserie limitée en matières grasses (chouquette) ou une pâtisserie sans crème (tarte). Leur teneur en matières grasses, en sucre et leurs valeurs énergétiques élevées font qu'il ne faut pas en abuser. Il ne faut pas en consommer quotidiennement.

Les pâtisseries à base de crème ne se conservent pas. Elles doivent être consommées le jour même de leur fabrication.

Les bons réflexes

Lisez bien les étiquettes des biscuits, viennoiseries, pâtisseries industrielles. Évitez ceux qui contiennent :

– des graisses partiellement hydrogénées, graisses riches en acides gras trans (cf. « Les lipides », p. 12) ;

– de l'huile de palme ou de l'huile de coprah, riches en acides gras saturés ;

– du sirop de glucose-fructose, fabriqué à partir du maïs. Il est utilisé par les industriels car il améliore la conser-

vation, la texture des biscuits et il est surtout peu cher. Des études montrent que le sirop de glucose-fructose consommé en grande quantité augmente le taux de triglycérides sanguin (augmentation du risque de maladies cardio-vasculaires) et favoriserait la prise de poids en perturbant le bon fonctionnement d'une hormone régulant la prise alimentaire (la leptine). De nombreux aliments sucrés industriels peuvent aussi en contenir : sirops, sodas, crèmes desserts...

Les céréales pour petit déjeuner

Très prisées par les enfants au petit déjeuner, le choix de céréales prêtes à consommer est très varié. Les industriels proposent chaque année de nombreux produits de goût et surtout de valeur nutritionnelle très différents. Ils sont à base de céréales complètes ou raffinées (blé, maïs, riz, avoine, orge), la plupart du temps additionnées d'autres ingrédients (sucre, miel, chocolat, fruits secs, fruits oléagineux, matières grasses...). Ils existent deux types de céréales :

Les céréales prêtes à préparer

• **Les flocons.** Ils sont essentiellement à base d'avoine et de blé. Après avoir été cuits, les grains sont aplatis pour former des flocons qui sont séchés. Ils sont à la base du muesli. Les flocons d'avoine cuits dans le lait permettent de faire du porridge. Les flocons sont commercialisés nature sans ajout de sucre, ce qui en fait un avantage par rapport à d'autres céréales pour petit déjeuner. Leur index glycémique est moyen (60).

Les céréales prêtes à consommer

• **Les céréales en pétales.** Ce sont les premières céréales pour petit déjeuner apparues sur le marché. Ce sont les frères Kellogg qui les inventèrent au XIXe siècle aux États-Unis. Ce sont celles du type corn flakes (à base de maïs), mais elles peuvent être aussi à base de blé, de riz, d'avoine. Après cuisson, les grains sont écrasés pour présenter une forme de pétales qui sont ensuite grillés. Ces céréales peuvent être enrobées de sucre, de miel, de chocolat...

• **Les céréales éclatées.** Ce sont le blé, le maïs, le riz. Après addition de sel, de sucre, de malt, les grains sont cuits à la vapeur sans concassage préalable. Puis ils sont séchés, laminés entiers, mais ils conservent leur forme. Ces grains laminés grillés à haute température gonflent et prennent leurs formes caractéristiques.

• **Les céréales soufflées.** Le procédé utilisé est celui de l'« expansion ». Il s'applique surtout au maïs et au blé. Les grains sont cuits entiers, à la vapeur à haute température (200 °C), puis soumis à un vide partiel : l'air qui se trouve à l'intérieur du grain subit une expansion brutale qui souffle littéralement les parois extérieures, donnant ainsi la forme définitive du grain. Les grains expansés sont ensuite enrobés de différents ingrédients (miel, sucre...) puis séchés.

• **Les céréales croustillantes « extrudées » en formes originales (boules, anneaux, étoiles).** Les grains cuits sont broyés pour être transformés en farine puis mélangés à de l'eau pour former une pâte qui est malaxée, suivant la recette, avec d'autres ingrédients (miel, sucre...). L'extrusion consiste à forcer la pâte à traverser un petit orifice moulé (la filière) pour lui donner la forme finale souhaitée. Lorsque la pâte comprimée par la filière est expulsée, la diminution subite de pression libère brutalement la vapeur surchauffée qu'elle contient. La pâte moulée est soumise à un vide partiel, provoquant une expansion brutale qui « souffle » les parois extérieures. On obtient des céréales à la structure alvéolée très croustillantes. Elles sont ensuite enrobées de différents ingrédients (miel, sucre...) puis séchées.

• **Les mueslis.** Les muesli traditionnels en flocons sont des mélanges de céréales brutes et transformées, de fruits secs, de fruits oléagineux, de sucre...

• **Les barres de céréales.** Les principaux ingrédients de ces barres sont des céréales en flocons, en pétales, ou extrudées (blé, avoine, maïs, riz) auxquelles peuvent être ajoutés des graisses végétales hydrogénées ou non, des glucides simples (sucre, sirop de glucose-fructose, miel...), du chocolat, des fruits secs, des fruits oléagineux, des colorants, des additifs alimentaires…

Composition des céréales pour petit déjeuner (pour 100 g)

	Valeur énergétique	Protéines (en g)	Lipides (en g)	Glucides (en g)
Flocons d'avoine	360 kcal (1 500 kJ)	11,5	7	63 dont 61 g d'amidon et 2 g de sucres
Pétales de maïs	367 kcal (1 530 kJ)	7,6	0,8	82 dont 74 g d'amidon et 8 g de sucres
Boules de maïs soufflées au miel	381 kcal (1 590 kJ)	5	1	87,5 dont 55 g d'amidon et 32,5 g de sucres
Céréales extrudées fourrées au chocolat	432 kcal (1 800 kJ)	8	14	68 dont 36 g d'amidon et 32 g de sucres
Müeslis croustillants	441 kcal 1 840 kJ)	8	10	64 dont 36 g d'amidon et 34 g de sucres
Barre de céréales aux fruits	412 kcal (1 720 kJ)	5	12	71 dont 41 g d'amidon et 30 g de sucres
Barre de céréales hypocalorique	346 kcal (1 450 kJ)	25	8	46 dont 13 g d'amidon et 33 g de sucres

La pomme de terre

La pomme de terre est un tubercule très consommé en France. Elle est riche en glucides sous forme d'amidon (18 %). C'est, après le pain, la source de glucides pratiquement la plus importante de l'alimentation française. Bien que sa teneur en fibres soit peu importante (2 %), une portion de 250 g de pommes de terre couvre environ 20 % des apports nutritionnels conseillés pour un adulte. Elle apporte également des vitamines du groupe B et de la vitamine C. Pour cette dernière, sa teneur est variable suivant la saison :

– la pomme de terre nouvelle est riche en vitamine C (30 mg/100 g) ;

– la pomme de terre stockée pendant six mois n'en contient plus que 10 mg/100 g.

Notons que les pertes de vitamine C des pommes de terre cuites avec la peau sont limitées (10 %).

La pomme de terre peut être cuisinée de multiples façons. Certaines préparations en augmentent la teneur en lipides : frites, chips (cf. tableau ci-dessous).

Valeur nutritionnelle de la pomme de terre selon sa préparation (pour 100 g)

	Valeur énergétique	**Protéines (en %)**	**Lipides (en %)**	**Glucides (en %)**
Cuite à l'eau	80 kcal (330 kJ)	1,8	–	18
Frites	245 kcal (1 025 kJ)	2,7	11,5	33
Chips	504 kcal (2 100 kJ)	6	35	42

Les légumes secs

Les légumes secs (haricots, lentilles, pois...) sont, à l'heure actuelle, peu consommés. On leur reproche d'être longs à préparer, ce qui n'est pas toujours vrai : beaucoup existent en conserve, et la cuisson à l'autocuiseur divise par trois la durée de cuisson. Ils sont aussi redoutés car ils peuvent entraîner des flatulences et certains désagréments intestinaux : cela peut être évité avec un blanchiment préalable. Ils ont aussi la réputation de faire grossir, ce qui dans une alimentation équilibrée est faux.

À l'état cru, ils sont très riches en glucides complexes sous forme d'amidon (55 à 65 %) ; leur index glycémique étant faible, ils évitent la sensation de faim après un repas. Ils sont aussi très riches en protéines (20 %), en minéraux (potassium, magnésium, fer, cuivre, zinc), en vitamines du groupe B et en fibres alimentaires. Leur richesse en protéines est comparable à celle du groupe « viande-poisson-œuf ». Cependant elles sont de moindre valeur, car elles sont déficientes en certains acides aminés essentiels (en particulier la méthionine). Associés aux céréales, les légumes secs fournissent des protéines d'excellente qualité : pois chiches et semoule dans le couscous, riz et lentilles dans la cuisine libanaise...

Quand ils sont réhydratés et cuits, leur valeur nutritionnelle est divisée par trois : ils ne contiennent plus que 15 à 20 % de glucides, 6 à 8 % de protéines, 5 % de fibres, et minéraux et vitamines ont diminué dans les mêmes proportions. Les légumes secs n'apportent plus que 100 kcal pour 100 g.

Voici quelques conseils pour les rendre digestes :

– les faire tremper le temps nécessaire (lentilles et pois cassés se passent de trempage) ;

– assurer une cuisson longue et régulière (en autocuiseur, ces temps sont divisés par trois) ;

– ne pas saler l'eau de cuisson ni utiliser d'eau calcaire, car les légumes secs durciraient ;

– éviter l'adjonction d'une grande quantité de matières grasses ;

– les servir en soupe ou en purée, associés à d'autres légumes (pommes de terre, carottes par exemple).

Le soja

Le soja est une plante proche des haricots, cultivés pour ses graines oléagineuses. Elles sont riches en protéines d'excellente digestibilité et de bonne valeur biologique, contiennent des lipides à forte teneur en acides gras mono et polyinsaturés, des glucides simples et complexes, des fibres, des minéraux (magnésium, phosphore) et des vitamines du groupe B.

Les graines de soja sont consommées sous différentes formes après avoir subi diverses transformations :

- La farine de soja étant riche en protéines et pauvre en glucides, elle est souvent mélangée à d'autres farines.
- Le tonyu ou jus de soja est une boisson, riche en protéines, pauvre en lipides et en calcium et sans cholestérol. Il peut être consommé en remplacement du lait de vache. Dans ce cas, il est préférable de prendre le jus de soja enrichi en calcium. On trouve aussi des yaourts à base de jus de soja.
- Le tofu ou « fromage de soja » est fabriqué à partir du jus de soja caillé. Il existe le tofu ferme, qui peut être râpé ou grillé, et le tofu mou, qui est utilisé dans de nombreuses préparations (en quiche, pané, en galettes...)
- Le tempeh est préparé à partir de graines fermentées et possède une consistance plus ferme que le tofu.
- Le miso est fabriqué à partir d'une pâte de soja fermentée. Il est utilisé dans les soupes, les soupes.
- Le shoyu, communément appelé « sauce soja », est une sauce fabriquée à partir de graines de soja et d'une céréale torréfiée (riz, blé) fermentées dans une saumure salée.
- L'huile de soja (cf. « Les corps gras », p. 131).

REMARQUE

Les « germes de soja » vendus en France sont des jeunes pousses de haricot mungo. Ils n'ont rien de commun avec le soja.

Soja : à consommer avec modération

Le soja est riche en isoflavones qui sont des phyto-œstrogènes. Chez certaines femmes ménopausées, une alimentation supplémentée en isoflavones de soja pourraient réduire l'incidence des bouffées de chaleur. Bien que la consommation d'isoflavones ne présente pas de risque, l'ANSES conseille de limi-*

* *ANSES : Agence nationale de sécurité sanitaire de l'alimentation, de l'environnement et du travail.*

ter leur apport journalier à 1 mg/kg chez l'adulte. Il faut éviter de cumuler les sources de phyto-œstrogènes : par exemple aliments dérivés du soja et compléments alimentaires.

Compte tenu de l'état actuel des connaissances et des incertitudes concernant les effets à long terme de fortes doses d'isoflavones ingérées de façon prolongée, les préparations aux protéines de soja ne devraient pas être données aux enfants de moins de 3 ans si elles ne sont pas à teneur réduite en isoflavones. Les femmes enceintes et allaitantes doivent aussi éviter une consommation élevée d'isoflavones, notamment sous forme de compléments alimentaires (une étude sur les animaux a mis en évidence des anomalies morphologiques du développement des organes sexuels, une perturbation de la lactation).

Considérations générales

Un des principaux avantages des céréales, des pommes de terre et des légumes secs est d'apporter de l'énergie. En effet, ils sont essentiellement constitués de glucides complexes (amidon) et pauvres en lipides.

Ils contiennent aussi des protéines végétales, qui sont de moins bonne qualité que les protéines animales (déficit en certains acides aminés essentiels). Cependant ces protéines végétales peuvent être valorisées si on les associe à des aliments riches en protéines animales : lait, fromage par exemple. Consommer du pain avec du fromage, des pâtes avec du gruyère, de la semoule avec du lait est recommandé.

Ce groupe d'aliments apporte aussi des sels minéraux et des oligoéléments (phosphore, magnésium, fer, cuivre, zinc...), des vitamines du groupe B (surtout de la vitamine B1) et des fibres alimentaires (à condition que les céréales et leurs dérivés ne soient pas trop raffinés).

La quantité à consommer dépend de l'activité physique, des habitudes alimentaires. Il est recommandé de manger chaque jour du pain ou un équivalent (200 à 300 g suivant l'activité), un plat de pommes de terre ou de pâtes ou de riz ou de légumes secs (200 à 500 g [poids cuit] suivant l'âge et l'activité).

Équivalences en glucides

100 g de pommes de terre cuites à l'eau apportant 18 g de glucides (soit 80 kcal [340 kJ]) peuvent être remplacés par :

– 25 g de riz cru ou 65 g de riz cuit ;

– 25 g de pâtes crues ou 75 g de pâtes cuites ;

– 25 g de semoule crue ou 50 g de semoule cuite ;

– 25 g de blé dur précuit cru ou 60 g de blé dur précuit cuit ;

– 35 g de légumes secs crus ou 100 g de légumes secs cuits ;

– 30 g de pain ;

– 20 g de biscottes (2 biscottes).

Il est indispensable de consommer du pain, ou équivalent, à chacun des repas (une demi-baguette pour les femmes, une baguette pour les hommes) et un plat de féculents ou de céréales par jour.

L'intolérance au gluten

Cette affection est responsable de maladies digestives (maladie cœliaque) mais aussi de fatigue et de douleurs aux articulations. Elle ne se guérit pas. Le seul traitement connu à ce jour est l'élimination totale du gluten de l'alimentation. Les céréales à proscrire sont le seigle, l'avoine, le blé, l'orge, le triticale (hybride du seigle et du blé), le kamut et l'épeautre.

Idées fausses

Le pain fait grossir.

FAUX : le pain ne fait pas grossir s'il est consommé en fonction du besoin énergétique de l'individu. Il ne doit pas être d'office éliminé lors d'un régime amaigrissant mais sa quantité doit être adaptée.

Les biscottes sont moins nourrissantes que le pain.

FAUX : les biscottes sont, à poids égal, beaucoup plus riches en énergie que le pain (394 kcal/100 g contre 255 kcal/100 g pour le pain).

Le riz est un aliment « minceur ».

FAUX : le riz est une céréale aussi énergétique que les pâtes, par exemple.

Les corps gras

Les corps gras (ou matières grasses) apportent des lipides indispensables au bon fonctionnement de notre organisme. Ils fournissent de l'énergie à notre organisme (1 g fournit 9 kcal ou 38 kJ). Ils apportent des acides gras indispensables à notre organisme (oméga 3 et oméga 6). Certains corps gras apportent de la vitamine E (les huiles) et des vitamines A et D (le beurre).

Grâce aux matières grasses, la saveur des aliments est relevée.

Dans notre alimentation, les corps gras existent sous deux formes :

• **Les corps gras invisibles.** Ils entrent dans la composition des aliments (produits laitiers, viandes...) ainsi que dans la plupart des aliments préparés. Leur teneur est très variable. Par exemple : fromages (20 à 30 %), viande de bœuf (15 % environ), noix et amandes (55 % à 60 %), œufs (12 %), poissons (3 à 12 % environ), chocolat (30 à 50 %).

• **Les corps gras visibles.** On les ajoute aux aliments pour les assaisonner ou les cuire. Ils ont une origine animale (crème, beurre, graisses animales tels saindoux, suif...) ou végétale (huiles d'arachide, de tournesol, de maïs, d'olive, de colza, de soja, d'olive, de noix de coco, de palme, de noix, de pépins de raisin, de noisette...), ou encore mixte, avec les margarines, qui proviennent de mélanges d'huiles végétales et de graisses animales (mais peuvent aussi être faites uniquement d'huiles végétales : margarine de tournesol, de maïs).

Les corps gras d'origine animale

La crème

La crème est obtenue à partir de l'écrémage du lait. Selon la réglementation, le droit de s'appeler « crème » est réservé aux crèmes contenant au moins 30 % de matière grasse. Celles contenant au moins 12 % de matière grasse ont droit à l'appellation « crème légère ».

La crème apporte 30 à 40 % de lipides (surtout des acides gras saturés), de l'eau (59 %) et 6 % d'éléments non gras : protéines (2 % environ), lactose (2 à 4 %), et minéraux (calcium : 86 mg pour 100 g, mais les quantités consommées étant insuffisantes pour la couverture des besoins, on ne considère pas la crème, en nutrition, comme un produit laitier), des vitamines liposolubles (vitamine A et D). L'apport énergétique de la crème à 30 % de matière grasse est de 333 kcal (1 371 kJ) pour 100 g.

Attention : la crème est une source de cholestérol, dont l'apport est de de 87 mg pour 100 g pour la crème à 30 % de matière grasse, et 63,5 mg pour 100 g pour la crème légère à 15 % de matière grasse.

Les différentes crèmes se distinguent grâce à plusieurs critères : les traitements de conservation, la teneur en matière grasse, la consistance (liquide ou épaisse).

La crème crue

Elle n'a subi aucun traitement de pasteurisation ou de stérilisation. Elle est refroidie et stockée à 6 °C. Elle est liquide et sa teneur en matière grasse est généralement supérieure à celle des autres crèmes. La mention « crue » est obligatoire sur l'étiquette.

La crème fraîche pasteurisée liquide ou épaisse

La crème est chauffée à 72 °C pendant une vingtaine de seconde afin d'éliminer les micro-organismes pathogènes. Elle est parfois appelée « crème fleurette ».

Cette crème est idéale pour obtenir la crème fouettée ou la chantilly après avoir été battue au fouet pour y incorporer des bulles d'air (foisonnement).

Pour avoir une texture épaisse, la crème naturellement liquide est ensemencée avec des ferments lactiques qui, après maturation, donneront à la crème une texture plus épaisse et un goût plus acide.

Seules les crèmes pasteurisées ont droit à l'appellation « crème fraîche ».

La crème de longue conservation stérilisée

Certaines crèmes peuvent être stockées plusieurs semaines dans un endroit frais et sec (attention, une fois l'emballage ouvert, cette crème se conserve au réfrigérateur, 3 jours maximum). Pour se conserver aussi longtemps, ces crèmes ont été stérilisés à 115 °C durant 15 à 20 minutes, puis refroidies. Ce procédé développant un goût de cuit ou de caramel, on lui préfère la crème stérilisée par le procédé UHT (ultra haute température : chauffage de la crème pendant 2 secondes à 150 °C puis refroidissement rapide) ; ses qualités nutritionnelles et gustatives sont préservées.

Comme la stérilisation ne permet pas l'ensemencement, cette crème est liquide.

La crème légère ou allégée

C'est au moment de l'écrémage que se détermine la teneur en matière grasse de la crème. La crème légère a une teneur en matière grasse comprise entre 12 et 30 % : le taux de matière grasse doit être précisé sur l'emballage ; on en trouve à 12 %, 15 %, 18 %, 20 % de matière grasse. Elle peut être liquide, semi-épaisse, épaisse. Lorsque la teneur en matière grasse est basse, des additifs épaississants (carrhagénanes, amidon, pectine...) peuvent être ajoutés pour obtenir la même onctuosité que celle de la crème classique.

Elle est obligatoirement pasteurisée ou stérilisée.

Il existe des produits à base de crème fraîche à moins de 12 % de matière grasse (8 %, 5 %, 4 % de matière grasse) qui sont vendus stérilisés UHT ; leur dénomination est « spécialité laitière à base de crème légère ».

La crème à fouetter et la crème légère à fouetter (crème fouettée et crème légère fouettée)

Ces produits contiennent au minimum 75 % de crème ou de crème légère. La crème est foisonnée et peut être additionnée de sucre (15 % maximum), de ferments lactiques, de matières aromatiques naturelles, d'additifs (des stabilisateurs), de protéines de lait.

La crème Chantilly

C'est une crème fouettée contenant au minimum 30 % de matière grasse. La seule addition autorisée est le sucre et éventuellement, des matières aromatisantes naturelles.

La crème sous pression

Sa composition est proche de celle de la crème à fouetter. Elle est toujours pasteurisée ou stérilisée. Au moment où on la fait sortir, un gaz neutre qui a été injecté provoque le foisonnement de la crème ; l'augmentation de son volume peut atteindre 80 %.

La crème d'Isigny

C'est la seule crème à bénéficier d'une appellation d'origine protégée (AOP). Elle est produite sur le territoire d'Isigny (Manche), et soumise à des critères très stricts de fabrication. Elle doit contenir au moins 35 % de matière grasse (en pratique, elle affiche toujours 40 %). C'est une crème fraîche épaisse, pasteurisée, d'un goût très fin.

Le beurre

Le beurre est obtenu à partir de la crème du lait (10 l de lait donnent 1 kg de crème environ, qui produit 400 g de beurre). Le beurre est une émulsion d'eau dans la graisse (c'est-à-dire un mélange de corps gras contenant de l'eau finement dispersée).

La réglementation concernant la composition du beurre est très précise : il doit contenir au moins 82 % de lipides (en majorité des acides gras saturés), 16 % d'eau au plus, le reste étant constitué d'éléments non gras (caséine, lactose, sels minéraux).

Le beurre contient du cholestérol : 226 mg pour 100 g. Il apporte des vitamines A et D. Sa richesse varie selon la saison : le beurre d'été est plus riche en vitamines que le beurre d'hiver, en raison de la mise au pâturage des vaches.

L'apport énergétique est de 748 kcal (3 076 kJ) pour 100 g.

Le beurre doit être utilisé de préférence cru ou juste fondu. Le beurre cuit se décompose à basse température (110-120 °C). Il se forme des produits irritants (peroxydases, produits d'oxydation) qui le rendent indigeste.

La cuisson détruit les vitamines A et D, qui sont sensibles à la chaleur.

Un décret précise les différentes dénominations de vente du beurre :

- **Le beurre cru ou beurre de crème crue** : il est fabriqué à partir de crème n'ayant subi aucun traitement thermique de pasteurisation ou de stérilisation. C'est un beurre fragile qui ne se conserve pas longtemps. Il est riche en goût.
- **Le beurre fin et extrafin** : ils sont fabriqués à partir de crème pasteurisée. Cette crème ne doit pas être congelée pour le beurre extrafin, alors que pour la fabrication du beurre fin, 30 % de la crème peut avoir été congelée.

Le beurre facile à tartiner

Une nouvelle tendance de consommation a vu le jour : le beurre facile à tartiner. Il est obtenu en faisant fondre le beurre, en le refroidissant lentement, en recueillant la partie encore molle à la température des réfrigérateurs (6 °C environ) et enfin en le malaxant avec du beurre normal pour lui donner sa souplesse. Malgré sa facilité à être tartiner, ce beurre est un beurre classique, comportant 82 % de matière grasse.

Le beurre cuisinier ou beurre de cuisine

Ce beurre pasteurisé déshydraté contient au minimum 96 % de matière grasse laitière. Il est utilisé par les cuisiniers, car il a les mêmes avantages que le beurre clarifié.

Le beurre concentré

Obtenu à partir de beurre pasteurisé, l'eau et la matière sèche non grasse sont éliminées. Il contient au minimum 99,8 % de matière grasse. Il est utilisé par les pâtissiers et l'industrie agroalimentaire. Son avantage est une facilité d'utilisation, une conservation plus longue des produits finis.

Le beurre allégé et léger

Ces beurres sont fabriqués à partir de crème allégée et pasteurisée. Certains additifs peuvent être incorporés comme l'amidon ou la fécule. Le beurre allégé contient 60 à 65 % de matière grasse, alors que le beurre léger en contient 39 à 41 %. Ils servent surtout pour les tartines et conservent leur goût sous des chaleurs douces, mais ils supportent très mal la cuisson, du fait de leur haute teneur en eau.

REMARQUE

Les « spécialités laitières à tartiner » sont des produits composées de matières premières d'origine laitière, mais leur teneur en matière grasse est comprise entre 20 et moins de 41 %. Ils n'ont pas le droit, de ce fait, à la dénomination « beurre ».

Le beurre demi-sel ou salé

Le beurre salé contient 3 % de sel, alors que le beurre demi-sel doit comprendre entre 0,5 et 3 % de sel.

Le beurre d'appellation d'origine protégée

Il obéit à des critères rigoureux de terroir et de tradition de fabrication. Leur goût est typique et très fin. Deux beurres ont une AOP : le beurre Charentes-Poitou et le beurre d'Isigny.

Le beurre bio

Il est issu de lait lui-même biologique. Pour obtenir le logo « bio » sur l'emballage, il faut que les vaches qui ont produit le lait aient été élevées selon des règles strictes correspondant aux normes de l'agriculture biologique.

Le beurre aromatisé

Il a subi l'adjonction de divers produits : épices, herbes aromatiques, fromage, ail, fruits...

Le beurre ne doit pas être cuit. Dans une poêle, il grésille, devient noisette, puis noircit... et brûle. Ce qui brûle dans le beurre à partie de 120 °C, ce sont les matières sèches (le lactose et les protéines) qu'il contient : on ne l'utilise pas pour les fritures et on ne le chauffe pas trop quand on l'utilise seul. Incorporé dans une préparation cuite au four au-delà de cette température, le beurre ne s'altère pas car il est protégé par l'amidon de la farine contenu dans les préparations.

Pour éviter que le beurre brûle, il suffit d'ôter ses matières sèches afin d'obtenir du beurre clarifié : on fait fondre à feu très doux du beurre doux et on ôte la mousse blanche qui se forme à la surface au fur et à mesure. Au final, on filtre le petit-lait qui s'est déposé au fond. On obtient un liquide jaune et transparent au goût de beurre qui peut se conserver 3 semaines à 1 mois et permet toutes les cuissons.

Les graisses animales

Les graisses animales les plus courantes sont le lard et le saindoux, la graisse de bœuf ou de mouton (suif), la graisse de canard et d'oie.

Ce sont des graisses difficiles à digérer car elles sont formées d'acides gras à « chaînes longues ». Elles sont riches en cholestérol. Il faut mentionner aussi les huiles de poisson (hareng) et les graisses de mammifères marins. Elles sont riches en acides gras insaturés. Elles sont surtout utilisées dans l'industrie alimentaire. La consommation de graisses animales est liée aux habitudes régionales (graisse d'oie dans le Sud-Ouest, graisse de bœuf et de cheval dans le Nord par exemple).

Une bonne graisse

La graisse de canard et d'oie est riche en acides gras mono-insaturés (acide oléique) qui permettent de diminuer le cholestérol total et le mauvais cholestérol (LDL) tout en augmentant le bon cholestérol (HDL). Elle est tout aussi énergétique que tous les corps gras : 896 kcal (3 685 kJ) pour 100 g.

Les corps gras d'origine végétale

Ce sont les huiles, que l'on classe en deux catégories :

– les huiles fluides, liquides à 15 °C (huiles d'arachide, de tournesol, de maïs, d'olive, de colza, de soja, de noix, de pépins de raisin, de noisettes, de sésame, d'argan…) ;

– les huiles concrètes, solides, figées dès la température de 15 °C (huile de noix de coco [Végétaline®], de palme et de palmiste).

Les huiles sont essentiellement constituées de lipides. Elles sont une source importante d'énergie : 100 g d'huile = 900 kcal (3 800 kJ). Elles apportent aussi de la vitamine E (en plus ou moins grande quantité suivant l'huile).

Les huiles fluides

L'huile d'arachide

Elle est extraite des graines d'arachide, cultivée en Afrique ou en Amérique.

Ces graines sont aussi consommées telles quelles sous le nom de cacahuètes.

Leur huile est riche en acides gras mono-insaturés (45 %) – en particulier en acide oléique (oméga 9) –, qui sont hypocholestérolémiants.

L'huile d'arachide se conserve bien à l'abri de l'air, de la lumière et de la chaleur. C'est une huile qui convient aussi bien aux usages à froid (assaisonnements) qu'aux usages à chaud (cuissons à la poêle et friture). Elle est stable à la chaleur, sa température critique ou point de fumée (température à laquelle l'huile commence à se décomposer et à dégager de la fumée) étant de 220 °C.

L'huile de tournesol

Elle est extraite des milliers de petites graines situées au cœur de la fleur de tournesol.

Elle est particulièrement riche en acide gras polyinsaturés (64,5 %), notamment en acide linoléique (oméga 6), et est source de vitamine E (60 mg/100 g).

L'huile de tournesol se conserve bien à l'abri de l'air et de la chaleur.

Elle peut être utilisée pour les assaisonnements et la cuisine. Sa richesse en acides gras polyinsaturés fait qu'elle est plus sensible aux fritures que l'huile d'arachide. Il faudra limiter le nombre de fritures à huit et ne pas dépasser la température de 180 °C.

REMARQUE

Frial® de Lesieur est une huile pour friture à base d'huile de tournesol à haute teneur en acide oléique (acide gras mono-insaturé, plus stable à la chaleur), complétée par de l'huile de colza et de l'huile essentielle de coriandre qui permet de masquer l'odeur de friture.

L'huile de maïs

Elle est extraite des germes des graines de maïs. Elle se caractérise par une teneur élevée en acides gras polyinsaturés, en particulier en acide linoléique (oméga 6).

L'huile de maïs se conserve bien à l'abri de l'air et de la chaleur.

C'est une huile pour les assaisonnements et la cuisine. Comme l'huile de tournesol, sa richesse en acides gras polyinsaturés fait qu'elle est sensible à des chauffages répétés : le nombre de fritures sera limité à huit et la température ne devra pas dépasser 180 °C.

L'huile d'olive

Elle est extraite des fruits mûrs de l'olivier. Il faut 5 kg d'olives pour obtenir 1 l d'huile.

Sa teneur en acide oléique, bénéfique à la santé, est élevée : 77 %. Sa teneur en vitamine E diminue lors du raffinage (de 3 à 30 mg/100 g).

Le consommateur a le choix entre :

– l'huile d'olive vierge extraite par pression à froid. L'huile obtenue est jaune-vert, et sa saveur est fruitée. C'est la plus riche en vitamine E ;

– l'huile d'olive raffinée, qui est obtenue par raffinage de l'huile vierge. Elle est de couleur claire et limpide ;

– l'huile pure d'olive, qui est un coupage d'huile d'olive vierge et d'huile d'olive raffinée ;

– l'huile de grignons d'olive brute, extraite des grignons d'olives (tourteaux d'olives) par des solvants ;

– l'huile de grignons d'olive raffinée, obtenue par raffinage d'huile de grignons d'olives brute ;

– l'huile de grignons d'olive raffinée et d'olive, qui est un mélange d'huile d'olive vierge et d'huile de grignons raffinée.

Ces différentes huiles d'olive se distinguent entre elles par une couleur, une odeur et une saveur particulières.

L'huile d'olive se conserve bien à l'abri de l'air, de la lumière et de la chaleur.

Elle peut être utilisée pour les assaisonnements et les cuissons. Elle est stable à la chaleur (température critique : 210 °C), on peut donc l'utiliser pour les fritures.

L'huile de colza

Elle est extraite des graines de colza, qui contiennent 40 à 45 % d'huile. Les champs de colza en fleur sont ces grandes étendues jaunes que l'on voit au printemps dans de nombreuses régions de France.

C'est une huile riche en acide gras polyinsaturés (30 %) et en particulier en acide alpha-linolénique (oméga 3 : 9 %) : deux cuillerées à soupe d'huile de colza permettent de couvrir 80 % des apports journaliers recommandés en oméga 3.

L'huile de colza se conserve bien à l'abri de l'air, de la lumière et de la chaleur. Elle est à utiliser pour les assaisonnements et la cuisson à la poêle jusqu'à 180 °C.

L'huile de soja

Elle est extraite des graines de soja cultivé principalement aux États-Unis et au Brésil. Sa teneur en acides gras polyinsaturés est élevée, en particulier en acide alpha-linolénique (oméga 3 : 7 %).

Elle se conserve bien à l'abri de l'air, de la lumière et de la chaleur.

L'huile de soja n'est à utiliser que pour les assaisonnements à froid. Bien qu'elle puisse être chauffée, elle se dégrade rapidement à la chaleur et dégage une odeur désagréable.

L'huile de noix

Elle est principalement consommée à l'état « vierge ». Elle est extraite des noix par simple pression. Elle est caractérisée par une très grande richesse en acides gras polyinsaturés (71 %), en particulier en acide alpha-linolénique (oméga 3 : 12,5 %).

Il est conseillé de la conserver au froid, à l'abri de la lumière, et de l'utiliser rapidement quand la bouteille est entamée.

L'huile de noix est essentiellement utilisée pour les assaisonnements. Sa saveur est particulière.

L'huile de pépins de raisin

Elle est extraite des pépins à l'aide d'un solvant. Elle est riche en acides gras polyinsaturés, en particulier en acide linoléique [oméga 6] (70 %).

L'huile de pépins de raisin est une huile pour les assaisonnements à froid, pour la cuisson à la poêle, à la cocotte ou au four. Il est possible de réaliser des fritures en veillant à ne pas dépasser la température de 180 °C et en renouvelant totalement le bain après 4 ou 5 fritures.

L'huile de pépins de raisin est appréciée pour la fondue bourguignonne (viande rouge crue) car elle tient bien à une température élevée (180 °C) et ne dégage pas d'odeur désagréable. Cependant elle ne doit être utilisée que pour un seul bain de friture.

Les huiles mélangées

On trouve dans le commerce des huiles mélangées. Elles sont composées de différentes huiles (tournesol, colza, oléisol [huile de tournesol à haute teneur en acide oléique], pépins de raisin, olive) qui apportent des oméga 3 et oméga 6 dans de bonnes proportions, de la vitamine D en quantité importante pour certaines (une cuillerée à soupe, soit 10 g, en apporte 2,5 µg, soit 50 % des apports nutritionnels conseillés pour un adulte).

Les huiles de noisette, d'argan, de carthame, de sésame…

Ce sont des huiles qui possèdent une saveur particulière qui parfume les plats. La plupart sont utilisées à froid pour les assaisonnements.

Les huiles concrètes

Ce sont les huiles solides à température ambiante.

L'huile de noix de coco (ou de coprah)

Elle est extraite, comme son nom l'indique, de la noix de coco. Huile fluide sous les climats tropicaux où elle est produite, elle se fige sous nos climats tempérés et devient une huile concrète. Elle est surtout commercialisée en France sous la marque Végétaline®. Elle est composée de 98 % d'acides gras saturés et de 2 % d'acides gras insaturés.

Elle se conserve bien à l'abri de la chaleur et de l'humidité, à température ambiante ou, mieux encore, au réfrigérateur.

L'huile de noix de coco est essentiellement utilisée pour les fritures. Riche en acides gras saturés, elle supporte bien les chauffages répétés. Ses acides gras saturés sont en majorité des acides gras à chaînes moyennes : de ce fait, elle est facilement et rapidement digérée. Elle donne des fritures qui semblent plus légères qu'avec les autres huiles. Mais, attention, ces fritures sont tout aussi caloriques : 100 g d'huile de coco apportent 900 kcal (3 800 kJ).

L'huile de noix de coco est riche en acides gras saturés, qui sont athérogènes, thrombogènes et hypercholestérolémiants ; c'est donc une huile qui est à déconseiller.

L'huile de palme et de palmiste

Extraite du palmier à huile, elle est très utilisée dans l'industrie agroalimentaire car elle a de nombreux avantages : peu coûteuse, solide à température ambiante, stable à la cuisson, de goût neutre, apportant du croustillant aux biscuits, de l'onctuosité aux glaces.

Cependant, sur le plan nutritionnel, elle est riche en acides gras saturés, en particulier en acide palmitique, qui sont athérogènes et hypercholestérolémiants.

L'industrie agroalimentaire française semble ces dernières années faire un effort et réduire l'huile de palme dans ses produits. Elle semble sensible non seulement aux arguments nutritionnels mais aussi à la pression médiatique, car la culture du palmier à huile est responsable d'une déforestation importante de la forêt primitive tropicale.

Le choix de l'huile suivant sa destination

Nous avons vu que les huiles pouvaient être utilisées pour les assaisonnements et/ou les cuissons. Pour les assaisonnements, les huiles fluides seront utilisées suivant certains critères : habitudes alimentaires, goût, santé. En ce qui concerne la santé, il est conseillé de préférer celles qui sont riches en acides gras insaturés, en particulier à forte teneur en oméga 9 (huile d'olive) et en oméga 3 (huile de colza, de noix, de soja).

Un conseil : ayez dans votre placard des huiles différentes non seulement pour varier leur goût mais pour avoir des huiles de composition nutritionnelle différente : par exemple, de l'huile de tournesol ou d'olive pour la cuisson, de l'huile de colza ou de noix et d'olive pour les assaisonnements.

Pour les cuissons, le choix doit se faire d'après l'étiquetage des huiles. Le consommateur trouve :

– l'huile végétale pour « friture et assaisonnement » ;

– l'huile végétale pour « assaisonnement ».

Quelques règles doivent être observées pour bien chauffer une huile. En effet, une huile trop chaude va dégager des produits non toxiques mais pouvant entraîner des troubles digestifs.

Ces quelques règles sont les suivantes :

– la température de l'huile ne doit pas dépasser 180 °C. Pour les fritures, si l'on ne possède pas une friteuse à thermostat, c'est la température à laquelle la frite ou le morceau de pain plongés dans l'huile à froid commencent à grésiller ;

– l'huile ne doit pas fumer avant l'introduction des aliments ;

– les aliments doivent être bien égouttés, ou épongés, avant d'être frits afin d'éviter une hydrolyse de l'huile qui accélérerait sa décomposition ;

– il ne faut pas laisser les aliments frits s'égoutter au-dessus du bain de friture ;

– le nombre de fritures successives dans un même bain est de 10 à 15 pour l'huile d'arachide ; 10 pour l'huile de noix de coco (Végétaline®) ; 6 à 8 pour l'huile de tournesol, de maïs et l'huile pour friture (Frial), 4 ou 5 pour l'huile de pépins de raisin ;

– après avoir utilisé une huile pour une friture, il faut la filtrer pour enlever les déchets. Ces derniers risquent de carboniser à la prochaine friture, ce qui contribuerait à dégrader l'huile ;

– entre deux utilisations, l'huile doit être conservée à l'abri de l'air, de la lumière et de la chaleur ;

– ne pas rajouter d'huile fraîche dans une huile qui a déjà servi pour des fritures mais la renouveler complètement ;

– ne pas conserver un bain de friture au-delà de 3 mois ;

– jeter l'huile si elle a fumé ou s'il se forme de la « mousse » quand on ajoute les aliments.

Les margarines et les matières grasses tartinables

Les margarines et les matières grasses à tartiner sont à la base une émulsion, c'est-à-dire un mélange d'eau et/ou de lait et de matières grasses. Elles contiennent aussi des émulsifiants, des conservateurs, du sel, éventuellement du sucre ou du glucose pour mieux dorer les aliments lors de la cuisson, des arômes ; les colorants étant interdits, la couleur jaune vient de l'huile de palme présente en petite quantité qui est de couleur orange.

Elles sont fabriquées à partir des corps gras suivants :

– soit d'une seule huile végétale (margarine au tournesol ou au maïs) ou de plusieurs (margarine végétale) ;

– soit d'huiles végétales et des matières grasses d'origine laitière : 10 % maximum ;

– soit des mélanges d'huiles végétales et de graisses animales (huiles de poisson hydrogénées).

On a le choix parmi de nombreux produits qui diffèrent par leur composition et leur teneur en lipides.

Les différentes dénominations dépendent de la teneur en lipides :

• Margarine : émulsion renfermant au moins 80 % de matière grasse.

• Margarine allégée : émulsion contenant entre 41 et 62 % de matière grasse. Elle peut aussi se trouver sous la dénomination « trois quarts margarine ».

• Demi-margarine : sa teneur en matière grasse est d'environ 40 %.

• La dénomination « matière grasse » à tartiner et/ou à cuire s'applique aux produits ayant une teneur en matière grasse comprise entre 80 et 41 %.

• La dénomination « matière grasse » suivie de « allégée », « légère », « light », « à faible teneur en matière grasse » concerne des produits à la teneur en lipides inférieure ou égale à 60 %. On en trouve à 25 % de matière grasse ; dans ce cas, trop riches en eau, ils ne sont utilisés que pour tartiner, ou fondus sur une préparation.

La composition de ces produits est très variable. On peut trouver :

– des margarines ordinaires à base de graisses animales et d'huiles de poisson, riches en acides gras saturés. Elles sont utilisées pour la cuisine. On les trouve de plus en plus rarement dans le commerce ;

– des margarines végétales composées d'huiles végétales (tournesol, maïs) contenant naturellement des oméga 3 et 6. Elles sont utilisées pour la cuisson (sauf la friture) et/ou pour tartiner ;

– des margarines végétales riches en acides gras insaturés : oméga 3, 6 et 9. On en trouve pour la cuisson (sauf la friture) et/ou pour tartiner, pour fondre sur une préparation ;

– des margarines végétales enrichies en stérols végétaux qui ont pour allégation santé de faire « baisser le taux de cholestérol dans le sang ». Des études cliniques démontrent qu'elles peuvent réduire de 10 % le taux de cholestérol total à condition d'en consommer une quantité suffisante (30 g par jour), les phytostérols diminuant l'absorption du cholestérol au niveau intestinal. Ces margarines ne sont à utiliser que par les personnes qui ont un taux de cholestérol élevé, elles sont contre-indiquées aux femmes enceintes et aux enfants de moins de 5 ans. Leur consommation n'évite pas de veiller à avoir une alimentation équilibrée, surtout en fruits et légumes, car il y a un risque de diminution de la concentration de bêta-carotènes sanguins.

REMARQUE

La majorité des margarines « diététiques » sont des margarines allégées ou à faible teneur en matière grasse.

Les margarines se conservent trois mois environ au réfrigérateur. Pour la cuisine, leur utilisation diffère selon le type de margarine. On peut les utiliser :

- crues pour les tartines, l'accompagnement de hors-d'œuvre ; elles sont appréciées car elles sont tartinables dès leur sortie du réfrigérateur ;
- fondues sur les viandes, poissons, légumes... ;
- pour la cuisine à la poêle, en cocotte, au four ;
- pour les pâtisseries.

Conseils de consommation des corps gras

Les lipides doivent représenter 35 à 40 % des apports nutritionnels conseillés dans une alimentation équilibrée, soit, pour les adultes, 85 à 95 g pour les femmes et 105 à 120 g pour les hommes. Ces lipides sont apportés par les graisses « cachées » des aliments (viandes, produits laitiers, gâteaux...) et les corps gras. Ces recommandations sont souvent dépassées, surtout quand on mange à l'extérieur ou qu'on prend des plats cuisinés du commerce.

Cela a parfois des inconvénients pour la santé (maladies cardio-vasculaires, obésité…).

Il serait raisonnable de :

– réduire sa consommation de corps gras en général. Par exemple, limiter sa consommation de corps gras visibles si le repas est déjà riche en graisses (sauces, friture…) ;
– ne consommer qu'une friture par semaine ;
– réduire surtout la consommation des corps gras qui renferment un fort pourcentage d'acides gras saturés, comme les viandes, charcuterie, graisses animales (beurre, saindoux…), produits laitiers gras… ;
– varier les corps gras végétaux riches en acides gras insaturés (oméga 3, 6 et 9) ;
– éviter de saucer les plats.

Valeur énergétique des différents corps gras (pour 10 g)

Corps gras	**Apport énergétique**
Crème à 40 % de MG	39 kcal (163 kJ)
Crème à 30 % de MG	30 kcal (125 kJ)
Crème à 15 % de MG	17 kcal (71 kJ)
Crème à 5 % de MG	8 kcal (34 kJ)
Beurre	75 kcal (308 kJ)
Beurre allégé à 60 % de MG	58 kcal (242 kJ)
Beurre léger à 39 à 41 % de MG	39 kcal (160 kJ)
Graisse d'oie ou de canard	90 kcal (370 kJ)
Huiles de tournesol, d'olive, de noix…	90 kcal (370 kJ)
Huile de noix de coco (Végétaline®)	90 kcal (370 kJ)
Margarine à 82 % de MG	75 kcal (308 kJ)
Margarine à 60 % de MG	54 kcal (225 kJ)
Margarine à 42 % de MG	38 kcal (160 kJ)
Matière grasse légère à 25 % de MG	22 kcal (83 kJ)

Équivalences en lipides

10 g d'huile apportant 10 g de lipides équivalent à environ :

– 10 g de beurre ;

– 10 g de margarine ;
– 15 g de margarine allégée (60 % de matière grasse) ;
– 30 g de crème à 30 % de matière grasse ;
– 60 g de crème à 15 % de matière grasse ;
– 30 g de mayonnaise ;
– 15 g de vinaigrette.

Recommandation

Dans une alimentation équilibrée, on compte pour une personne :
– 10 à 20 g de beurre pour les tartines ;
– 10 g d'huile pour assaisonner une crudité ;
– 20 g de margarine ou d'huile pour les cuissons.

Idées fausses

L'huile d'olive apporte moins de calories que les autres huiles.

FAUX : toutes les huiles contiennent 100 % de lipides. Elles apportent toutes 900 kcal (3 800 kJ) pour 100 g.

La margarine est recommandée dans les régimes amaigrissants.

FAUX : elle est aussi calorique que le beurre (740 kcal [3 093 kJ] pour 100 g). Elle est parfois conseillée parce qu'elle est riche en acides gras polyinsaturés. Les margarines allégées apportent moins de calories que la margarine mais, attention, dans un régime, il faut en consommer avec modération, car elle apporte, comme tous les corps gras, de l'énergie.

La crème est aussi grasse que le beurre.

FAUX : la crème apporte moins de graisses que le beurre (crème : 30 %, beurre : 82 %). Pour assaisonner des légumes, une noix de beurre apportera 75 kcal (308 kJ) alors qu'une cuillerée à café de crème à 30 % de matière grasse apportera 30 kcal (125 kJ).

Le sucre et les produits sucrés

Le sucre et les produits sucrés ne sont pas indispensables à l'équilibre nutritionnel. Leur caractéristique essentielle est de flatter le palais. Ils apportent surtout du saccharose, vite digéré et qui libère aussitôt du glucose dans le sang (en une demi-heure à une heure).

En France, la consommation de sucre est de 70 g par jour, sucre ingéré en l'état et incorporé dans les produits. La consommation de sucre en morceaux et en poudre (c'est-à-dire le sucre que l'on ajoute dans son café, son thé...) a tendance à diminuer. En revanche, celle de sucre incorporé aux aliments industriels (chocolaterie, confiture, pâtisseries, yaourts sucrés, desserts industriels, glaces, etc., plus les boissons : sodas, jus de fruits...) augmente.

Cette consommation excessive de sucre et de produits sucrés peut entraîner des problèmes de santé : caries dentaires chez les enfants, obésité, excès de graisse dans le sang (hyperlipidémie). Les glucides doivent représenter 45 à 54 % de l'apport énergétique total et le sucre ou saccharose ne doivent pas dépasser 10 % de cet apport : 30 à 35 g de sucre par jour (sucre nature ou incorporé à des aliments).

Le sucre

Le sucre (ou saccharose) est une source d'énergie : 10 g de sucre = 40 kcal (170 kJ). Il ne fournit ni protéines, ni sels minéraux, ni vitamines. On dit qu'il apporte des « calories vides ». Le consommateur a le choix entre sucre blanc et sucre roux.

Le sucre blanc

C'est le saccharose purifié et cristallisé à partir de betterave ou de canne à sucre. Aucune distinction n'est faite entre les sucres de betterave et les sucres de canne : ce sont des sucres contenant 99,6 % de saccharose.

Le sucre roux

C'est un sucre de betterave ou de canne qui contient plus de 85 % et moins de 99,5 % de saccharose. La présence d'impuretés est responsable de sa couleur.

Le sucre roux est commercialisé sous le nom de « vergeoise » quand il est extrait de la betterave à sucre et sous le nom de « cassonade » quand il est extrait de la canne à sucre.

Par rapport au sucre blanc, le sucre roux ne présente aucun intérêt nutritionnel particulier, seul son goût est différent.

Poids et mesures

- *1 morceau de sucre n° 3 = 7 g*
- *1 morceau de sucre n° 4 = 5 g*
- *1 cuillerée à café de sucre = 5 g*
- *1 cuillerée à soupe de sucre = 15 g*

La confiserie

Ce sont des produits sucrés élaborés à partir de sucre auquel sont ajoutés d'autres nutriments (lait, amandes, fruits, réglisse, café, chocolat, miel...), et beaucoup d'additifs et d'arômes (naturels ou synthétiques le plus souvent).

Les variétés de confiseries sont très nombreuses : bonbons acidulés, fourrés, feuilletés..., caramels, fondants, dragées, nougats, fruits confits, chewing-gums, pralines...

La plupart de confiseries contiennent plus de 70 % de glucides à absorption rapide (sucre, glucose...). 100 g de

bonbons apportent environ 360 kcal (1 512 kJ). Il faut donc consommer les confiseries avec modération. Les enfants en mangent souvent beaucoup trop, au détriment d'autres aliments qui leur apporteraient, eux, les nutriments indispensables à leur croissance. Cette surconsommation contribue à augmenter l'ingestion d'additifs chimiques dont les effets à long terme sont encore mal connus. Divers colorants (cf. chapitre « Les additifs alimentaires », p. 186) sont soupçonnés d'être responsables de l'hyperactivité des enfants ou de l'accentuer.

Le miel

Le miel est produit par les abeilles à partir du nectar des fleurs. Il est constitué de glucides simples : fructose 45 %, glucose et saccharose 35 %. La présence de fructose en quantité importante lui confère des propriétés laxatives. Il contient des enzymes qui facilitent la digestion de ses glucides.

Le miel apporte essentiellement de l'énergie rapidement assimilable : 316 kcal (1 343 kJ) pour 100 g.

D'autres produits issus de la ruche sont commercialisés :

• **Le miel de miellat.** Il résulte de la transformation par les abeilles d'une substance sécrétée par des insectes (cochenilles, pucerons...), le miellat. Le miel de miellat est composé de fructose, de glucose, de fructose, d'acides aminés (7 %) et de minéraux.

• **Le pollen.** C'est un élément fertilisant produit par les étamines des fleurs. Les abeilles en butinant accumulent le pollen sur leurs pattes postérieures. Elles en forment des petites pelotes qu'elles rapportent à la ruche. Il est composé de glucides (30 à 35 %), de protéines (25 à 30 %), de lipides (1 à 20 %), de vitamines (surtout du groupe B) et de minéraux (calcium, cuivre, magnésium, sélénium...). On lui attribue ne nombreuses vertus : stimulant, il renforcerait les défenses naturelles de l'organisme.

• **La gelée royale.** C'est une substance blanchâtre et gélatineuse sécrétée par les abeilles nourricières ; elle est destinée à l'alimentation des larves et constitue le régime alimentaire des reines. Elle est composée de 50 à 65 % d'eau, de fructose et glucose (15 %), de protéines (13 à 18 %), de lipides (3 à 6 %), de vitamines (surtout du groupe B), de minéraux et d'oligoéléments. La gelée royale est utilisée de façon traditionnelle pour réduire la fatigue physique et intellectuelle, le stress, et renforcer l'immunité.

• **La propolis.** Elle est fabriquée par les abeilles à partir de leurs sécrétions et de substances résineuses recueillies sur les bourgeons et l'écorce des arbres. Elles s'en servent pour recouvrir toutes les surfaces intérieures de la ruche afin d'en assurer l'étanchéité, la solidité et l'aseptie. Elle est constituée de plus de 300 substances : résines, cire, huiles volatiles et essentielles, pollen, acides organiques, flavonoïdes, oligoéléments, vitamines. On attribue à la propolis des propriétés thérapeutiques : anti-infectieuse (antiseptique, antibiotique, antifongique), anti-inflammatoire.

Le chocolat

Le chocolat est obtenu à partir d'un mélange de pâte de cacao, de beurre de cacao et de sucre, auquel on peut ajouter lait, arômes, miel, café, noisettes, etc. Depuis 2003, un décret autorise l'incorporation de 5 % de matière grasse végétale à la place d'une partie du beurre de cacao (moins coûteuse que le beurre de cacao, de meilleure conservation, plus résistante à la chaleur). Cet ajout est inscrit dans la liste des ingrédients, ainsi le consommateur peut choisir son chocolat en pleine connaissance de cause.

Le chocolat est avant tout un aliment énergétique. Qu'il soit noir, au lait, blanc, avec ajout de noisettes, de fruits secs, il apporte en moyenne 500 kcal (2 220 kJ) pour 100 g. Cette énergie est fournie par :

– les glucides du sucre ajouté : de 33 % pour le chocolat à 70 % de cacao à 58 % pour le chocolat au lait ;

– les lipides apportés par le cacao : de 30 % pour le chocolat à 40 % de cacao à 45 % pour le chocolat à 70 % de cacao. Cette richesse en lipides permet au chocolat d'avoir un index glycémique bas. Les acides gras des lipides du cacao sont essentiellement des acides gras saturés (65 %), qui favorisent l'hypercholestérolémie. Or des études montreraient que le principal acide gras saturé du cacao, l'acide stéarique, se transforme, lors de la digestion, en acide oléique (oméga 9), qui est hypocholestérolémiant ;

– des minéraux et en particulier du magnésium, apporté par le cacao : 206 mg pour 100 g pour le chocolat à 70 % de cacao et 60 mg pour 100 g pour le chocolat au lait ;

– des polyphénols, dont en particulier les flavanols, qui ont une action antioxydante. Ils jouent sur le risque de maladies cardio-vasculaires en diminuant le risque d'athérosclérose, en inhibant l'agrégation plaquettaire, et en réduisant la tension artérielle ;

– des substances toniques à effet stimulant : la caféine, la théobromine et la théophylline ;

– la phényléthylamine (PEA). D'une structure proche de celle des amphétamines, elle est réputée pour avoir une action antidépresseur et contient de l'anandamide, un neurotransmetteur qui aurait des effets euphorisants. Ces effets expliquent pourquoi nous nous consolons parfois dans le chocolat !

Le consommateur a le choix entre plusieurs sortes de chocolat.

Le chocolat noir

Il est composé de cacao, de beurre de cacao et de sucre ; il peut contenir aussi de la lécithine. Il peut être nature, additionné de fleur de sel, de piments, de fruits secs, etc., fourré (mousse, pralin, crèmes parfumées...). Sa teneur en cacao peut aller de 40 à 99 %.

Le chocolat au lait

C'est un chocolat contenant un minimum de 25 % de cacao et du beurre de cacao, du sucre, du lait sous forme de lait en poudre. 100 g de chocolat au lait apportent 200 mg de calcium mais il ne doit pas être considéré comme un aliment source de calcium, car il est aussi très énergétique (547 kcal [2 284 kJ] pour 100 g). D'autres ingrédients peuvent être ajoutés : noisettes, riz soufflé...

Le chocolat blanc

Il est composé de 20 % de beurre de cacao au minimum, de sucre et de lait en poudre. Il peut contenir aussi de la lécithine et des arômes (généralement de la vanille). Fabriqué sans cacao, il ne contient pas ou peu de magnésium, de polyphénols, de PEA et d'anandamide.

Le chocolat en poudre

On trouve du cacao non sucré en poudre faite à partir de la pâte de cacao. Son goût est amer et elle est utilisée pour la confection de pâtisseries, pour enrober les truffes.

Le chocolat en poudre est constitué d'au moins 25 % de cacao (maigre ou dégraissé) et au plus de 75 % de sucre.

Dans le commerce, on trouve de nombreux produits pour petit déjeuner à base de chocolat ; ils n'ont pas droit à la dénomination « chocolat en poudre », ils sont donc commercialisés sous différentes appellations : « préparation en poudre instantanée pour boisson au cacao », « préparation pour boisson instantanée au cacao »... Dans leur composition, le sucre est le principal ingrédient, viennent ensuite le cacao (au moins 20 %), des additifs (lécithine de soja), des arômes et, suivant la marque, on peut avoir l'ajout de céréales, de miel, de banane, de vitamines...

Que vaut le chocolat allégé ?

Le chocolat allégé n'a de « light » que le nom, car si une partie du sucre est remplacée par des polyols et des édulcorants* *intenses*, il contient autant si ce n'est plus de lipides que le chocolat classique. Il est tout aussi énergétique : 500 kcal (2 220 kJ) pour 100 g.*

Autres produits à base de chocolat

Les pâtes à tartiner sont très prisées par les enfants et les adolescents. Elles contiennent surtout du sucre, des matières grasses (essentiellement de l'huile de palme), souvent des noisettes et enfin du cacao (moins de 10 %). Émulsifiant (lécithine de soja) et arôme synthétique (vanilline) sont aussi présents.

Le choix des barres chocolatées est varié : à la noix de coco, biscuitées, aux fruits secs...

Les confiseries au chocolat (bouchées, rochers...) sont constituée d'au moins 25 % de chocolat. La nature du fourrage varie selon les produits (ganache, amandes, noisettes, praliné...).

Tous ces produits à base de chocolat sont énergétiques (510 à 550 kcal [2 130 à 2 300 kJ] pour 100 g), énergie apportée essentiellement par les glucides et les lipides.

Les produits à base de chocolat sont des aliments plaisirs. Ils n'apportent que de l'énergie : par exemple, une barre chocolatée d'environ 50 g apporte, en sucre, l'équivalent de cinq morceaux de sucre et, en lipides, l'équivalent d'une à une cuillère à soupe et demie d'huile.

Les confitures, les marmelades, les gelées

Confitures, marmelades, gelées sont fabriquées à partir de fruits et de sucre. D'autres ingrédients sont autorisés : miel en remplacement total ou partiel du sucre, jus de fruits,

* *Cf. chapitre « Les additifs alimentaires ».*

pectine, vanille... Traditionnellement, les confitures sont un moyen de conserver les fruits. Pour qu'elles se conservent, la concentration en sucre doit être comprise entre 50 et 75 % ; en dessous de cette concentration, la confiture moisit rapidement.

Elles apportent de l'énergie (220 kcal [934 kJ] pour 100 g), énergie fournie essentiellement par le sucre des fruits (fructose) et le sucre ajouté (saccharose) (55 % à 60 %).

Les sels minéraux sont réduits de moitié par rapport à la quantité renfermée dans les fruits au départ, du fait de la dilution provoquée par l'ajout de sucre ; les vitamines, pour la plupart, ont disparu lors de la cuisson.

Une cuillerée à soupe rase de confiture ou la barquette individuelle de 30 g équivalent à trois à quatre morceaux de sucre.

D'après la réglementation, le consommateur peut trouver des produits dont les mentions correspondent à des normes de qualité très précises.

La confiture

Elle est préparée avec au moins 350 g de fruits pour 1 kg de produit fini.

La confiture extra

Elle est préparée avec au moins 450 g de pulpe de fruits pour 1 kg de produit fini (380 g pour les confitures de marrons). Cela donne un produit proche de la confiture traditionnelle « maison » (moitié fruit, moitié sucre).

Les marmelades

Elles sont préparées à partir de « mélanges gélifiés d'agrumes ». Elles se différencient des confitures par une teneur inférieure en fruits : au moins 200 g pour 1 kg de produit fini.

Les gelées

Ce sont des produits obtenus avec le jus clair qui s'écoule lorsque l'on sépare les débris des fruits par tamisage après cuisson. On distingue les gelées extra (450 g de jus pour 1 kg de produit fini) et les gelées ordinaires (350 g de jus pour 1 kg de produit fini).

Les confitures allégées en sucre

Ce sont des produits intermédiaires entre les confitures et les compotes. Elles contiennent plus de fruits que les confitures extra (jusqu'à 71 %) mais 25 % de sucre en moins, le saccharose pouvant être remplacé par du fructose. Elles sont moins énergétiques : 180 kcal (775 kJ) environ pour 100 g, avec 45 % de glucides.

Attention, elles se conservent moins longtemps que les confitures classiques.

Les glaces et les sorbets

Ce sont des préparations sucrées, parfumées et congelées. Elles n'ont pas toutes la même composition :

– les crèmes glacées sont obtenues par un mélange de lait, de crème et de produits sucrants (sucre, sirop de glucose-fructose) parfumé avec un arôme naturel (vanille, chocolat, café...) ou des fruits. On peut avoir des ajouts de fruits secs, de fruits oléagineux, d'alcool... Bien qu'ils apportent du calcium (93 mg pour 100 g), il ne faut pas oublier que ces produits sont sucrés ;

– les glaces aux fruits sont obtenues par un mélange d'eau, de produits sucrants, de 10 à 15 % de fruits et parfois du lait et/ou de la crème ;

– les glaces aux œufs sont obtenues par un mélange d'eau, de produits sucrants, de 7 % au minimum de jaune d'œuf, de 2 % de matière grasse et d'un parfum ;

– les sorbets sont un mélange d'eau, de produits sucrants et de 35 % au minimum de fruits frais ou de jus de fruits ;

– les glaces au yaourt sont des yaourts glacés pauvres en matières grasses. Souvent, elles contiennent moins de sucre que les autres produits glacés ;

– les glaces allégées sont des glaces dans lesquelles les produits sucrants sont remplacés par un édulcorant intense (aspartame, acésulfame de potassium...) et une partie de la matière grasse est remplacée par des fibres, des produits à base de protéines de blanc d'œuf, des additifs...

Toutes les glaces sont foisonnées afin d'être plus moelleuses, c'est-à-dire que de l'air y est introduit au moment des mélanges. Les glaces du commerce contiennent de 20 à 50 % d'air : 1 l de glace équivaut à 500 à 600 g de glace.

Des additifs sont autorisés dans toutes les glaces : colorants, émulsifiants, gélifiants...

Valeurs nutritionnelles moyennes pour une portion de glace ou sorbet

Produits glacés	Portion	Protéines	Lipides	Glucides	Valeur énergétique
Moyenne des glaces	1 boule*	1 g	2 g	8 g	55 kcal (230 kJ)
Moyenne des sorbets	1 boule	–	–	8,5 g	36 kcal (152 kJ)
Esquimau	40 g	1 g	8,5 g	6,5 g	119 kcal (495 kJ)
Magnum	86 g	3 g	23 g	25 g	260 kcal (1 100 kJ)
Cornet chocolat	1 unité	3 g	12 g	30 g	240 kcal (1 000 kJ)

** 1 boule = 50 ml ou 30 g.*

Allégé en sucre, oui mais...

De nombreux produits sucrés sont dits « sans sucre », « light », « à teneur réduite en glucides », « allégé en sucre »...

En effet, une partie ou la totalité du sucre (saccharose) est remplacée par :

– du fructose, sucre simple, apportant comme le saccharose 4 kcal (17 kJ) pour 1 g mais ayant un pouvoir sucrant supérieur de 20 à 40 % au saccharose. Le même goût sucré est donc obtenu avec moins de sucre, ce qui rend le produit moins énergétique. Attention cependant à la consommation en excès de fructose, car il élève le taux de triglycérides dans le sang et n'induit pas la satiété, d'où une consommation plus importante qui peut avoir pour conséquence une prise de poids ;

– des polyols (sorbitol, xylitol...), qui à forte dose peuvent entraîner des troubles digestifs. Les produits qui en contiennent apportent de l'énergie mais en moindre quantité que les produits sucrés avec du sucre ;*

– des édulcorants intenses (aspartame, acésulfame...). Ils n'apportent aucune énergie, mais ils peuvent poser d'autres problèmes s'ils sont consommés en excès*.*

Équivalences en sucre (glucides)

10 g de sucre soit 10 g de glucides équivalent à environ :

– 2 morceau de sucre n° 4 ;

– 1 cuillerée à soupe rase de sucre en poudre ;

– 15 g de confiture ;

– 15 g de miel ;

– 15 g de crème de marron ;

– 1 boule de sorbet ;

– 20 g de chocolat.

* *Cf. chapitre « Les additifs alimentaires ».*

Les boissons

Boire est une nécessité biologique impérieuse de tout être vivant. Le corps contient en moyenne 55 à 60 % d'eau et il en perd en permanence. Il est donc nécessaire de boire en moyenne 1,5 l d'eau chaque jour, cette quantité devant être adaptée selon les facteurs individuels et climatiques.

Nous buvons par réflexe quand nous avons soif, mais pas toujours pour nous désaltérer : dans la vie en société, un certain nombre de phénomènes sociaux et psychoaffectifs incitent à boire sans besoin réel. De plus, l'élévation du niveau de vie prime sur le besoin de qualité par rapport au besoin de quantité. Ce sont ces raisons qui ont amené à créer de nombreuses boissons plus nourrissantes, plus savoureuses que la boisson d'origine : l'eau.

L'eau

Seule boisson indispensable, l'eau que nous consommons doit être potable : elle ne doit pas porter atteinte à la santé de ceux qui la consomment. L'eau de distribution publique, l'eau du robinet, doit répondre à trois conditions :

– absence de contamination microbiologique (absence de germes, que l'on trouve dans l'intestin de l'homme et des mammifères, germes témoins de contamination fécale) ;

– qualité physico-chimiques répondant aux limites imposées par une réglementation très stricte. La pollution de l'eau par les pesticides et les nitrates sont une préoccupation, à l'heure actuelle : les pesticides utilisés pour protéger les végétaux contre les organismes et les végétaux indésirables, et les nitrates présents à l'état naturel mais surtout en forte concentration dans les engrais, contaminent les eaux de surface et les eaux souterraines. Cette pollution est éliminée lors de traitements. Les nitrates ne doivent pas dépasser 50 mg/l ;

– qualité satisfaisant aux références des directives européennes.

L'eau de distribution publique est puisée dans des nappes souterraines, à des sources, dans des cours d'eau naturels. Elle est traitée dans des usines : filtration puis destruction des germes nuisibles par le chlore et l'ozone. À sa sortie de l'usine, cette eau présente toutes les caractéristiques de l'eau potable. Des contrôles fréquents sont effectués à tous les niveaux (sortie d'usine, des canalisations) pour délivrer au consommateur une eau buvable, au moins sur le plan hygiénique. Le goût de chlore parfois prononcé provient d'un surdosage parfois volontaire et est en particulier perceptible l'été (il suffit de mettre pendant quelques heures la carafe d'eau au réfrigérateur pour que le goût de chlore disparaisse).

Qu'appelle-t-on « eau dure » ?

La dureté de l'eau ou titre hydrotimétrique (TH) correspond à sa teneur en calcium et en magnésium. La dureté de l'eau dépend de la nature géologique des sols qu'elle a traversés. Un sol crayeux ou calcaire donnera une eau « dure » (15 à plus de 35 °TH : cas du Nord, de l'Île-de-France...) alors qu'un sol granitique ou sablonneux donnera une eau douce (moins de 15 °TH, cas de la Bretagne, des Vosges...). Les eaux « dures » n'ont aucun effet dans notre corps, nos vaisseaux ne sont pas « entartrés ». Les eaux « dures » et « douces » n'occasionnent de désagréments que domestiques : entartrage des tuyauteries, surtout quand l'eau est chauffée, temps de cuisson plus longs, eau désagréable pour l'épiderme dans le cas des eaux « dures » ; les eaux « douces » ont à l'inverse un effet corrosif sur les canalisations métalliques.

Dans le commerce, on peut acheter de l'eau en bouteille. On a le choix entre plusieurs catégories d'eau embouteillée et chacune doit répondre à des caractéristiques conformes à la réglementation. On distingue :

L'eau de source

C'est une eau d'origine souterraine, microbiologiquement saine, protégée de la pollution et n'ayant subi ni traitement chimique, ni aucune adjonction d'ingrédients quelconques. Elle est naturellement conforme et doit être potable. Sa composition en sels minéraux est variable. Son avantage, par rapport à l'eau du robinet, est d'échapper au goût chloré.

L'eau minérale

Elle provient d'une source souterraine, à l'abri de la pollution, microbiologiquement saine.

Elle ne subit aucun traitement chimique. Sa composition en sels minéraux et oligoéléments doit être constante. Elle peut posséder des vertus thérapeutiques reconnues par l'Académie de médecine et le ministère de la santé.

En France, les sources d'usage thérapeutique sont extrêmement nombreuses et possèdent des propriétés variées. Elles sont plus ou moins minéralisées. Les eaux très minéralisées ne doivent pas être consommées tous les jours s'il n'y a pas d'indications particulières.

Exemples des effets thérapeutiques de quelques eaux minérales

Noms	**Minéralisation**	**Effets thérapeutiques**
Évian®, Volvic®, Valvert®, Plancoët®, Thonon®	Inférieure à 500 mg par litre	Diurétiques Eaux pour les biberons
Saint-Yorre®, Vichy® Célestins®, Rozana®, Badoit®, Quézac®, Salvetat®	Eaux bicarbonatées	Facilitent la digestion Alcanisantes : pour le sportif après l'effort
Talians®, Courmayeur®, Hépar®, Contrex®, Rozana®, Salvetat®, Vittel®	Eaux calciques	Participent à la couverture des besoins en calcium À conseiller à la femme ménopausée
Rozana®, Hépar®, Badoit®, Quézac®, Contrex®	Eaux magnésiennes	Anti-fatigue Luttent contre la constipation

Les boissons rafraîchissantes sans alcool

L'eau du robinet ou en bouteille est souvent remplacée par une boisson aromatisée, que cela soit au moment du repas ou pour se désaltérer. Pour la plupart, elles ont l'inconvénient d'apporter du sucre : un verre de 250 ml renferme 25 g de sucre (l'équivalent de cinq morceaux de sucre ; une canette renferme 33 g de sucre, soit six morceaux et demi). Pour cette raison, beaucoup de ces boissons sucrées ont leur équivalence en boissons « light », où le sucre est remplacé par un édulcorant intense ; l'innocuité de ces édulcorants fait l'objet de beaucoup de débats (cf. chapitre « Les additifs alimentaires », p. 186).

La consommation de ces boissons sucrées est donc à limiter ; elles n'entraînent pas de sensation de satiété et sont souvent consommées en grande quantité. De plus, leur goût sucré est peu perçu car elles sont consommées froides (à 4 °C environ).

Les jus de fruits

Les jus se répartissent en trois catégories :

• **Les purs jus de fruits**, obtenus par simple pression des fruits ; aucun ajout n'est autorisé. Cependant, des vitamines (en particulier la vitamine C) et/ou des minéraux peuvent être restaurés, c'est-à-dire ajoutés au jus quand ils ont été perdus lors de la fabrication.

• **Les jus de fruits à base de concentré** sont obtenus à partir de jus concentré auquel on incorpore la même quantité d'eau que celle évaporée lors de l'opération de concentration. La réglementation autorise un ajout de sucre dans la limite de 15 g par litre, ajout qui doit être indiqué sur l'emballage.

• **Les nectars**. Ils sont élaborés à partir de la pulpe, de jus ou de purée de fruits (20 à 50 % selon le fruit), à laquelle est ajoutée de l'eau et 20 % de sucre au maximum. Les conservateurs et les colorants y sont interdits.

Les jus de fruits du commerce sont pasteurisés, technique parfaitement maîtrisée pour respecter leurs valeurs nutritionnelles et le plus possible leur saveur. On a le choix entre les jus pasteurisés qui se conservent à température ambiante avant leur ouverture et les jus qui ont subi une « flash pasteurisation » (chauffage élevé pendant quelques secondes) qui se trouvent dans les rayons frais et se conservent au réfrigérateur ; cette méthode de conservation permet de préserver au maximum le goût du ou des fruits.

Bien que les purs jus de fruits et les jus de fruits à base de concentré soient source de vitamines (vitamine C, de bêta-carotène) et de sels minéraux (calcium), il ne faut cependant pas oublier que la plupart des jus de fruits ont une teneur élevée en sucre sous forme de fructose du fruit (cf. tableau ci-après). Les nectars, sur le plan nutritif, n'ont aucun intérêt, ils n'apportent que de l'énergie sous forme de sucre (fructose et saccharose).

Et les jus de légumes ?

Les jus de légumes sont obtenus à partir de légumes mixés ou centrifugés. Le plus consommé est le jus de tomate. Il a la même valeur nutritionnelle que la tomate, à condition que l'on ne lui rajoute pas du sel ou de la vodka.

Les smoothies

Leur composition n'est pas réglementée. Ils sont préparés à partir d'un mélange de jus de fruits et de fruits mixés auquel on peut ajouter du sucre, du lait, des conservateurs...

On y retrouve les mêmes nutriments que dans les fruits : vitamines, sels minéraux, fibres et surtout des glucides ; suivant sa composition, un smoothie peut apporter 140 à 250 kcal pour 250 ml. Quand on consomme un smoothie, il n'y a pas d'effet de satiété car il n'y pas de mastication ; on peut donc en boire beaucoup sans s'en rendre compte, d'où un apport important en énergie.

Les boissons aux fruits

Elles sont composées d'eau, de sucre et de 10 % au minimum de fruits (jus, pulpe). Elles sont souvent additionnées d'additifs (acidifiants, colorants), d'arômes. Ces boissons sont plates ou gazeuses par adjonction de gaz carbonique (limonade). Sur le plan nutritionnel, les boissons aux fruits ont peu d'intérêt si ce n'est celui d'apporter de l'énergie. Elles contiennent dix fois moins de sels minéraux et de vitamines que les jus de fruits.

Les sodas au cola

Ce sont des boissons gazeuses (par ajout de gaz carbonique) sucrées aromatisées aux extraits végétaux et additionnées d'additifs (colorant : caramel, acidifiants) et d'arômes (caféine).

Les sodas tonics et les bitters

Ce sont des boissons gazeuses aromatisées aux extraits d'écorces d'agrumes ou avec un arôme d'agrumes, additionnées d'additifs (conservateurs, acidifiants).

Les boissons aux extraits de thé

Plus communément appelées « thé glacés », ce sont des boissons sucrées aromatisées qui contiennent au minimum 1 g/l d'extraits de thé, additionnées d'additifs.

Les eaux aromatisées

Elles sont composées d'eau, la plupart du temps une eau minérale naturelle ou de source, d'arômes de fruits et éventuellement de sucre.

Les boissons aux fruits, aux extraits de thé, les sodas, les eaux aromatisées sucrées n'ont aucun intérêt nutritionnel. Elles ne font qu'apporter des « calories vides » sous forme de sucre. Leur index glycémique est très élevé, donc entraîne une montée rapide de la glycémie, déclenchant une sécrétion d'insuline et un stockage rapide des calories ingérées sous forme de graisse, contribuant à favoriser la prise de poids.

Pour ces raisons, de nombreux consommateurs préfèrent choisir ces boissons sans sucre, les boissons « light », qui ne contiennent ni sucre ni calories. Le sucre est remplacé par des édulcorants (aspartame, acésulfame de potassium, cyclamate, saccharine, sucralose, rebaudioside A). Certaines de ces boissons « light » sont à déconseiller aux femmes enceintes (cf. chapitre « Les additifs alimentaires » p.186).

Certains tonics, bitters, colas sont déconseillés aux enfants car ils contiennent de la caféine et de la quinine, qui peuvent avoir un effet néfaste sur leur santé (troubles du sommeil, excitabilité).

Les boissons diététiques de l'effort

Ces boissons sont réglementées. Leurs caractéristiques de composition ont été définies par les experts européens du Comité scientifique pour l'alimentation et validées par l'ANSES. Ces boissons doivent assurer d'une part un apport suffisant en eau et en sodium et d'autre part un apport régulier en glucides. Elles sont à la fois hydratantes, énergétiques et électrolytiques.

Les boissons énergisantes

Ces boissons s'adressent aux adultes en recherche d'énergie et de stimulation. Elles apportent de l'énergie sous forme de sucre, et de la caféine pour ses propriétés stimulantes sur le système nerveux. Elles peuvent aussi contenir d'autres substances : la taurine, acide aminé, et le glucuronolactone, produit à partir du glucose, dont les effets sur les performances physiques et psychiques n'ont jamais été démontrés.

Ces boissons ne sont pas recommandées, même si elles promettent de procurer le plein d'énergie pour une soirée, elles sont déconseillées aux enfants et aux femmes enceintes.

Les sirops

Ce sont des solutions concentrées contenant 600 à 650 g de sucre par litre, aromatisées avec des extraits d'essences végétales (plantes, pulpe de fruits), de l'acide citrique (E330) et éventuellement des colorants. Certains sirops sont aromatisés avec des concentrés de fruits.

Une fois le sirop dilué avec huit à neuf fois son volume d'eau, on a une boisson contenant 80 g de sucre par litre environ.

Apports moyens en sucre et énergie des boissons rafraichissantes sans alcool

	Apport en sucre		**Apport énergétique**	
	Pour un verre de 250 ml	**Pour 330 ml (une canette)**	**Pour un verre de 250 ml**	**Pour 330 ml (une canette)**
Jus d'orange	22,5 g	30 g	106 kcal (450 kJ)	142 kcal (594 kJ)
Jus de raisin	37,5 g	50 g	169 kcal (947 kJ)	223 kcal (947 kJ)
Nectar d'orange	22 g	29 g	97 kcal (413 kJ)	128 kcal (545 kcal)
Jus de tomate	7 g	9 g	38 kcal (161 kJ)	50 kcal (212 kJ)
Boisson aux fruits	27 g	36 g	110 kcal (470 kJ)	145 kcal (620 kJ)
Limonade	22 g	29 g	97 kcal (410 kJ)	128 kcal (541 kJ)
Soda au cola	27 g	35,5 g	110 kcal (470 kJ)	145 kcal (620 kJ)
Tonic/bitter	25 g	33 g	105 kcal (440 kJ)	139 kcal (580 kJ)
Boisson aux extraits de thé	19 g	25 g	77 kcal (328 kJ)	101 kcal (432 kJ)
Boisson diététique de l'effort	9 g	11,5 g	39 kcal (165 kJ)	51 kcal (218 kJ)
Boisson énergisante	27 g	36 g	110 kcal (470 kJ)	145 kcal (620 kJ)
Boisson light	0 g	0 g	0,75 kcal (3,25 kJ)	1 kcal (4,3 kJ)

Le café

Le café est la première boisson consommée dans le monde. Il se boit pur ou mélangé avec du lait, de la chicorée. Le café est obtenu à partir de graines de fruits séchés d'un arbuste (caféier). Il existe deux variétés principales de café :

– l'Arabica, cultivé en Amérique centrale et au Brésil. Son arôme est très développé. Sa teneur en caféine est assez faible : 0,8 à 1,2 % ;

– le Robusta, cultivé en Afrique. Son goût est plus amer. Sa teneur en caféine est plus élevée : 2 à 3 %.

Selon la variété, la teneur en caféine, pour une tasse de 150 ml, est de :

– Robusta : 150 à 250 mg ;

– Arabica : 50 à 120 mg.

Elle varie aussi selon la préparation :

– 1 expresso (33 ml) : 40 à 110 mg ;

– 1 tasse de café filtre (150 ml) : 60 à 180 mg ;

– 1 tasse de café soluble (150 ml) : 40 à 120 mg.

Le café décaféiné ne doit pas contenir plus de 0,1 % de caféine après son extraction.

Le café est riche en polyphénols ayant des propriétés antioxydantes.

Le café est une boisson acalorique qui contient des quantités non négligeables de potassium (65 mg/100 g).

Le thé

Le thé est obtenu à partir des bourgeons et des feuilles terminales du théier. On distingue :

– le thé vert, qui provient des feuilles séchées et légèrement torréfiées ;

– le thé noir, qui est obtenu par flétrissage, fermentation et séchage des feuilles ;

– le thé blanc, issu des feuilles simplement séchées à l'air libre et ne subissant aucune fermentation.

Ces thés sont soit nature, soit parfumés ou aromatisés (bergamote, écorces d'agrumes, jasmin, menthe...).

Les principaux constituants d'une tasse de thé sont :

– la théine ou caféine : sa teneur est en moyenne de 35 à 40 mg par tasse (150 ml), teneur variant suivant la quantité de thé utilisée, la méthode de préparation et le temps d'infusion : plus le temps d'infusion est long, plus le thé est concentré en théine. La teneur est identique pour un thé vert, noir ou blanc ;

– la théobromine et la théophylline, qui ont un effet stimulant sur l'humeur, l'intellect et le fonctionnement des reins ; le thé est une boisson diurétique ;

– les tanins : ce sont eux qui sont responsables de la couleur et du goût astringent du thé, astringence qui devient parfois de l'amertume lorsque le thé est trop infusé. Ces tanins font partie de la famille des polyphénols (les catéchines, les flavonoïdes), qui ont des propriétés antioxydantes. Les tanins ont aussi pour effet de ralentir le transit intestinal : attention ! Une trop grande consommation de thé peut entraîner la constipation ;

– le fluor : une tasse de thé en contient environ 0,15 mg.

Si le thé est consommé pendant le repas, il peut diminuer l'absorption du fer contenu dans les aliments d'origine végétale (légumes secs, céréales, légumes...). En revanche, il ne modifie pas l'absorption du fer d'origine animales (viandes, poissons...). Les personnes qui risquent d'avoir une déficience en fer (personnes âgées, femmes en âge de procréer, femmes enceintes, végétariens...) devront attendre une à deux heures après la fin du repas avant de boire une tasse de thé.

Thé et café : la juste mesure

La caféine du café et la théine du thé sont la même substance. Elles ont des effets positifs quand elles sont consommées en quantité raisonnable : vigilance accrue, stimulation du travail intellectuel, augmentation de la concentration, digestion facilitée. Elles sont diurétiques. L'apport maximal quotidien en caféine ou théine est de :

– 300 mg pour les femmes, soit quatre tasses de café ou huit tasses de thé ;

– 400 mg pour les hommes, soit cinq ou six tasses de café ou huit à douze tasses de thé.

Par contre, un excès de caféine comme de théine a des effets négatifs : irritabilité, nervosité, insomnie, palpitations.

Les tisanes

Elles sont obtenues par infusion de plantes médicinales. Elles sont réputées avoir un effet calmant, digestif... Chaque plante ou mélange de plantes a sa spécificité.

Les boissons alcoolisées

L'alcool (sous forme d'éthanol) apporte de l'énergie : 7 kcal (29 kJ) par gramme, ce qui représente un apport important. De plus, certaines boissons alcoolisées contiennent également des sucres, qui contribuent à l'apport énergétique à raison de 4 kcal (17 kJ) par gramme de sucre (vins doux, apéritifs, bières...).

> **À NOTER**
> Sur l'étiquette d'une boisson alcoolisée, le pourcentage en volume d'alcool pur contenu dans le liquide est indiqué (et non son degré d'alcool). Par exemple, 100 ml d'une boisson à 12 % Vol. contiennent 12 ml d'alcool. Le poids de 1 ml d'alcool est de 0,8 g, donc ce verre contient 9,6 g d'alcool, soit près de 10 g.

Les boissons alcoolisées sont obtenues soit par fermentation des sucres naturels de jus de fruits ou de céréales, soit par distillation des boissons fermentées précédentes.

Le vin

Il est obtenu par la fermentation alcoolique de raisins frais, foulés ou non, ou de moûts de raisin. Le vin a une composition très complexe : plus de 250 espèces chimiques ont été identifiées.

En plus de l'eau et de l'alcool, il contient des sels minéraux (potassium, magnésium, calcium, fer, cuivre...), des acides organiques (acides tartrique, malique, citrique, lactique), des vitamines (les vins rouges sont riches en vitamines B), plus ou moins de tanins (antioxydants).

La bière

La bière est obtenue à partir de la fermentation d'un moût de céréales germées (le malt, qui peut être à base d'orge – le plus courant –, de blé, de riz – en Asie –, etc.). Selon la couleur, on trouve la bière blonde, la bière brune et la bière blanche (à base de blé). Il existe différentes sortes de bières, définies en fonction du degré d'alcool :

– bières sans alcool : leur teneur en alcool est inférieure à 1,2 % vol. ;

– bières bocks : leur teneur en alcool peut aller jusqu'à 3,9 % vol. ;

– bières de luxe : leur teneur en alcool est comprise entre 4,4 % et 5,4 % vol. ;

– bières spéciales : leur teneur en alcool est supérieure à 5,5 % vol. Il est fréquent qu'elle dépasse 8 % vol.

La bière contient de l'eau, de petites quantité de sels minéraux (potassium, phosphore, magnésium...), de vitamines (du groupe B), et des glucides (en moyenne 5 %).

Le cidre

Le cidre provient exclusivement de la fermentation du jus de pommes fraîches ou d'un mélange de pommes et de poires fraîches, extrait avec ou sans addition d'eau potable. On trouve :

– le cidre doux, dont la teneur en alcool est comprise entre 1,5 et 3 % ;

– le cidre brut, dont la teneur en alcool est comprise entre 4 et 5 %.

Le cidre contient, en plus de l'eau et de l'alcool, du sucre, du potassium.

Le cidre est diurétique et alcalinise les urines. Accélérant le transit intestinal (probablement en raison de la présence de sorbitol), il peut provoquer des diarrhées chez le sujet peu accoutumé à en boire.

Les alcools

Apéritifs (gin, rhum, vodka, whisky...), digestifs (cognac, armagnac...), tous ces alcools ont une teneur en alcool supérieure à 20 %, pouvant aller même jusqu'à 70 % pour les élixirs.

Les boissons distillées ne sont composées que d'eau et d'un fort taux d'alcool.

Les liqueurs résultent d'un mélange de sucre et d'eau-de-vie obtenue par distillation de jus de fruits fermentés ou de jus sucré préparé à partir de grains ou de pommes de terre.

Les alcools sont dépourvus de toutes propriétés nutritives.

Apports énergétiques des boissons alcoolisées

Nature	Quantité d'alcool	Quantité habituelle d'un verre	Apport énergétique
Vin rouge	12 %	100 ml (10 g d'alcool)	68 kcal (284 kJ)
Vin blanc doux	12 %	100 ml (10 g d'alcool)	132 kcal (550 kJ)
Champagne	12 %	100 ml (10 g d'alcool)	75 kcal (311 kJ)
Bière de luxe	5 %	250 ml (10 g d'alcool)	145 kcal (610 kJ)
Bière forte	> 8 %	250 ml (au moins 16 g d'alcool)	155 kcal (648 kJ)
Bière sans alcool	< 1,2 %	250 ml (moins de 2,5 g d'alcool)	65 kcal (275 kJ)
Cidre doux	1,5 à 3 %	150 ml (1,8 à 3,6 g d'alcool)	54 kcal (182 kJ)
Cidre brut	4 à 5 %	150 ml (4,8 à 6 g d'alcool)	48 kcal (201 kJ)
Whisky	45 %	30 ml (11 g d'alcool)	72 kcal (297 kJ)
Apéritifs à base de vin	30 %	30 ml (7 g d'alcool)	43 kcal (180 kJ)

Ce qu'on entend par « modération »

Les seuils d'une consommation modérée sont, chez l'homme, de 3 verres d'alcool par jour maximum (soit 36 g d'alcool), ce qui représente :

- *3 verres et demi de vin à 12 % ;*
- *ou 3 chopes et demie de bière à 5 % ;*
- *ou 2 chopes de bière à une teneur supérieure à 8 % ;*
- *ou 3 verres et demi de whisky.*

Chez la femme : 2 verres d'alcool par jour maximum (soit 24 g d'alcool), ce qui représente :

- *2 verres et demi de vin à 12 % ;*
- *ou 2 chopes et demie de bière à 5 %*
- *ou 1 chope et demie de bière à une teneur supérieure à 8 % ;*
- *ou 2 verres de whisky.*

Pas d'alcool pour les femmes enceintes ni pour les enfants.

Idées fausses et vérités

Boire de l'eau en mangeant fait grossir.

FAUX : l'eau ne fait pas grossir, car elle n'apporte aucune calorie.

Un jus de fruits peut remplacer un fruit.

VRAI et FAUX : un « 100 % jus de fruits » peut remplacer un fruit, mais il ne faut pas remplacer chaque fruit par un verre de jus de fruits qui va apporter plus d'énergie et rassasier moins bien qu'un fruit entier.

La bière est bonne pour les femmes qui allaitent.

FAUX : l'effet galactogène (qui favorise la sécrétion lactée) de la bière n'a jamais été prouvé. La bière est une boisson alcoolisée qui ne doit pas être consommée par les femmes qui allaitent.

L'alcool réchauffe et donne des forces.

FAUX : l'alcool ne réchauffe pas et ne donne pas de force. C'est l'effet euphorisant de l'alcool qui atténue la perception de la fatigue, et l'effet vasodilatateur (dilatation des vaisseaux sanguins) donne seulement une impression fugitive de chaleur.

L'alcool désaltère.

FAUX : il ne désaltère pas, au contraire, car il est diurétique.

L'alcool fait grossir.

VRAI : l'alcool apporte de l'énergie (7 kcal, soit 29 kJ) ; certaines boissons alcoolisées contiennent en plus du sucre.

L'alcool permet de prévenir les maladies cardio-vasculaires.

VRAI et FAUX : la diminution du risque coronarien imputée au vin rouge a été observée car le vin contient des polyphénols (« French paradox »). Elle est constatée pour une consommation d'un verre de vin à un verre et demi par jour, soit 10 à 20 g d'alcool. Cet effet favorable n'est observé que lorsque la consommation est quotidienne et ne dépasse pas la quantité indiquée. La quantité totale pour une semaine par exemple prise en une seule fois n'a aucun effet bénéfique.

Le jus de raisin non fermenté contient aussi des polyphénols, il a donc les mêmes propriétés que le vin sans les effets néfastes du vin, boisson qui apporte de l'alcool.

Il ne faut pas oublier que l'alcool est responsable de 24 000 décès par an (accidents vasculaires cérébraux, cancers, accidents de la route...).

Les hommes et les femmes sont inégaux face à l'alcool.

VRAI : à poids égal et pour une même quantité d'alcool, les hommes auront une alcoolémie inférieure à celle des femmes. La concentration d'alcool dans le sang chez une femme s'accroît plus rapidement car son élimination est plus lente.

Intérêt des aliments en matière de nutriments, vitamines et minéraux

	Protéines	**Glucides**	**Lipides**	**Vit. A**	**Vit. B**	**Vit. C**	**Vit. D**	**Ca**	**Fe**	**Mg**	**Polyphénols**
Produits laitiers	v v v	v	v v	v v	v v			v v v			
Viande	v v v		v v		v				v v v		
Poissons	v v v		v	v	v		v		v v		
Œufs	v v v		v	v	v		v v				
Céréales	v	v v v			v v				v	v v v	
Pommes de terre	v	v v v				v v					

	Protéines	Glucides	Lipides	Vit. A	Vit. B	Vit. C	Vit. D	Ca	Fe	Mg	Polyphénols
Pain	v	v v v			v v					v	
Légumes secs	v v v	v v v			v v			v	v v v	v v v	
Légumes verts				v v	v v	v v v		v v	v	v	v v v
Fruits frais		v v		v v	v	v v v		v v		v	v v v
Fruits secs		v v v							v v	v v	
Fruits oléagineux	v v		v v v		v v				v v	v v	
Beurre			v v v	v			v v				
Huiles			v v v								
Margarines			v v v								
Sucres		v v v									
Produits sucrés		v v v									
Chocolat		v v v	v v v						v v	v v v	v v v
Café, thé											v v v

v *peu* v v *moyen* v v v *beaucoup*

Les aromates et les épices

Les aromates et les épices sont utilisés, chez nous, depuis l'Antiquité. À l'heure actuelle, on s'en sert pour relever le goût de certains mets ou de préparations culinaires.

Les fines herbes

	Pour accompagner	Mode d'utilisation	Conseils
Basilic ou pistou	Salades vertes, salade de tomates, salade de haricots verts, salade de haricots, pâtes fraîches, soupe au pistou	Frais et haché	L'ajouter au dernier moment car il ne supporte pas la cuisson. Pour les pâtes et la soupe, faire une pâte en mélangeant des feuilles de basilic, une gousse d'ail et de l'huile d'olive. Peut se conserver au congélateur
Cerfeuil	Crudités, salades, potages, omelettes, court-bouillon et sauces de poissons	Coupé avec des ciseaux	L'ajouter au dernier moment car il ne supporte pas la cuisson
Ciboulette	Sauces pour crudités, viandes, œufs, potages, légumes (tomates, laitue, épinards), fromage blanc	Coupé avec des ciseaux	Peut se conserver au congélateur
Estragon	Légumes verts, viandes grillées, poulet, potages	Haché ou entier	Le faire macérer dans l'huile ou le vinaigre pour les aromatiser
Persil	Bouquet garni, légumes, pommes de terre, viandes, poissons, omelettes	Haché ou entier	Persil plat au goût prononcé, persil frisé pour la décoration

Les aromates

	Pour accompagner	Mode d'utilisation	Conseils
Aneth	Salades, concombres, bortsch, poissons (saumon cru)	Coupé	Ne supporte pas la cuisson ; ne pas le mélanger avec l'ail et l'huile d'olive
Badiane ou anis étoilé	Marinades, ragoûts	En poudre ou en graines	À utiliser en très petite quantité car son goût est très prononcé
Fenouil	Ragoûts, pot-au-feu, viandes froides, poissons	Tiges ou graines	Une cuisson trop prolongée lui fait perdre son arôme anisé
Laurier	Cuissons à l'eau, marinades	Entier dans un bouquet garni, en feuille	Ne pas l'utiliser en trop grande quantité : une demi-feuille fraîche ou une feuille sèche entière
Marjolaine/ origan	Tomates cuites sous toutes les formes, pizzas, pissaladières, salades, pommes à l'anglaise, pâtes	Plante entière, fraîche ou séchée	La doser prudemment car très aromatique
Menthe	Légumes (petits pois, salades, courgettes, concombres), taboulé, boulettes de viande, minestrone, soupes chaudes ou froides de tomates, salades de fruits rouges, fromage blanc	En poudre, en feuilles	En tisane, elle a des vertus digestives
Oseille	Œufs, poissons, veau, potage, salade	Hachée	Pour la salade, ne pas hacher les feuilles, mais les déchirer
Romarin	Viandes blanches (lapin en particulier) légumes, légumes secs	En feuilles séchées ou fraîches, en poudre	À utiliser avec parcimonie sinon il masque le goût des aliments

	Pour accompagner	Mode d'utilisation	Conseils
Sarriette	Salades, petits pois, fèves au beurre, omelettes, poissons, grillades d'agneau	Saupoudrer de feuilles fraîches ou sèches, jeter quelques feuilles en fin de cuisson sur les braises de charbon de bois	Ne pas utiliser en trop grande quantité
Sauge	Fromage blanc, viandes blanches, fèves, haricots secs	En feuilles fraîches ou sèches	L'ajouter en fin de cuisson
Thym	Bouquet garni, cuissons à l'eau, ragoûts, farces, marinades	En branche quand il est frais, effeuillé quand il est sec	

En plus de leurs propriétés aromatisantes, ces produits apportent des vitamines et des sels minéraux. Ils fournissent (quand ils sont frais) de la vitamine C (surtout le persil ; 200 mg/100 g, et l'estragon : 120 mg/100 g). Une cuillerée de persil (20 g) fournit environ la moitié des besoins quotidiens en vitamine C. Ils sont aussi de bonnes sources de carotène, de calcium ; le persil est riche en fer : 2 à 20 mg/100 g.

Par conséquent, additionner d'aromates un aliment ou un plat permet non seulement d'en relever la saveur mais aussi de pallier un manque de vitamines ou de sels minéraux.

Les condiments

	Pour accompagner	Modes d'utilisation	Conseils pratiques
Ail	Viandes, légumes, fromage blanc, potages, sauces	Entier, haché ou écrasé	Éliminer le germe pour le rendre plus digeste
Coriandre	Épinards, salades cuites, concombre cuit, endives braisées, civets, viandes blanches, cuisson à l'eau, préparations dites « à la grecque »	En poudre, entière	Éviter de trop la chauffer pour garder toute sa saveur

	Pour accompagner	Modes d'utilisation	Conseils pratiques
Échalote	Fromage blanc, salades, sauce béarnaise, grillades, farces, poissons, vinaigrette	Bulbes crus ou cuits	Les jeunes pousses peuvent être utilisées comme la ciboulette
Genièvre (baies)	Chou, marinade pour le gibier, grillades	Baies entières, écrasées, moulues	Le genièvre s'ajoute au début de la cuisson
Herbes de Provence	Viandes, poissons, merguez, marinades	Saupoudrer en début de cuisson	Garder en emballage hermétique pour conserver son parfum
Raifort	Viandes, gibier, pommes de terre	Râpé	Le râper au dernier moment car son arôme est très volatil

Les épices

Les épices possèdent des vertus reconnues depuis longtemps. La plupart stimulent les sécrétions digestives, facilitant la digestion.

Certaines épices semblent avoir des vertus thérapeutiques. Le curcuma, qui était déjà connu pour ses propriétés anti-inflammatoires, aurait des propriétés anticancereuses en inhibant la prolifération des cellules cancéreuses.

	Pour accompagner	Modes d'utilisation	Conseils
Cannelle	Gibier, fromage blanc, pâtisseries, riz au lait, compotes de pommes et de pruneaux	Une pincée suffit	Préférer la cannelle en bâton car son parfum se conserve mieux
Cardamome	Viandes et en particulier les volailles, plats à base de riz, entremets	En grains ou en poudre	Ajoutés au café, les grains de cardamome annuleraient l'effet excitant de la caféine

	Pour accompagner	Modes d'utilisation	Conseils
Carvi et cumin	Plats à base de choux, marinades, fromage de chèvre, munster	En grains ou en poudre	Facilitent les digestions difficiles
Curcuma	Riz, légumes, poissons, cuisine indienne	En poudre	Colore une préparation en jaune
Curry ou cari	Sauces accompagnant les viandes, les poissons, les œufs, le riz	En poudre	Mélange d'herbes et d'épices (coriandre, cardamome, curcuma, muscade, gingembre, cumin, poivre, clou de girofle, piment). Conserver à l'abri de l'air et de la lumière
Gingembre	Viandes, poissons, légumes, riz, bouillons, gâteaux, biscuits, compotes	Frais, en poudre	La poudre peut remplacer le sel
Girofle	Pot-au-feu, civet, daube	Le clou de girofle est planté dans l'oignon	Calme les maux de dents si appliqué sur dent douloureuse
Muscade	Crèmes de volaille ou de champignons, purée de pommes de terre, chou-fleur, épinards, salade cuite, béchamel, farces, viandes hachées, poissons frits ou en sauce, soufflésde légumes	Râpée si entière, en poudre	Effet psychotrope si consommée en très grande quantité. Deux noix peuvent tuer un homme
Paprika	Céleri, blettes, topinambours, viandes, langue de bœuf, rognons, œufs	En poudre	Mélange de poivrons et de piments
Piment de Cayenne	Soupes de poisson, sauces pour crudités	En poudre	Le doser avec parcimonie car il est très piquant
Poivre	Tous les aliments	En poudre ou concassé	Poivre noir : il est séché au soleil ; poivre blanc : c'est le noyau du poivre noir ; poivre vert : c'est le poivre cueilli avant maturité

	Pour accompagner	**Modes d'utilisation**	**Conseils**
4 épices ou poivre de la Jamaïque	Tous les aliments	En poudre	Mélange de poivre, de muscade, de cannelle et de girofle. Utiliser avec parcimonie
Safran	Riz, poissons, soupes de poisson	Filaments, en poudre	Parfum et couleur peuvent se développer à retardement. Attention : certains safrans vendus en poudre sont en réalité du curcuma
5 épices	Plats à base de porc ou de poulet, cuisine asiatique	En poudre	Mélange de poivre, anis étoilé, cannelle, girofle et fenouil. Utiliser avec parcimonie

COMPRENDRE le contenu des étiquettes

Les additifs alimentaires

Les additifs alimentaires font partie de notre alimentation moderne. Ce sont des substances ajoutées intentionnellement aux denrées alimentaires pour remplir certaines fonctions technologiques, par exemple pour colorer, conserver, épaissir, sucrer. Pourtant le consommateur s'interroge de plus en plus sur leur utilité ainsi que sur les risques pour sa santé. Superflu, l'emploi d'additifs ? Inutiles, les colorants ? Nous pouvons en effet nous interroger sur la nécessité de leur emploi.

Le consommateur, d'une certaine façon, plébiscite cette utilisation d'additifs, car il fait de la présentation fidèle d'un produit un critère de qualité.

Leur présence dans les denrées est mentionnée dans la liste des ingrédients soit par leur code (E suivi de 3 ou 4 chiffres) soit par leur nom.

Le nombre d'additifs autorisés en France est de l'ordre de 354 ; cette liste est dite « liste positive » : seuls les additifs qui y figurent peuvent être ajoutés dans les denrées alimentaires. Avant d'être autorisés par la Commission européenne, ils sont soumis à l'évaluation de l'Autorité européenne de sécurité des aliments (EFSA). Cette autorisation est accordée d'après un dossier d'expérimentation où tous les risques toxiques à court et long terme ont été examinés. À partir de ces études, la dose journalière admissible (DJA) est évaluée : c'est la quantité d'un additif alimentaire, exprimée sur la base du poids corporel, qui peut être ingérée quotidiennement toute la vie sans risque appréciable pour la santé.

En théorie, ces additifs peuvent être consommés sans problème, mais on se pose des questions sur les conséquences sur la santé de certains individus :

• Certains additifs pourraient augmenter le risque d'hyperactivité infantile (cf. ci-après « Les colorants »).

• Plusieurs additifs sont soupçonnés de favoriser l'apparition d'allergies ou des intolérances chez les personnes sensibles (colorants, conservateurs, exhausteurs de goût ; voir plus bas)

• L'aspartame, édulcorant intense, est mis en cause : on soupçonne un possible lien entre sa consommation et des tumeurs cancéreuses. Plusieurs comités internationaux et européens ont considéré que les données scientifiques n'apportaient pas de preuve sur ce lien, mais l'ANSES a décidé de faire de nouvelles études en vue d'éventuelles recommandations !

Aucune étude n'a été faite pour donner une estimation scientifique des quantités journalières absorbées pour un additif. En effet, le même additif peut se trouver dans plusieurs aliments. De plus, les études sont menées sur un seul additif à la fois, alors que l'on en trouve plusieurs dans un même produit alimentaire ; on ne connaît pas leurs effets quand ils sont associés.

La plupart des additifs sont synthétiques, d'autres sont d'origine naturelle (caramel, rouge de betterave, à base d'algues...). Mais attention, même un additif d'origine naturelle peut avoir un effet sur la santé. Par exemple, le rouge cochenille (E120), obtenu à partir de petits insectes, les cochenilles, peut provoquer une allergie.

Les additifs sont classés suivant le rôle qu'ils jouent dans la denrée alimentaire. À chaque catégorie correspond un code (Exxx). Certains additifs peuvent avoir plusieurs rôles donc un code qui ne correspond pas obligatoirement à la catégorie dans lequel ils sont classés.

Les colorants (E1xx)

La couleur est l'une des qualités sensorielles premières et parmi les plus importantes pour nous aider à accepter ou à rejeter un produit alimentaire. Elle est aussi associée à une saveur spécifique et à l'intensité de cette saveur : le sirop de grenadine doit être rouge, le sirop de menthe, vert ; le consommateur ne retrouve pas le goût du sirop de grenadine s'il est vert ni celui de la menthe si le sirop est rouge ; face à trois verres de sirop dilués à la même concentration mais dont la couleur est plus ou moins foncée, le consommateur trouvera plus sucré le verre le plus coloré et moins sucré le moins coloré.

Parfois, le consommateur accepte mal certains produits peu ou pas colorés. La couleur, presque autant que le goût, est importante. C'est particulièrement vrai pour les confiseries : les enfants sont attirés par les couleurs vives, les confiseurs le savent. Les colorants sont donc employés pour ajouter ou rétablir la coloration d'un aliment qui aurait été atténuée lors des traitements technologiques. On les trouve dans beaucoup de denrées alimentaires traitées par l'industrie : fromages, plats préparés, conserves, confitures, biscuits, boissons…

Ces additifs peuvent être des colorants naturels extraits de fruits ou de végétaux et, pour la majorité, sont des colorants synthétiques : leur coloration est plus uniforme, plus stable, et surtout ils sont moins chers.

L'innocuité de certains colorants est remise en cause : les colorants E102, E104, E110, E122, E124, E129 augmenteraient l'hyperactivité des enfants. Depuis juillet 2010, quand un aliment, une boisson contiennent un de ces colorant, la mention « peut avoir des effets indésirables sur l'activité et l'attention chez les enfants » est obligatoire.

Quelques colorants courants

Code	Dénomination	Origine	Couleur	Aliments dans lesquels ils peuvent être incorporés	Problèmes suspectés
E 100	Curcumine	Naturelle (extrait du curcuma)	Jaune	Beurre, fromage, lait aromatisé, moutarde, thé, biscuits, confiserie, pâtisserie	Aucun
E102	Tartrazine	Produit de synthèse	Jaune	Pâtisserie, confiserie, biscuits, poisson séché et salé	Favoriserait l'apparition d'hyperactivité chez l'enfant. Risque d'allergie chez les personnes intolérantes à l'aspirine. Risque de crise d'asthme chez l'asthmatique
E104	Jaune de quinoléine	Produit de synthèse	Jaune	Confiserie, crèmes glacées, chewing-gums	Favoriserait l'apparition d'hyperactivité chez l'enfant
E110	Jaune orangé S	Produit de synthèse	Orange	Confiserie, glaces, pâtisserie, biscuits, fromage	Favoriserait l'apparition d'hyperactivité chez l'enfant. Risque d'allergie chez les personnes intolérantes à l'aspirine
E120	Cochenille ou acide carminique	Naturelle (à partir d'insectes)	Rouge	Boissons sucrées, yaourts, charcuterie, confiserie	Allergie
E122	Azorubine Carmoisine	Produit de synthèse	Rouge	Confiserie, crèmes glacées, boissons sucrées, produits laitiers	Favoriserait l'apparition d'hyperactivité chez l'enfant
E123	Amarante	Produit de synthèse	Rouge	Vins, apéritifs, œufs de poisson	Peut provoquer des risques d'allergie chez les intolérants à l'aspirine et aggraver l'asthme

Code	Dénomination	Origine	Couleur	Aliments dans lesquels ils peuvent être incorporés	Problèmes suspectés
E124	Rouge cochenille A	Produit de synthèse	Rouge	Pâtisserie, confiserie, biscuits, conserves de fruits rouges	Favoriserait l'apparition d'hyperactivité chez l'enfant. Peut provoquer des risques d'allergie chez les intolérants à l'aspirine
E127	Érythrosine	Produit de synthèse	Rouge	Bonbons, fruits au sirop, cerises confites	Peut engendrer des problèmes de thyroïde et d'allergie
E129	Rouge allurra AC	Produit de synthèse	Rouge	Confiserie, pâtisserie	Favoriserait l'apparition d'hyperactivité chez l'enfant. Peut engendrer des problèmes d'allergie
E140	Chlorophylle	Naturelle	Vert	Moutardes vertes, légumes verts, boissons sucrées, confiserie	Pas d'effets secondaires connus à ce jour
E150a	Caramel	Naturelle	Brun	Boissons, pâtisserie, bouillon	Aucun
E 162	Rouge de betterave, bétanine	Naturelle	Rouge	Confiserie, pâtisserie, confitures, produits lactés, charcuterie	Aucun

Les conservateurs (E2xx)

Ils limitent, ralentissent ou stoppent la croissance des micro-organismes (bactéries, levures, moisissures) présents ou entrant dans l'aliment et préviennent l'altération des produits.

Certains conservateurs peuvent poser des problèmes :

• **Les sulfites** (E220 à 228), dont le plus connu est l'anhydride sulfureux (E220), inhibent la croissance bactérienne. Ils sont utilisés en vinification (ils permettent de contrôler la fermentation) ; ils ont aussi des propriétés antioxydantes, leur présence limitant le brunissement de produits épluchés tels que les pommes de terre, les champignons... Des réactions d'intolérance aux sulfites peuvent se manifester chez les personnes asthmatiques ou intolérantes à l'aspirine. D'autres symptômes peuvent apparaître : un écoulement du nez, des éternuements, des démangeaisons, voire de l'urticaire ou des douleurs abdominales, des céphalées (ce qui expliquerait le mal de tête de certains après consommation de vin trop riche en sulfites). En France, depuis 2005, les bouteilles de vin doivent mentionner la présence de sulfites si la teneur excède 10 mg par litre. On en trouve aussi dans les fruits secs, les conserves de poissons, de cornichons, les pommes de terre en flocons...

• **L'acide benzoïque** (E210) et ses dérivés, **les benzoates** (E211 à E219), sont largement utilisés comme conservateurs dans les produits de boulangerie industriels, les crevettes, les confitures allégées, les boissons allégées... Les benzoates provoqueraient des réactions allergiques surtout cutanées et, en association avec certains colorants, le syndrome d'hyperactivité chez les enfants.

• **Les nitrates** (salpêtre) et **les nitrites** (E279 à E252) sont surtout utilisés dans les charcuteries et les salaisons, à des doses très réglementées. Ils sont responsables du goût, de la couleur rose de ces produits, mais ils sont surtout utilisés car ils empêchent la prolifération d'une bactérie, le *Clostridium botulinum*, dont la toxine est la plus dangereuse (elle est mortelle).

Cependant, les nitrates et surtout les nitrites sont toxiques :

– les nitrates transforment l'hémoglobine en méthémoglobine, impropre à transporter l'oxygène vers les différents tissus de l'organisme. Chez le nourrisson, les conséquences peuvent être graves : syndrome de cyanose (« bébé bleu ») avec difficultés respiratoires et pertes de conscience pouvant aboutir à la mort ;

– les nitrites peuvent former des nitrosamines, qui sont cancérigènes.

Ces additifs – nitrates et nitrites – s'ajoutent aux nitrates provenant essentiellement des engrais azotés et des déjections d'animaux d'élevage (le lisier de porc, dont le traitement est très contrôlé) qui sont épandus dans les champs. Ces polluants se retrouvent dans l'eau de consommation et dans les légumes, qui peuvent l'accumuler (surtout les légumes feuilles : blettes, navet, salade, épinards...) et les légumes tubercules/racines (betterave, carotte, pomme de terre...).

Le taux de nitrates de l'eau potable est fixé à 50 mg/l maximum.

Des recherches ont été réalisées pour trouver des conservateurs équivalents moins risqués que les nitrates et les nitrites, mais jusqu'à présent aucune solution de substitution n'est satisfaisante.

Les antioxydants (E3xx)

Ils préviennent de l'oxydation des aliments, qui se traduit par le rancissement des graisses et le brunissement des fruits et des légumes.

L'acide ascorbique (ou vitamine C ; E300) et ses dérivés (E301 à E305) sont utilisés dans les jus de fruits, les légumes et les fruits fraîchement épluchés ou découpés.

Les tocophérols (ou vitamine E ; E306 à 309) se retrouvent dans les matières grasses industrielles, les margarines, les corps gras allégés, les vinaigrettes prêtes à l'emploi.

À l'heure actuelle, il n'a pas été établie de DJA pour ces deux additifs alimentaires et leurs dérivés : ils sont considérés comme inoffensifs pour l'organisme.

Par contre, l'innocuité de certains antioxydants semble sujette à caution.

Antioxydants peut-être mauvais pour la santé

Code	Dénomination	Origine	Aliments dans lesquels ils peuvent être incorporés	Problèmes suspectés
E310 E311 E312	Gallate de propyle Gallate d'octyle Gallate de dodécyle	Produits de synthèse	Huiles végétales, matières grasses, margarines	Cancérigènes. Peuvent provoquer des risques d'allergie chez les intolérants à l'aspirine et les asthmatiques
E319	Butylhydroquinone (BHQT)	Produits de synthèse	Huiles végétales, matières grasses, margarines	Cancérigène
E320 E321	Butylhydroxyanilose (BHA) Buthydroxytoluène (BHT)	Produits de synthèse	Potages déshydratés, flocons de pommes de terre, biscuits apéritifs, margarines, chewing-gums	Cancérigènes. Allergisants. Perturbateurs endocriniens

Les agents de texture (E4xx) et (E14xx)

Ils sont très utilisés dans l'industrie alimentaire.

Ils regroupent :

– les émulsifiants et les stabilisants, qui ont pour but de maintenir la texture et d'empêcher la séparation d'ingrédients dans les produits comme les matières grasses allégées, les margarines, les glaces, les sauces pour salade, la mayonnaise du commerce, le chocolat... Toute recette à base d'un mélange d'ingrédients normalement non miscibles entre eux, comme la graisse et l'eau, nécessite l'utilisation d'émulsifiants et de stabilisateurs pour obtenir la consistance désirée. Les plus souvent présents dans les produits sont les lécithines de soja (E322, car elles sont aussi des antioxydants), les mono- et diglycérides d'acides gras (E471), les émulsifiants à base d'esters d'acides gras (E472), les phosphates (E450, E451, E452) :

– les épaississants et les gélifiants, qui augmentent la viscosité des produits alimentaires. Les épaississants et les gélifiants sont, pour la majorité, naturels. Ils sont utilisés depuis longtemps : la gélatine de l'os était utilisée par le charcutier, la pectine pour les confitures. On trouve l'agar-agar (E406) et les carrhagénanes (E407), extraits d'algues ; la farine de caroube (E410), la farine de guar (E412), extraites de graines ; les pectines (E440) extraites des fruits... Ils sont présents dans de très nombreux produits alimentaires : desserts lactés, glaces, confiserie, pâtisseries, biscuits, plats cuisinés, potages, sauces... ;

– les amidons modifiés (E14xx), qui sont extraits du maïs. Ils épaississent les sauces, les potages du commerce, les plats cuisinés...

À quoi servent les phosphates ?

Les phosphates non seulement sont des stabilisants, mais ils favorisent la rétention d'eau et une meilleure tenue des lipides dans la trame protéique. Utilisés dans les produits de charcuterie, ils améliorent leur rendement : plus un jambon blanc est riche en phosphates, plus vous achèterez de l'eau.

Les exhausteurs de goût (E6xx)

Le plus connu est le glutamate de sodium (E621). Lui et ses dérivés (E622 à E625) sont utilisés pour révéler et augmenter les saveurs des produits alimentaires auxquels ils sont ajoutés : soupes, conserves, plats préparées, biscuits apéritifs... Le glutamate est très employé dans la cuisine chinoise et a été mis en cause dans le « syndrome du restaurant chinois », qui consiste en nausées, bouffées de chaleur, maux de tête, palpitations. Ces symptômes apparaissent chez les personnes qui sont intolérantes au glutamate, donc il faut qu'elles fassent attention aux produits qui peuvent en contenir sous forme d'additifs alimentaires.

Ce groupe comprend aussi les acidifiants, les régulateurs d'acidité, les antiagglomérants.

Les édulcorants

Les édulcorants sont des substances douées de pouvoir sucrant. Ce pouvoir sucrant est défini par rapport à celui du saccharose (sucre de betterave, de canne), auquel on a attribué la valeur 1. On distingue les édulcorants à pouvoir nutritif tels que le saccharose, le glucose (pouvoir sucrant : 0,65), le fructose, sucre des fruits (pouvoir sucrant : 1,5), les polyols, édulcorants de masse ou de charge, et les édulcorants intenses. Les édulcorants de masse et intenses sont considérés comme des additifs alimentaires et ont un code européen.

Les édulcorants de masse ou édulcorants de charge

Ce sont des polyols ou sucres-alcools. Ils existent à l'état naturel mais on peut aussi les obtenir en hydrogénant des glucides : le sorbitol (E420), le mannitol (E421), l'isomalt (E953), le maltitol (E965) le lactitol (E966), le xylitol (E967). Leur pouvoir sucrant est inférieur ou égal à celui du sucre. On les retrouve souvent dans les bonbons et les chewing-gums sans sucre. Ils ont plusieurs avantages :

– leur valeur énergétique est plus faible que celle du sucre : 2 kcal (9 kJ) par gramme au lieu de 4 kcal (18 kJ) pour le sucre ;

– ils ne provoquent pas de caries ;

– ils ne modifient pas la glycémie et le taux d'insuline sanguin.

Cependant, comme ils sont faiblement absorbés dans l'intestin grêle, ils se retrouvent dans le côlon et provoquent un appel d'eau pouvant entraîner diarrhées et ballonnements abdominaux. Ils doivent donc être consommés avec modération, soit moins de 30 g par jour. Ils sont déconseillés aux enfants de moins de 3 ans. Sur l'étiquetage des denrées alimentaires dans lesquels ils sont incorporés à un taux supérieur à 10 %, l'inscription « une consommation excessive peut avoir des effets laxatifs » est obligatoire.

Certains polyols possèdent une chaleur de dissolution négative, produisant une sensation de froid dans la bouche, ce qui explique qu'ils soient souvent présents dans les chewing-gums.

« Sans sucre » ne veut pas dire « sans calories »

Attention : la mention « sans sucre » présente sur l'étiquetage ne signifie pas que le produit ne contient pas de glucides, mais qu'on n'a pas ajouté de saccharose. Ce produit n'est pas obligatoirement acalorique.

Les édulcorants intenses

Ils ont un très fort pouvoir sucrant et une valeur énergétique quasiment nulle. Sont autorisés en France :

• **L'acésulfame de potassium** (E950). Son pouvoir sucrant est de 200 à 250 fois supérieur à celui du saccharose (pour une même quantité, il donne un goût sucré 200 à 250 fois supérieur à celui du saccharose, c'est-à-dire du sucre de betterave ou de canne). Il est stable à la chaleur. Souvent associé à l'aspartame, car un mélange moitié acésulfame de potassium et moitié aspartame serait 40 % plus sucrant que le produit employé seul.

• **L'aspartame** (E951). C'est un dipeptide, c'est-à-dire qu'il est constitué de deux acides aminés, l'acide aspartique et la phénylalanine. Il a un pouvoir sucrant 200 fois supérieur à celui du saccharose. Sa stabilité est variable selon les conditionnements et les produits dans lesquels il est incorporé : stable dans les produits secs (chewing-gums, desserts en poudre, bonbons...), il peut se décomposer dans les produits dans lesquels il est en solution, où il perd, à la longue, son pouvoir sucrant (sodas, boissons sucrées, yaourts...). Il ne supporte pas des températures supérieures à 120 °C. Il est commercialisé sous forme de comprimés (sucrettes : une sucrette équivaut à un morceau de sucre) ou de poudre (une cuillerée à café équivaut à une cuillerée à café de sucre, soit 5 g environ). La poudre contient en moyenne 3 % d'aspartame, auxquels sont ajoutés de la maltodextrine (pour en augmenter le volume). L'aspartame est souvent associé à un autre édulcorant intense : l'acésulfame de potassium, dont la synergie permet de réduire les quantités d'édulcorants, d'améliorer son goût (réduction de l'amertume) et sa stabilité à la chaleur (pour la confection de pâtisserie au four) et à l'état de solution. L'étiquetage de tous les produits contenant de l'aspartame doit porter la mention « contient de la phénylalanine », cet acide aminé étant contre-indiqué aux enfants atteints de phénylcétonurie (maladie génétique).

À NOTER

Le sel d'aspartame-acésulfame, qui donne un goût plus proche du sucre, une saveur plus douce, plus stable à la chaleur, a pour code E962.

• **Le cyclamate** (E952). Son pouvoir sucrant est de 30 à 35 fois supérieur à celui du saccharose. Il est très stable à la chaleur, supportant jusqu'à 500 °C. Il est souvent utilisé en synergie avec d'autres édulcorants, couvrant leur arrière-goût quelquefois peu apprécié.

• **La saccharine** (E954). Ce fut le premier édulcorant intense découvert. Son pouvoir sucrant est 300 à 400 fois plus élevé que celui du saccharose. Elle est stable à la chaleur et en milieu acide. Elle est peu utilisée, car elle laisse un arrière-goût amer et métallique. On l'a longtemps accusée d'augmenter le risque de cancer de la vessie, mais des études ont démontré son innocuité et elle ne présente aucun risque pour la santé, consommée à des doses normales.

• **Le sucralose** (E955). Il est produit à partir du sucre (saccharose) (précisons pour les scientifique que trois groupes hydroxyles ont été substitués par trois atomes de chlore).

Son pouvoir sucrant est 600 fois celui du saccharose. Il est stable à la chaleur (pour la confection de pâtisserie au four) et dans les liquides. Il peut être présent dans les boissons, les sirops, les confiseries, les biscuits... Il est commercialisé sous forme de comprimés (un comprimé équivaut à un morceau de sucre), de poudre (une cuillerée à café équivaut à une cuillerée à café de sucre, soit 5 g environ), de sticks (un stick équivaut à deux cuillerées à café de sucre). La poudre est constituée de sucralose (1,23 %) additionné de maltodextrine pour avoir un certain volume, nécessaire pour la confection de pâtisserie.

• **La thaumatine** (E957). C'est une protéine extraite d'un fruit d'un arbre poussant dans la forêt tropicale africaine. Son pouvoir sucrant est très élevé : 2 500 fois supérieur à celui du saccharose. Il est surtout utilisé en pharmacologie.

• **Le néohespéridine** (E959). C'est une molécule obtenue à partir de la narangine, principal flavonoïde du pamplemousse. Son pouvoir sucrant est de l'ordre de 1 500 fois celui du saccharose. Elle est peu stable à la chaleur. Elle présente un effet retard quand elle est associée à d'autres édulcorants intenses et dégage une sensation de fraîcheur comparable à celle de la menthe. Elle peut être présente dans des boissons, des confiseries, des chewing-gums...

• **Le néotame** (E961). C'est un dipeptide similaire à l'aspartame ; il est composé de deux acides aminés, l'acide aspartique et la phénylalanine. Son pouvoir sucrant est de 7 000 à 13 000 fois supérieur à celui du saccharose. Il est utilisé non seulement comme édulcorant mais aussi comme exhausteur de goût : il augmente la perception des arômes (par exemple, la fraise). Contenant de la phénylalanine, il est interdit aux personnes souffrant de phénylcétonurie.

• **Le rebaudioside A**. Cet édulcorant est extrait d'une plante subtropicale d'Amérique du Sud et d'Asie, la stévia, utilisée depuis des siècles par les Indiens comme sucrant dans leurs préparations et boissons. Si les feuilles de cette plante ont un pouvoir sucrant moyen d'environ 45, les molécules extraites, des glycosides, ont un pouvoir sucrant bien supérieur. Parmi ces molécules, le rebaudioside A est un édulcorant intense « naturel » qui a un pouvoir sucrant de l'ordre de 300 fois supérieur à celui du saccharose. On en met dans de nombreux aliments : desserts à base de lait, boissons, confiserie. En l'état actuel des connaissances, l'ANSES émet une recommandation : éviter de chauffer le rebaudioside A au-delà de 100 à 120 °C.

• **Le tagatose.** C'est le dernier-né des édulcorants. Il a tout pour plaire : il est naturel, extrait du lactose (sucre du lait), il est doté d'un pouvoir sucrant près de 2 fois supérieur à celui du saccharose, sa valeur énergétique est faible (1,5 kcal [6 kJ] pour 1 g au lieu de 4 kcal [17 kJ]), son index glycémique est bas (20), il est non cariogène et il peut s'utiliser à chaud comme à froid. En plus, c'est un « sucre » prébiotique (rôle favorable sur la flore intestinale).

Édulcorants : pas de miracles, mais des risques sanitaires

Au-delà de leurs qualités organoleptiques limitées, car ils laissent parfois des arrière-goûts persistants (le rebaudioside A laisse un goût de réglisse), l'emploi des édulcorants intenses dans l'alimentation humaine soulève plusieurs problèmes : le risque d'entretenir une préférence pour les produits sucrés et leur éventuel risque toxicologique ou cancérigène.

Plusieurs études montrent que la prise d'édulcorants intenses est corrélée avec une prise de poids. Des études ont constaté une réduction de l'énergie totale ingérée par les utilisateurs d'édulcorants, même si une partie des calories manquantes est compensée par une certaine augmentation de la consommation au cours du repas suivant. Cependant, certains travaux ont rapporté une stimulation paradoxale de l'appétit et de la prise alimentaire après ingestion de produits édulcorés. Une polémique s'est instaurée entre le pour et le contre, mais prendre des aliments édulcorés n'aura pas d'effets magiques sur le poids. Seule une alimentation équilibrée et adaptée peut avoir des effets bénéfiques et durables favorisant une perte de poids.

L'aspartame est régulièrement remis en cause, des études montrant une relation possible entre l'augmentation de la fréquence de certaines tumeurs cancéreuses et la consommation d'aspartame. Pour la femme enceinte, une grande étude a montré que, à partir de la consommation d'une boisson gazeuse édulcorée à l'aspartame par jour, le risque d'accouchement prématuré était significativement augmenté. L'ANSES a décidé d'examiner ces études en vue d'éventuelles recommandations aux autorités françaises et saisira le cas échéant l'Autorité européenne de sécurité des aliments (EFSA) compétente sur le sujet pour une réévaluation du risque. À l'heure actuelle, la dose journalière admissible de l'aspartame est de 40 mg par jour par kilo de poids corporel.

Les arômes

L'arôme est la sensation perçue par rétro-olfaction quand on mange. Des principes volatils odorants, les arômes, s'échappent des aliments quand ils sont dans la bouche, et atteignent nos organes olfactifs situés dans le nez lors de la déglutition. Ils ne possèdent aucune qualité nutritive, mais jouent un rôle essentiel. En effet, le goût et l'odeur d'une denrée sont les facteurs qui déterminent l'acceptation de celle-ci par le consommateur et stimulent son appétit. Qui, ayant le nez bouché, n'a jamais mangé sans appétit car il ne ressentait ni l'odeur, ni le goût des aliments !

Les aliments ou préparations que nous consommons dégagent des arômes naturellement présents ou ajoutés lors de leur fabrication. Les industriels en rajoutent dans de nombreuses denrées soit pour restituer leurs arômes disparus lors des traitements technologiques, soit pour donner des arômes à des aliments qui en ont peu, soit pour créer de nouveaux arômes. Les arômes ajoutés dans une denrée ou préparation sont obligatoirement inscrits dans la liste des ingrédients.

Les différents types d'arômes autorisés par la législation sont :

– les arômes naturels d'origine végétale ou animale obtenus par distillation, extraction… Par exemple, la vanilline, molécule aromatique extraite de la vanille. Dans ce groupe naturel, l'étiquette porte inscrit soit « arôme naturel de X » (de vanille, de fraise, par exemple), ce qui signifie que l'arôme est en majorité extrait de la source indiquée (une gousse de vanille peut alors figurer sur l'emballage) ; soit « arôme naturel au goût de X », la source n'est pas ou pas uniquement extraite de X (la gousse de vanille ne peut alors pas figurer sur l'emballage) : par exemple, l'arôme naturel au goût de fraise est obtenu à partir de bactéries et de copeaux de bois, l'arôme naturel au goût de nombreux fruits est obtenu à partir de moisissures ;

– les arômes identiques au naturel obtenus par synthèse. Ils sont réalisés par des procédés chimiques. Par exemple, la vanilline peut être obtenue par synthèse ; elle est plus souvent utilisée que la vanilline extraite des gousses de vanille, car son coût est bien moindre ;

– les arômes artificiels fabriqués par synthèse qui n'existent pas dans la nature. Par exemple, l'éthylvanilline est un dérivé synthétique de la vanille dont l'arôme ressemble à celui de la vanille mais dont la perception est plus forte (le connaisseur ne s'y trompe pas, il reconnaîtra tout de suite l'arôme naturel et l'arôme artificiel de vanille).

L'étiquetage des denrées préemballées

Les étiquettes des produits alimentaires préemballés donnent diverses informations renseignant objectivement le consommateur, mais qui sont parfois difficiles à décrypter. La réglementation est précise mais il n'est pas toujours facile de faire la part entre les informations essentielles et l'argumentation marketing, qui prend souvent plus de place sur l'emballage.

Ces informations sont soit obligatoires quel que soit le produit alimentaire, soit obligatoires complémentaires pour certains cas, soit facultatives.

Les mentions obligatoires

La dénomination de vente

C'est la description de la denrée alimentaire. Elle doit être le plus précise possible. Elle indique la nature de l'aliment emballé et le traitement subi par l'aliment (pasteurisé, stérilisé, déshydraté...

Exemples : « lait demi-écrémé UHT », « pâte à tartiner aux noisettes » (et non « Nutella® », qui est une marque, souvent passée dans le langage courant).

La liste des ingrédients

Ce sont tous les composants qui entrent dans la fabrication de l'aliment (matières premières, épices, additifs, arômes...)

et qui sont encore présents dans le produit fini. La liste commence par l'ingrédient dont le poids est le plus important et continue par ordre décroissant. La quantité d'un ingrédient est indiquée quand il figure dans la dénomination de vente ou lorsqu'il est mis en relief dans l'étiquetage par des mots ou des images (sous forme de pourcentage dans la plupart des cas).

Prenons toujours pour exemple la pâte à tartiner aux noisettes bien connue. La liste des ingrédients est la suivante : sucre, huile végétale, noisettes 13 %, cacao maigre 7,4 %, lait écrémé en poudre 6,6 %, lactosérum en poudre, émulsifiants : lécithine (de soja), vanilline.

Décryptons-la :

– le sucre est l'ingrédient le plus présent en quantité ;

– l'huile végétale est de l'huile de palme (cf. chapitre « Les corps gras », p. 131) ;

– les noisettes ont leur pourcentage indiqué parce qu'elles sont nommés dans la dénomination de vente (13 % : 13 g de noisettes dans 100 g de produit fini) ;

– le cacao maigre 7,4 % ;

– le lait écrémé en poudre : son pourcentage est indiqué car, sur l'étiquette, on voit un verre de lait et il est écrit « lait écrémé » (6,6 % de lait en poudre écrémé soit 66 ml de lait reconstitué dans 100 g de pâte à tartiner, la portion de 15 g apportant 10 ml de lait équivaut à une cuillerée à soupe. Et heureusement qu'il est écrémé !) ;

– le lactosérum, communément appelé « petit-lait », est présent pour des raisons technologiques (environ 0,8 %) ;

– des émulsifiants et arôme.

Le sucre et l'huile végétale sont les principaux ingrédients de cette pâte à tartiner.

La liste des ingrédients permet de comparer deux produits et de faire son choix non sur la marque mais sur la composition.

Les allergènes

Les allergies alimentaires, en France, sont en croissance constante. Ces allergies peuvent entraîner des crises d'urticaire, des difficultés respiratoires, voire la mort. Un consommateur souffrant d'allergie alimentaire reconnue doit éviter de consommer des aliments contenant la substance susceptible de lui occasionner des troubles plus ou moins graves.

Une directive européenne impose la mention sur les étiquettes de la présence des principaux allergènes : gluten, crustacés, œufs, arachides, soja, fruits à coque (amandes noisettes, noix...), soja, céleri, moutarde, anhydride sulfureux en concentration de plus de 10 mg/kg ou 10 ml/l... Cette liste est périodiquement révisée en fonction des évaluations scientifiques.

La présence fortuite d'allergènes (contamination involontaire par contact avec d'autres produits sur la chaîne de fabrication, lors du stockage ou du transport) n'est pas impossible. En conséquence, les industriels de l'agroalimentaire, pour réduire les risques, inscrivent sur les étiquettes « peut contenir des traces de... » ou « susceptible de contenir des... ».

Dans la liste des ingrédients de la pâte à tartiner sont inscrits les noisettes, et le soja précisé pour l'émulsifiant, la lécithine.

Les organismes génétiquement modifiés (OGM)

Un OGM est un organisme dans lequel un gène a été inséré ou modifié. Les végétaux OGM ont été créés pour obtenir des végétaux plus résistants aux insectes et tolérants aux herbicides, plus productifs, plus adaptés aux conditions locales de culture. Les plantes les plus médiatisées sont le maïs, le colza et le soja. Plus de 80 % du soja donné aux animaux d'élevage est transgénique. Qu'en est-il des produits transformés à partir de ces animaux : lait, fromages, viande, charcuterie... ? Quels risques fait courir la consommation d'OGM ? À ce jour, le débat fait rage et nous n'avons pas de réponse claire à donner.

Un décret paru au *Journal officiel* le 1er février 2012 et en application à partir du 1er juillet 2012 définit les règles d'étiquetage des produits « sans OGM ». Il est possible d'identifier, dans les rayons des supermarchés, les produits issus d'animaux nourris sans OGM. Trois allégations sont autorisées, en fonction des ingrédients qui composent les produits :

• Pour les produits végétaux, le label « sans OGM » peut être utilisé s'ils comportent moins de 0,1 % d'OGM.

• Pour les produits d'origine animale tels que la viande, le poisson, les œufs, le lait, deux labels sont utilisables : « nourri sans OGM (< 0,1 %) », et « nourri sans OGM (< 0,9 %) ».

• Pour les produits issus de l'apiculture, ils peuvent être étiquetés « sans OGM » dès lors qu'aucun champ OGM ne se trouvera dans un rayon de 3 km autour des ruches.

Les deux premières allégations prennent en compte la présence fortuite de matériel issu d'OGM prenant son origine au stade des semences, durant la culture, la récolte, le transport, le stockage.

Ces allégations apparaissent dans la liste des ingrédients.

La quantité nette

Elle indique la quantité nette c'est-à-dire la quantité consommable du produit alimentaire, en unité de volume (litre, millilitre) pour les produits liquides et en unité de masse (kilogramme, gramme) pour les autres produits. Si la denrée est présentée dans un liquide (fruits au sirop, légumes en conserve) elle est complétée par la mention du poids net égoutté.

Le symbole « **e** » suit parfois l'indication de la quantité. Il spécifie que la quantité indiquée sur l'emballage a été vérifiée par le fabricant selon des règles statistiques. Il est facultatif.

La date de consommation

Elle indique la période pendant laquelle le produit conserve ses propriétés spécifiques. L'étiquetage doit aussi préciser les conditions de conservation de la denrée alimentaire. Il existe deux sortes de date de consommation :

• **La date limite de consommation (DLC)** : « à consommer jusqu'au [jour, mois] ». Elle apparaît sur les denrées périssables (produits laitiers frais, viandes, poissons, œufs...) dont la consommation après la date indiquée présente un danger pour la santé (intoxication alimentaire). Cette date est accompagnée de la mention de la température de conservation requise et n'est valable que si la température est respectée : 0 à 4 °C pour les produits très périssables (tels que viandes froides, charcuterie, saumon fumé...), inférieure à 8 °C pour les produits périssables (tels que les desserts lactés, beurres...). Au-delà de cette date, le distributeur n'est plus autorisé à vendre l'aliment.

• **La date limite d'utilisation optimale (DLUO)** : « à consommer de préférence avant le [jour, mois année] » ou « à consommer de préférence avant fin [mois, année, ou seulement l'année] ». Elle indique le délai au-delà duquel les qualités gustatives ou nutritionnelles du produit risquent de s'altérer (conserves, pâtes, riz, biscuits, produits surgelés...). Au-delà de la DLUO, le produit peut être commercialisé à condition que l'acheteur en soit informé.

• **Le lot de fabrication.** Il permet de regrouper un ensemble de denrées afin de faciliter leur identification en cas de défaut, de contamination, de réclamation. Il peut être indiqué soit par un code interne au fabricant (**L** suivi de ce code), soit par la DLC ou la DLUO si une indication de jour et de mois est clairement donnée.

• **Les coordonnées du responsable.** Elles doivent comporter le nom et l'adresse du fabricant, ou du conditionneur, ou d'un distributeur, ou d'un importateur situé dans l'Union européenne. À cela peut s'ajouter l'identification d'un emballeur sous la forme « emb » (suivi d'un code ou d'une adresse) si le conditionnement a été fait par un prestataire.

Les mentions obligatoires complémentaires

La marque de salubrité

Elle indique que les services vétérinaires du ministère de l'Agriculture ont contrôlé la conformité des installations aux normes de salubrité et d'hygiène. Elle est obligatoire pour les produits d'origine animale et pour ceux qui en contiennent. Pour les produits européens, la marque de salubrité se présente ainsi :

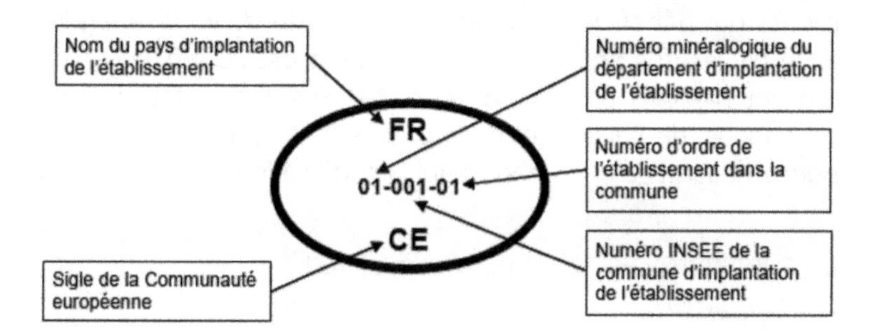

La marque de salubrité permet de savoir d'où vient le produit que nous achetons.

Le lieu d'origine

Cette mention n'est obligatoire qu'en cas de confusion possible. Par exemple, le lieu d'origine de sa fabrication est obligatoirement indiqué pour une pizza, qui est à l'origine une spécialité italienne.

Mode d'emploi (ou conseils d'utilisation)

Lorsque c'est nécessaire, il doit être indiqué de façon claire et lisible pour permettre un usage approprié du produit : « à conserver dans un endroit sec », « égoutter avant utilisation »...

Le degré alcoolique

Il est obligatoire pour les boissons qui contiennent plus de 1,2 % d'alcool en volume.

Les mentions facultatives

Les signes officiels de qualité

Leurs définitions s'appuient sur des textes réglementaires européens, transposés dans la réglementation française. Les aliments qui bénéficient de signes de qualité doivent répondre à un cahier des charges dont le respect est contrôlé régulièrement par des organismes certificateurs accrédités. L'Institut national de l'origine et de la qualité (INAO) est chargé de la bonne gestion de ces signes (sauf la certification de conformité).

L'appellation d'origine contrôlée (AOC) – L'appellation d'origine protégée (AOP)

L'appellation d'origine contrôlée (AOC) est un signe français qui désigne un produit qui tire son authenticité et sa typicité de son origine géographique. Elle est l'expression d'un lien intime entre le produit et son terroir.

Depuis 2009, l'AOC est remplacée par l'appellation d'origine protégée (AOP), qui est son équivalent à l'échelle européenne.

Les produits laitiers, en particulier les fromages, les vins et spiritueux (cognac, armagnac...), et autres produits alimentaires (huile d'olive, miel, raisin chasselas...), peuvent bénéficier d'une AOC/AOP.

L'indication géographique protégée (IGP)

C'est un signe de qualité européen. L'IGP distingue un produit dont toutes les phases d'élaboration ne sont pas nécessairement issues de la zone géographique éponyme mais qui bénéficie d'un lien avec un territoire et d'une notoriété. La relation entre le produit et son origine est moins forte que pour l'AOC/AOP mais suffisante pour conférer une caractéristique ou une réputation à un produit.

Les produits alimentaires pouvant avoir une IGP sont des viandes, des volailles, des vins, des fromages, des légumes, des fruits...

La spécialité traditionnelle garantie (STG)

Elle ne fait pas référence à une origine mais a pour objet de protéger la composition traditionnelle d'un produit, ou un mode de production.

Exemples de produits alimentaires pouvant avoir une STG : bières, jambon serrano, mozzarella, endives...

L'agriculture biologique (AB)

Signe français

Signe européen

Logo AB : toujours au moins 95 % d'ingrédients bio dans le produit

Un produit sous le label AB tire ses qualités d'un mode de culture ou d'élevage biologiques. Les végétaux sont cultivés sans engrais ni pesticides chimiques, les animaux sont nourris avec des aliments bio ou à l'herbe, on est attentif à leur bien-être.

Pour les denrées alimentaires composées (müesli, produits laitiers, pâtes farcies…), 95 % et plus des ingrédients doivent être d'origine biologique (hors sel et eau), la part restante étant non disponible en bio.

Tous les acteurs de la filière bio sont contrôlés au moins une fois par an par un organisme certificateur agréé par les pouvoirs publics. Son nom et son adresse sont obligatoirement inscrits sur l'emballage du produit.

Le label rouge

Il garantit par des exigences sévères à tous les stades de la filière que la qualité du produit est supérieure à celle de produits équivalents : conditions de production, de conditionnement, de distribution, aspect, composition, et surtout le goût. Pour bénéficier de ce label, le produit doit répondre à un cahier des charges établi par des organismes certificateurs agréés par les pouvoirs publics, qui, toute l'année, font des contrôles.

La certification de conformité

Elle atteste qu'un produit alimentaire est conforme à des caractéristiques préalablement fixées dans un cahier des charges. Ces caractéristiques peuvent porter sur sa fabrication, sa transformation, son conditionnement, son origine... Ce cahier des charges peut être élaboré par l'AFNOR (Agence française de normalisation) ; la certification est dans ce cas une norme qui est identique pour tous les produits qui s'y réfèrent. Il peut être aussi élaboré par des producteurs ; dans ce cas, les caractéristiques à respecter sont variables d'un produit à l'autre.

Exemples de produits sous certification de conformité : volailles, viandes de boucherie, charcuterie, salades prêtes à l'emploi...

Les mentions valorisantes

Ce mode de valorisation des produits agricoles et agroalimentaires concerne des produits pour lesquels un qualificatif spécifique est mis en exergue. Il fait l'objet d'un étiquetage particulier.

La dénomination « montagne »

C'est une mention valorisante dont peuvent bénéficier, sous réserve d'une autorisation administrative, les produits agricoles alimentaires (sauf le vin). Cette dénomination vise à assurer que l'ensemble des étapes d'élaboration du produit, de la production jusqu'au conditionnement, y compris les matières premières utilisées et l'alimentation des animaux, est bien situé en zone de montagne au-dessus de 700 mètres d'altitude (sauf la production de certaines matières premières, les lieux d'abattage). Le tout doit être défini dans un cahier des charges.

Exemples de produits sous la mention « montagne » : produits laitiers, charcuterie et salaisons, eaux, miels...

La dénomination « produits pays »

Elle est réservée aux denrées alimentaires (sauf le vin et les spiritueux) dont toutes les opérations, de la production au conditionnement, sont réalisées dans un pays d'outre-mer.

Les mentions « fermier », « produit à la ferme », « produit de la ferme »

Aucune définition n'est prévue par les textes. Pour qu'un produit présente une de ces mentions, il faut que les denrées soient produites et transformées à la ferme, ferme qui souvent n'a plus rien à voir avec la ferme d'antan.

Le logo « bleu-blanc-cœur »

L'association Bleu-Blanc-Cœur réunit des producteurs de viande, de lait et produits laitiers, d'œufs, qui s'engagent à améliorer la qualité nutritionnelle de leurs produits au moment de la production en élevage. L'amélioration porte sur la composition lipidique de ces produits (diminution des matières grasses saturées, augmentation des matières grasses polyinsaturés, en particulier des oméga 3) ; elle est obtenue en réintroduisant des sources végétales traditionnelles et riches en oméga 3 dans l'alimentation des animaux (herbe, lin, luzerne, lupin…).

Cette démarche est bâtie sur des fondements scientifiques solides, et validée par les experts du PNNS (programme national nutrition santé).

Vous pouvez acheter des produits où le sigle « Bleu-Blanc-Cœur » figure sur l'étiquette, leur teneur en oméga 3 sera plus élevée que dans les produits similaires (viande, charcuterie, lait, fromage, beurre, œufs). Mais cette augmentation en oméga 3 est-elle vraiment significative ? À vous de faire les comparaisons.

Les distinctions publicitaires

À côté de ces signes de qualité, il existe des qualificatifs élogieux (« sain », « haute qualité ») et des distinctions éphémères (« élu produit de l'année », « saveur de l'année », médailles diverses) qui n'apportent aune garantie au consommateur. Ils sont à prendre avec circonspection.

L'étiquetage nutritionnel

L'étiquetage nutritionnel est de plus en plus souvent présent sur les étiquettes. Il aide le consommateur à faire ses choix alimentaires. Mais cette information n'est pas toujours très compréhensible. Sa présentation diffère souvent suivant le produit ; un projet de règlement au niveau communautaire est en cours d'élaboration mais il n'est pas facile de mettre d'accord les différents protagonistes : scientifiques, industrie agroalimentaire, consommateurs.

L'étiquetage nutritionnel est facultatif mais devient obligatoire dès lors qu'une allégation nutritionnelle ou de santé figure sur l'emballage ou sur une publicité relative au produit. Une allégation est dite nutritionnelle quand elle fait référence à la teneur en énergie d'un nutriment dans un aliment ou une préparation. Une liste autorisée de ces allégations a été définie dans un règlement par l'Union européenne (règlement CE n° 1924/2004). Par exemple : « faible valeur énergétique » pour les produits solides contenant au maximum 40 kcal (170 kJ) pour 100 g et pour les produits liquides contenant au maximum 20 kcal (80 kJ) pour 100 ml ; « valeur énergétique réduite » pour une denrée dont la valeur énergétique est réduite d'au moins 30 % ; « source de fibres » pour une denrée contenant au moins 3 g de fibres pour 100 g, « riche en fibres » pour un produit contenant au moins 6 g de fibres pour 100 g, « réduit en [nom du nutriment] » quand la réduction de ce nutriment est d'au moins 30 % par rapport à un produit similaire...

Une allégation est dite de santé quand elle met en exergue un lien entre un nutriment ou un aliment et l'état de santé. Elle peut revendiquer la diminution d'un facteur de risque (« les oméga réduisent les risques cardio-vasculaires ») ou celle d'une maladie, mais elle ne peut pas comporter de mention thérapeutique indiquant que tel nutriment prévient une pathologie ou la guérit (« le calcium prévient l'ostéoporose »). Depuis 2007, l'EFSA est chargée d'évaluer les allégations de santé afin d'établir un registre d'allégations autorisées. 4 600 allégations de santé ont été évaluées en vue de déterminer si elles reposaient sur des bases scientifiques solides. Une sur cinq a été validée (liste des allégations autorisées à paraître en 2012), ce qui va obliger les industries agroalimentaires à opérer un « grand ménage » dans leurs étiquettes, ce qu'ils ont déjà commencé à faire.

En cas d'étiquetage nutritionnel, les informations à donner sont obligatoirement à choisir entre les deux groupes suivants :

Groupe 1	**Groupe 2**
Valeur énergétique (kcal et kJ) Protéines (g) Glucides (g) Lipides (g)	Valeur énergétique (kcal et kJ) Protéines (g) Glucides (g) dont sucres* Lipides (g) dont acides gras saturés Fibres alimentaires Sodium

** Sucres : il s'agit des glucides simples : saccharose, glucose, fructose...*

L'étiquetage nutritionnel peut mentionner des informations supplémentaires : amidon, polyols, acides gras mono-insaturés, acides gras polyinsaturés, cholestérol, vitamines et minéraux quand ils sont en quantité suffisante (au moins 15 % des apports journaliers recommandés [AJR] pour 100 g ou 100 ml de produit). Les AJR représentent les besoins approximatifs de la population ; ils ne prennent pas en compte les différences liées à l'âge ou au sexe, contrairement aux apports nutritionnels conseillés (ANC).

Sur certaines étiquettes nutritionnelles, l'apport d'une portion en énergie et/ou autres nutriments est évalué en pourcentage par rapport aux repères nutritionnels journaliers (RNJ). Ces RNJ sont des valeurs proposées par la confédération des industries agroalimentaires de l'Union européenne et s'appuient sur les apports nécessaires pour une journée pour une femme adulte (énergie : 2 000 kcal, lipides : 70 g dont acides gras saturés : 20 g, sucres : 90 g, fibres : 25 g, sodium [sel] : 2,4 g [6 g]). Les RNJ sont toujours accompagnés de la phrase suivante : « les besoins individuels d'un individu peuvent varier selon l'âge, le sexe, l'activité physique ».

Ces informations nutritionnelles sont données pour 100 g ou 100 ml de produit. Ces données peuvent en outre être exprimées par ration (exemple : une assiette de soupe telle quelle ou reconstituée) ou par portion si le nombre de portions contenues dans l'emballage est indiqué.

L'étiquetage nutritionnel peut être présenté différemment, l'Union européenne n'ayant pas encore imposé une présentation identique pour tous les produits dans ses pays. La présentation peut être sous forme de tableau, de cartouche...

Cet étiquetage nutritionnel permet de savoir choisir ses aliments et de comparer deux produits identiques. Le consommateur regarde, en premier, la valeur énergétique du produit qu'il va consommer. Mais il faut aussi comparer l'apport en glucides (en particulier en sucres) et en lipides (en particulier en acides gras saturés) : on choisira celui qui apportera, par portion si elles sont indiquées, le moins de sucres et de lipides pour un apport énergétique équivalent. Pour choisir un plat cuisiné, on préférera celui qui apporte moins de 6 % de lipides et deux fois plus de protéines que de lipides. Les RNJ nous permettent aussi de choisir un produit : si un biscuit apporte 1,9 g de lipides soit 3 % des RNJ pour les lipides, cela signifie que si vous grignotez 5 biscuits (si ce n'est la boîte entière), cela couvrira 15 % des RNJ en lipides, ce qui est très important. Nous consommons trop de sel, c'est donc une valeur à vérifier car les plats tout prêts sont souvent trop riches en sel.

Attention aux allégations nutritionnelles « light », « allégé en », etc. : on constate parfois que le produit « minceur » est plus énergétique que le produit standard, que, allégé en sucres, il est plus riche en lipides donc plus énergétique que le produit de base.

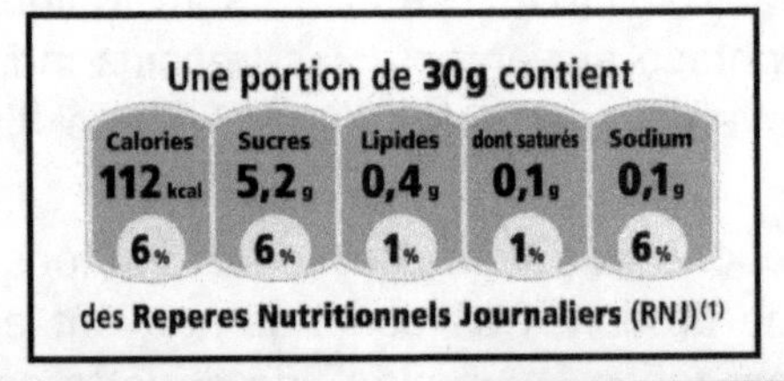

(1) RNJ - Repères Nutritionnels Journaliers pour un adulte avec un apport moyen de 2000 kcal (2)

	RNJ (1)	Pour 30 g	% RNJ (1)
Calories	2000 kcal	112 kcal	6%
Sucres	90 g	5,2 g	6%
Lipides	70 g	0,4 g	1%
dont saturés	20 g	0,1 g	1%
Sodium	2,4 g	0,1 g	6%

30g de FITNESS correspond à environ 8 cuillères à soupe

Ce paquet contient à peu près 12 portions de 30g

(2) Ces repères nutritionnels journaliers et les portions peuvent varier selon l'âge, le sexe, l'activité physique...

INFORMATIONS NUTRITIONNELLES	Pour 30g + 125ml de lait écrémé	Pour 100 g
Energie	155 kcal 658 kJ	372 kcal 1578 kJ
Protéines	6,9 g	8,4 g
Glucides dont sucres	29,9 g 11,3 g	78,4 g 17,2 g
Lipides dont saturés	0,5 g 0,2 g	1,4 g 0,4 g
Fibres	1,8 g	5,9 g
Sodium	0,2 g	0,5 g

Vitamines et Minéraux		% AJR (3)		% AJR (3)
Vitamine B1	0,33 mg	30%	1,1 mg	100%
Vitamine B2	0,6 mg	43%	1,4 mg	100%
Vitamine PP	4,9 mg	31%	16 mg	100%
Vitamine B6	0,42 mg	30%	1,4 mg	100%
Vitamine B5	2,2 mg	37%	6,0 mg	100%
Vitamine B9	66 µg	33%	200 µg	100%
Vitamine B12	1,04 µg	42%	2,5 µg	100%
Vitamine C	24 mg	30%	80 mg	100%
Calcium	315 mg	39%	530 mg	66%
Fer	4,2 mg	30%	14 mg	100%

(3) AJR = Apports Journaliers Recommandés par la C.E.
Chaque matin, un bol de céréales FITNESS (30g de céréales + 125 ml de lait écrémé) couvre au moins 30% des AJR en 8 vitamines, 30% des AJR en fer et 39% des AJR en calcium.

INGRÉDIENTS : Céréales (blé complet 53,6%, riz), sucre, sirop de sucre roux inverti, extrait de malt d'orge, sel, sirop de glucose, émulsifiant : monoglycérides d'acides gras ; correcteur d'acidité : phosphate de sodium; antioxydant : tocophérols.
Vitamines (C, PP, B5, B6, B1, B2, B9, B12), **et minéraux** (carbonate de calcium et fer).
(Peut contenir des traces de lait, d'arachides et de fruits à coque).

BIEN MANGER
au quotidien

Les bases d'une alimentation équilibrée

Bien manger est essentiel pour garder la forme et la santé. Toutes les études montrent qu'une alimentation adaptée associée à une activité physique régulière contribue à limiter la prise de poids mais aussi un certain nombre de problèmes de santé comme les cancers, certains types de diabète (le diabète dit gras), les maladies cardio-vasculaires, l'ostéoporose...

Bien manger se traduit par avoir une alimentation variée et équilibrée. Les excès sont aussi néfastes que les privations, la quantité doit s'allier avec la qualité.

L'équilibre alimentaire ne se fait pas sur un repas ou même sur une journée mais sur plusieurs jours voire sur la semaine. Il n'existe pas de bons ou de mauvais aliments : un repas festif peut être compensé avec des repas plus légers par la suite.

Ce que l'on met dans son assiette est tout aussi important que la manière dont on le mange :

– mangez lentement, dans le calme : le repas doit être un moment de détente ;

– manger doit être un plaisir ;

– cuisinez. Si pour certains cuisiner est un plaisir, pour d'autres cela peut être une contrainte. Pourtant, vous pouvez trouver des recettes simples, faciles à préparer, à base de produits frais qui vous feront découvrir de nouvelles saveurs (*500 recettes simplissimes*, Éditions De Vecchi). Les plats cuisinés tout prêts sont souvent trop gras, trop salés, et renferment de nombreux additifs.

Les clés de l'équilibre alimentaire

Le programme national nutrition santé (PNNS) a pour objectif l'amélioration de l'état de santé de l'ensemble de la population en agissant sur la nutrition. Il donne des conseils et, entre autres, comment équilibrer son alimentation.

Chaque groupe alimentaire doit se retrouver dans une journée :

- Les fruits et légumes : au moins 5 par jour.
- Les produits laitiers : 3 par jour (3 ou 4 pour les enfants ou les adolescents).
- Les féculents, à chaque repas et selon l'appétit.
- Viande, poisson, œuf : 1 ou 2 fois par jour.
- Matières grasses : à limiter.
- Produits sucrés : à limiter.
- Sel : à limiter.
- Eau : à volonté.

Les fruits et légumes : au moins 5 par jour

Slogan très connu, mais souvent mal compris. Il ne faut pas obligatoirement manger 5 fruits et légumes différents par jour mais 5 *portions* de fruits et/ou de légumes : 3 portions de légumes et 2 fruits, 3 fruits et 2 portions de légumes...

Une portion est l'équivalent de 80 à 100 g, soit deux cuillerées à soupe ou la taille d'un poing (un bol de soupe, une tomate moyenne, une pomme, deux abricots, un ramequin de salade de fruits...). Cette portion peut être intégrée dans un gratin, un soufflé, une tarte... salés ou sucrés.

On peut les consommer sous toutes leurs formes : surgelés, en conserve, sous vide, cuits ou crus, en soupe, en compote, mixés (smoothies). Un verre de jus de fruits (jus frais ou 100 % pur jus) représente une portion, mais attention : un jus ne peut pas remplacer systématiquement un fruit entier, qui reste essentiel pour la mastication, l'apport en fibres et l'effet de satiété.

Un yaourt aux fruits, un biscuit aux fruits, une glace aux fruits ne comptent pas pour une portion de fruit, car il n'y a que très peu de fruits dans leur composition.

N'hésitez pas à manger plus de 5 portions de fruits et légumes, c'est encore mieux !

Les produits laitiers : 3 par jour (3 ou 4 pour les enfants ou les adolescents)

Une portion de produit laitier correspond à un verre de lait, un yaourt, 30 g de fromage...

Alternez lait, yaourt, fromage blanc, fromages, car certains sont riches en matières grasses (fromages à pâte dure, persillés) et peuvent être très salés (roquefort, feta...).

Les produits laitiers peuvent être intégrés dans des préparations telles que des gratins, des tartes salées ou sucrées, des entremets (riz ou semoule au lait...), des flans...

Un produit laitier doit se retrouver dans le goûter des enfants et des adolescents : un verre de lait, un yaourt à boire, un fromage...

Les féculents à chaque repas et selon l'appétit

Pain et tous les produits de panification (biscottes, pain grillé, pain de mie...), les céréales et dérivés (pâtes, semoule, riz, avoine...), les légumineuses (lentilles, fèves, pois cassés, pois chiches, haricots secs), les pommes de terre : au moins l'un de ces aliments doit être présent à chaque repas.

Ils sont souvent exclus de nos repas car ils ont la réputation de « faire grossir ». C'est une idée fausse car, au contraire, ils sont une manière d'éviter la prise de poids, car ils permettent de tenir entre les repas en évitant le grignotage.

Préférez les produits céréaliers non raffinés (pain complet, riz complet...), car ils sont plus riches en vitamines, en minéraux et en fibres.

Viande, poisson, œuf : 1 ou 2 fois par jour

Une portion de viande (viande rouge, viande blanche, volaille) ou de poisson équivaut à 100 g, une portion d'œuf équivaut à 2 œufs.

Il est conseillé de manger du poisson, notamment des poissons dits « gras » (hareng, maquereau, saumon, sardine...) deux fois par semaine, car ils nous apportent des acides gras essentiels (oméga 3).

Parmi les viandes, préférez les morceaux les moins gras : rosbif, escalope de veau, blanc de volaille... (cf. chapitre « Les viandes », p. 34).

Matières grasses : à limiter

Une consommation excessive de matières grasses augmente le risque de prise de poids et le risque de maladies cardio-vasculaires.

Toutes les matières grasses n'ont pas une composition identique (cf. chapitre « Les corps gras », p. 131) ; il faut les consommer en fonction de leur composition en acides gras. Les huiles végétales telles que l'huile de colza, de noix, de tournesol, d'olive sont à privilégier car elles apportent des acides gras oméga 3, 6 et 9 prévenant les risques de maladies cardio-vasculaires. Mais il ne faut pas les consommer à volonté, car elles contiennent toutes 100 % de lipides. Certaines matières grasses sont à limiter (et non à supprimer), comme le beurre, la crème, qui sont plus riches en acides gras saturés.

Attention aux matières grasses cachées présentes naturellement dans certains aliments (viandes, fromages), ajoutées lors de la fabrication (charcuterie, pâtisseries, viennoiseries, plats cuisinés, sauces...) ou lors de la cuisson (friture).

Produits sucrés : à limiter

On peut les consommés de temps en temps, en quantité modérée. Pris en excès, ils participent à la prise de poids, à l'apparition d'un diabète, ils contribuent à la formation de caries en l'absence de brossage des dents...

Pour limiter leur consommation, dosez la quantité de sucre dans vos boissons chaudes, café, thé, tisane.... Si vous les sucrez trop, diminuez petit à petit les quantités pour arriver à une dose raisonnable (un demi à un sucre [5 g] dans une tasse). Faites de même avec les laitages (yaourt, fromage blanc...) et préférez les sucrer avec un fruit, une compote sans sucre.

Vous aimez le chocolat : dégustez lentement un à deux carrés de bon chocolat en l'appréciant. Au-delà, ce n'est plus du plaisir.

Sel : à limiter

Il est recommandé de ne pas consommer plus de 8 g de sel par jour pour un adulte. Un excès de sel favorise l'hypertension artérielle, à l'origine de maladies cardio-vasculaires.

80 % du sel que nous consommons proviennent des aliments ; les 20 % restants proviennent du sel ajouté lors de la cuisson ou dans l'assiette.

Pour limiter cet ajout, il faut :
– ne pas trop saler l'eau de cuisson des aliments. L'ajout d'épices, d'aromates permet de relever le goût des plats ;
– ne pas rajouter systématiquement du sel au plat sans l'avoir goûté ;
– ne pas trop consommer d'aliments riches en sels : charcuteries, biscuits apéritifs, plats préparés...

Eau : à volonté

L'eau est la seule boisson qui nous est nécessaire. Il faut boire pendant et entre les repas et ne pas attendre d'avoir soif.

Un conseil : pour augmenter la satiété, buvez pendant le repas !

Poids moyen des aliments courants

1 biscotte	8 g
1 biscuit type petit-beurre	8 g
1 cuillerée à soupe bombée de blé soufflé	5 g
1 cuillerée à soupe bombée de corn flakes	5 g
1 cuillerée à soupe bombée de farine	20 g
1 cuillerée à soupe rase de farine	10 g
1 cuillerée à soupe bombée de flocons d'avoine	10 g
1 cuillerée à soupe bombée de Maïzena®	15 g
1 cuillerée à soupe rase de Maïzena®	10 g
1 tranche de pain de mie	15 g
1 cuillerée à soupe de riz cru	20 g
1 cuillerée à soupe de riz cuit	25 g
1 cuillerée à soupe de semoule crue bombée	25 g
1 cuillerée à soupe rase de semoule crue	15 g
1 cuillerée à soupe de tapioca cru	15 g
1 cuillerée à soupe bombée de cacao non sucré	20 g
1 cuillerée à soupe rase de cacao non sucré	10 g
1 barre de chocolat	20 g
1 cuillerée à soupe de confiture	40 g
1 cuillerée à café de confiture	15 g
1 cuillerée à soupe de miel	30 g
1 cuillerée à café de miel	10 g
1 cuillerée à soupe de sucre	20 g
1 cuillerée à café de sucre bien rase	5 g
1 morceau de sucre n° 4	5 g
1 morceau de sucre n° 3	7 g

Les repas

En France, les trois repas de la journée (petit déjeuner, déjeuner, dîner) sont une véritable institution, approuvée par les nutritionnistes.

Les repas rythment la journée et donnent à notre organisme des repères qui vont nous aider à mieux réguler nos prises alimentaires. Sauter un repas va obliger notre corps à se rattraper au repas suivant, nous allons manger plus. Notre corps a de la mémoire, il aura tendance à stocker (sous forme de graisse) en prévision d'une prochaine « famine ».

Le temps qu'on prend pour manger est important. Il faut environ 20 minutes pour informer notre cerveau que nous avons suffisamment mangé. Donc, attention : si vous mangez très vite, vous allez manger plus que vos besoins car vous n'aurez pas laissé au signal de satiété le temps d'apparaître.

Le petit déjeuner

Après avoir dormi, nous avons jeûné au moins 8 heures, il faut refaire le plein d'énergie : 20 à 25 % de l'apport énergétique est fourni par le petit déjeuner (400 à 500 kcal pour les femmes, 500 à 600 kcal pour les hommes).

C'est un repas important qui est souvent négligé, en France, chez les adultes mais aussi chez les enfants par manque d'appétit, de temps. Il permet pourtant d'éviter les fringales de fin de matinée et le coup de pompe de 11 heures qui incite à manger de tout et n'importe quoi, surtout des aliments gras et sucrés (croissant, barre chocolatée...) ou d'attendre le déjeuner où on choisit de préférence des aliments ou préparations riches en matière grasse que l'on mange rapidement. On a constaté que l'absence des micronutriments (vitamines, minéraux) au petit déjeuner n'est pas compensée par les autres repas.

L'omission du petit déjeuner ne favorise pas la perte de kilos, au contraire, elle favorise la tendance au surpoids. Selon des études, le petit déjeuner favoriserait les processus de mémorisation et d'apprentissage chez les enfants et les adultes.

Un petit déjeuner devrait comprendre :

– un produit céréalier : pain, biscottes, céréales (gâteau de riz, de semoule...). Il apporte des glucides complexes, fournissant de l'énergie ;

– un produit laitier : lait, yaourt, fromage... Il apporte les protéines nécessaires à la construction et à l'entretien de notre organisme et du calcium indispensable aux os ;

– un fruit ou un jus de fruit pressé ou un 100 % pur jus pour son apport en vitamines, en micronutriments, notamment en antioxydants ;

– une boisson pour réhydrater l'organisme : eau, café, thé, chocolat...

Selon les goûts, les habitudes, on peut ajouter du beurre, de la confiture, du miel... ou même du jambon, un œuf, pour ceux dont le déjeuner sera léger.

Si vous n'avez pas eu le temps de prendre un petit déjeuner ou si vous n'avez pas faim le matin avant de partir travailler, apportez une collation que vous consommerez dans la matinée : par exemple, un fruit ou une petite gourde de compote, des biscuits pour petit déjeuner, des barres de céréales, un yaourt à boire, une briquette de pur jus de fruits.

Croissant, brioche et autres viennoiseries ne sont à consommer que ponctuellement car elles sont riches en sucre et en gras.

Le déjeuner et le dîner

Le déjeuner et dîner doivent apporter respectivement 35 à 40 % de l'apport énergétique de la journée. Suivant les exigences de la vie quotidienne, ces repas peuvent être plus ou moins consistants. Il faut veiller à les équilibrer l'un par rapport à l'autre, c'est-à-dire que si votre déjeuner a été un repas complet, riche en féculents et viande, votre dîner sera plus léger et on y retrouvera les groupes d'aliments qui n'étaient pas présents au déjeuner (légumes dans notre exemple) et vice versa.

Dans l'idéal, on devrait retrouver au déjeuner et au dîner :

– 1 crudité (légumes ou fruits) ;

– 1 plat de protéines (viande ou poisson ou œuf) : un plat principal à base de viande, poisson, œuf (environ 100 g) à chaque repas ou un plat principal à base de viande, poisson, œuf (environ 150 g) à l'un des repas et un complément protidique (avec une quantité moindre : 50 à 70 g) à l'autre repas ;

– 1 accompagnement, qui peut être des féculents à un repas et des légumes verts à l'autre repas, ou un plat de féculents et de légumes verts à chaque repas ;

– 1 produit laitier : un fromage, un yaourt, un laitage ou l'équivalent incorporé dans une préparation comme un gratin, une béchamel ;

– du pain, dont la quantité est déterminée par les besoins énergétiques du convive et les plats composants le menu ;

– eau à volonté.

Les « plats de complément » placés au début (hors-d'œuvre, potage) ou à la fin (entremets, pâtisseries, dessert) du repas sont essentiels, car c'est par eux que l'on améliore ou que l'on détruit l'équilibre du menu. Ces compléments peuvent comporter un élément peu ou pas présent dans le menu : par exemple, un produit laitier sous forme d'entremet, une crudité sous forme de salade de fruits, un féculent sous forme de salade de lentilles.

La collation et le goûter

Le goûter n'est obligatoire que pour les enfants et les adolescents. Il doit apporter 10 % de l'énergie de la journée.

Pour les adultes, cette collation n'est pas obligatoire mais elle peut aider certains à patienter jusqu'à l'heure du dîner (et du déjeuner quand elle est prise dans la matinée).

Collation et/ou goûter doivent comporter :

– 1 produit laitier : lait, yaourt, fromage... ;

– 1 produit céréalier : pain, biscuits... ;

– 1 fruit frais ou cuit ou pressé.

Évitez de prendre une collation juste avant le repas principal, vous n'auriez plus faim. L'idéal est de la prendre deux heures avant le repas.

Idées de menus

Petit déjeuner

Café au lait / baguette / viennoise[1] / beurre / confiture d'abricots[1] / orange pressée	Thé au citron / toasts grillés / beurre / yaourt / compote de pommes[1]
Chocolat au lait / pain grillé / beurre / gelée de coing[1] / pur jus de pomme	Thé au lait / muesli + lait / salade d'agrumes[1]
café / pain aux céréales / fromage / jus d'orange	1 verre de lait / pain d'épices[1] / 1 kiwi

Vous n'avez pas eu le temps de prendre votre petit déjeuner et vous n'avez pas faim au saut du lit, vous le prendrez au bureau :

Yaourt à boire / biscuits / « petit déjeuner » / 1 briquette de jus de fruits	Café / barre de céréales enrichie en calcium / 1 banane

Votre déjeuner sera léger, vous allez affronter le froid, votre petit déjeuner doit être consistant :

Chocolat chaud velouté[1] / pain + beurre / confiture d'orange / jambon / orange pressée	Thé / un bol de muesli + lait / salade de fruits / œufs brouillés[1] / pain
Café / pain perdu[1] / fromage blanc aux raisins et aux amandes[1] / orange pressée	Thé / crêpes aux saucisses[1] / yaourt / ½ pamplemousse

Déjeuner – Dîner

Le pain et l'eau sont ajoutés systématiquement à chaque repas. Si la portion de féculent est importante, le pain peut être supprimé.

Exemples de menus d'hiver

Déjeuner	Dîner
Salade de lentilles / poulet aux endives[7] / fromage / orange	Potage au potiron[4] / omelette aux fines herbes / salade / gâteau de riz
Salade de pamplemousse + avocat / truite à la normande / pommes vapeur / fromage blanc / poires au pinot[4]	Radis beurre / poireaux au jambon + sauce Béchamel / fromage / banane
Salade de champignons de Paris[6] / côte de veau à la normande[4] / épinards / clafoutis aux pommes[3]	Salade de fenouil aux olives[4] / spaghettis à la bolognaise[4] + emmenthal / clémentines
Betteraves en salade / saumon à l'aneth / riz créole / fromage / ananas	Potage Saint-Germain[3] / salade de gésiers / pomme cuite sur crème anglaise[3]
Crème d'oseille[3] / bavette à l'échalote / frites / yaourt / orange	Carottes râpées / haricots verts au tofu[6] / fromage / salade de fruits
Salade de chou rouge et vert / foies de volaille aux raisins[4] / purée de céleri / semoule au citron vert[6]	Quiche aux oignons[1] / salade / petits-suisses / poire
Frisée au roquefort / pot-au-feu[3] / mousse aux mangues[3]	Potage vermicelle (bouillon du pot-au-feu) / jambon blanc / chou-fleur au gratin / pomme au cidre[3]

Exemples de menus de printemps/été

Déjeuner	Dîner
Concombre à la menthe[3] / rôti de porc à la moutarde[4] / petits pois-carottes / salade de pastèque[3]	Œuf cocotte aux tomates et basilic[6] / riz au curry[6] / fromage / Abricots

Déjeuner	Dîner
Moules marinière[4] / frites / salade / fromage / pêche	Taboulé[3] / blanc de poulet aux olives[7] / poêlée de légumes / fromage blanc / fraises
Poivrons marinés[4] / steak au poivre / tagliatelles / glace vanille / café	Salade niçoise[3] / fromage / cerises[4]
Tomates mozzarella / cuisse de lapin rôti à la gasconne[4] / courgettes braisées[4] / tarte sablée aux fraises et au melon[5]	Jambon de Bayonne / gnocchi à la polonaise[6] / fromage / melon
Avocat sauce vinaigrette / thon basquaise[4] / riz créole / yaourt / reines-claudes	Soupe de concombre au chèvre frais[3] / moussaka / crème persane (lait + tapioca + œuf + sucre)
Terrine de pâté de campagne[5] / épaule d'agneau rôti[4] / haricots verts / fromage / pêche	Pizza au poulet et au cumin[1] / salade / fraises au fromage blanc
Melon et jambon de Parme / magret de canard aux pêches / pommes vapeur / fromage / mousse au chocolat[3]	Crème de tomates[3] / cabillaud en papillote / salade de lentilles / petits-suisses / abricots

Exemples de menus de déjeuner pris en restauration rapide

Déjeuner	Dîner
Sandwich (pain complet) au poulet + crudités + emmenthal / clémentines	Soupe de fèves[3] / saumon à la crème d'asperges[8] / fromage blanc à l'ananas[4]
Salade au fromage de brebis (feta)[3] / rôti de bœuf / tartelette aux fraises	Salade d'endives[3] / rôti de bœuf / pommes noisettes / faisselle au coulis de framboises
Quiche aux champignons de Paris / salade / crème renversée	Filet mignon de porc en cocotte / purée de pois cassés / yaourt / salade de raisins[3]
Crêpe complète (œuf, jambon, fromage) / salade / sorbet au citron	Velouté de carottes / colin au court-bouillon, sauce hollandaise[4] / purée d'épinards / petits-suisses / clémentines

Déjeuner	Dîner
Sandwich thon-crudités / yaourt à boire	Salade aux couleurs tendres[3] / tomates farcies / riz créole / crème vanille et cannelle[6]
Croque-monsieur / salade / compote de pommes	Pintade au raisin[4] / chou vert[4] / riz au lait
Salade de tagliatelles au poulet[4] / pastèque	Soupe de poisson[3] / gratin de citrouille[6] / salade de fruits frais

Notes

1. *Cf. Les Petits Déjeuners, de Pauline Blancard et Pascal Antoine, Éditions De Vecchi.*
2. *Cf. Quiches et pizzas, de Chantal Nicolas, Véronique Delarue, Bernard Semeteys, Éditions De Vecchi.*
3. *Cf. 500 recettes simplissimes, de Marie Gosset, Éditions De Vecchi.*
4. *Cf. 800 recettes de cuisine française, de Marie Gosset et Bruno Grelon, Éditions De Vecchi.*
5. *Cf. Fait maison à ma façon, de Chantal Nicolas, Éditions De Vecchi.*
6. *Cf. Encyclopédie de la cuisine végétarienne, de Chantal Nicolas, Éditions De Vecchi.*
7. *Cf. La Cuisine du poulet, de Gilles Dubois, Éditions De Vecchi.*
8. *Cf. La Cuisine des poissons d'eau douce, de Vincent Allard, Éditions De Vecchi.*
9. *Cf. La Cuisine des champignons, de Vincent Allard, Éditions De Vecchi.*

Les modes de cuisson

Cuire un aliment, c'est le soumettre à l'action de la chaleur, ce qui va entraîner des modifications sur :

– la texture : les protéines coagulent (regardez le blanc d'œuf), la cellulose des légumes s'attendrit, les graisses fondent, les amidons « caramélisent » dans une cuisson à sec et forment un mélange pâteux avec un liquide (empois d'amidon) ;

– la saveur : un aliment change de goût selon la technique de cuisson. Il peut se produire des échanges entre l'aliment et le milieu de cuisson ;

– la valeur nutritive : les nutriments (protéines, glucides, lipides), les sels minéraux et les vitamines peuvent passer dans le milieu de cuisson, imprégner l'aliment (matière grasse, sucre...) ou être détruits.

Il existe de nombreux moyens de faire cuire un aliment. Certains comme les fritures et les ragoûts ne doivent figurer que deux ou trois fois par semaine. Pour le reste, nous allons donner quelques rappels des techniques de cuisson qui, adaptées avec un peu d'imagination, égaieront vos plats.

La cuisson au bain-marie

L'aliment ou la préparation est placé dans un récipient placé lui-même dans un récipient plus grand et rempli d'eau.

Cette technique convient aux préparations à base d'œufs : flans salés et sucrés, crèmes renversées, œufs au lait, œufs brouillés, sauce hollandaise... Si la cuisson est trop rapide, la liaison peut se rétracter et on obtient alors une préparation concentrée, « durcie », qui baigne dans un exsudat peu appétissant. Faire fondre le chocolat au bain-marie permet de ne pas le brûler et donc de conserver son goût et ses propriétés.

Le bain-marie peut se réaliser au four ou sur une plaque électrique ou à gaz. Il existe une autre possibilité, qui consiste à placer l'aliment entre deux assiettes sur une casserole d'eau bouillante : filet de poisson, tranche fine de viande. On obtient ainsi une cuisson absolument sans matières grasses qui conserve tous les minéraux et les vitamines, du moins ceux qui résistent à la chaleur.

La cuisson à l'eau

Il s'agit de faire cuire l'aliment dans de l'eau en ébullition, le temps de cuisson étant fonction de l'aliment.

La cuisson à l'eau est préjudiciable : cette technique entraîne la diffusion d'une partie des nutriments dans l'eau de cuisson, en particulier les vitamines hydrosolubles (vitamine C et vitamines du groupe B) et les sels minéraux.

Pour assurer une meilleure conservation de la valeur nutritive des aliments, il suffit de respecter quelques règles simples mais efficaces :

– bien doser la quantité d'eau nécessaire selon les aliments (en mettre le strict minimum) ;

– plonger les aliments dans de l'eau bouillante, ou froide, salée ou non, suivant l'aliment à cuire, puis régler la source de chaleur de façon à conserver un léger frémissement ;

– surveiller la cuisson, dont le temps doit être limité.

Tous les aliments se prêtent à ce mode de cuisson.

Les légumes verts

La cuisson à l'eau permet d'améliorer leur digestibilité en ramollissant les fibres (lignine, cellulose, hémicellulose). Il est également recommandé de ne pas les couper en petits morceaux afin de limiter les pertes vitaminiques et minérales.

Les légumes de couleur verte sont cuits à découvert pour préserver leur couleur, les légumes non verts (endives, carottes...) sont cuits à couvert.

L'eau de cuisson, qui contient une partie des vitamines et sels minéraux, peut être conservée pour faire un potage qu'on épaissit avec du vermicelle, des petites pâtes.

Les pommes de terre

La cuisson à l'eau des pommes de terre démarre à l'eau froide. Ce départ à froid permet d'hydrater l'amidon de la pomme de terre, de faire parvenir la chaleur progressivement vers le centre de la pomme de terre et de répartir uniformément la formation d'empois d'amidon.

Les fruits

Les fibres étant moins irritantes dans les fruits cuits, les aliments en seront plus digestes. Pour limiter les pertes minérales et vitaminiques, laissez la peau des fruits pendant la cuisson.

Les viandes

Cuire une viande à l'eau permet de l'attendrir, et d'en relever le goût en l'immergeant dans un liquide aromatisé. Pour parfumer la viande, il est conseillé d'ajouter dans l'eau de cuisson des aromates et un bouquet garni, des légumes (pot-au-feu, blanquette, poule au pot, etc.). Le départ à froid favorise la diffusion des éléments aromatiques de la garniture aromatique vers le bouillon et du bouillon vers la viande.

Les poissons

Cuire à l'eau un poisson permet de relever son goût. On peut faire un court-bouillon frais constitué d'eau et d'une garniture aromatique (légumes émincés, bouquet garni...) cuite dans une eau non salée avec un départ à froid favorisant la diffusion des molécules aromatiques dans l'eau. Préparé à l'avance, le court-bouillon sera plus savoureux. Le poisson entier, en filets, en darnes est immergé dans ce court-bouillon additionné de sel et de vin ou de vinaigre pour favoriser la coagulation des protéines de la chair de poisson qui, ainsi, ne s'émiettera pas. La cuisson se fait à petits frémissements.

Dans le commerce, il existe des produits prêts à l'emploi (courts-bouillons déshydratés, fumets), rapides à mettre en œuvre.

Les œufs

Le but de la cuisson à l'eau des œufs est de modifier l'état physique du blanc et du jaune, les protéines coagulant sous l'action de la chaleur. Suivant la température d'exposition, cette coagulation peut être partielle (œuf coque, œuf mollet) ou totale (œuf dur). Le blanc d'œuf cru est peu digeste, la cuisson améliore sa digestibilité.

Les céréales (pâtes, riz, semoule)

Sous l'effet de la chaleur humide, l'amidon se transforme en empois d'amidon qui est digeste. Cet empois d'amidon doit rester à l'intérieur des céréales afin d'obtenir des préparations non collantes, c'est pouquoi il faut les jeter dans l'eau bouillante salée afin de dénaturer rapidement leurs protéines, qui vont emprisonner l'amidon qui se transformera en empois d'amidon.

Les légumes secs

La cuisson à l'eau a pour but de ramollir la cellulose dure et indigeste, de réhydrater l'amidon et de le transformer en empois d'amidon. La cuisson des légumes secs se fait départ à froid dans une eau non salée. Le sel n'est ajouté qu'en fin de cuisson, pour ne pas durcir les grains.

Lexique

Blanchir *: plonger un légume dans une grande quantité d'eau bouillante quelques minutes afin de l'attendrir ou de le débarrasser d'un goût fort (chou par exemple).*

Court-bouillon *: petite quantité de liquide aromatisé maintenu frémissant.*

Fumet *: préparation obtenue en faisant bouillir dans de l'eau ou du bouillon des os, des arêtes et parures de poisson. Il sert de base ou d'arôme pour une sauce.*

Pocher *: plonger un aliment quelques minutes dans un liquide frémissant parfumé, salé ou sucré.*

Réduction *: petite quantité de liquide très parfumée obtenue par évaporation d'un liquide aromatisé. Elle sert comme le fumet à parfumer une sauce.*

La cuisson braisée

C'est une cuisson dans une faible quantité de liquide en vase clos. Cette cuisson est lente et se réalise à feu doux. Il faut faire revenir l'aliment pour le colorer dans un corps gras chaud à découvert. Puis on poursuit la cuisson avec une garniture aromatique et une petite quantité de liquide (eau, bouillon, vin blanc) à couvert.

Grâce à cette cuisson prolongée, il y a échange de saveurs entre l'aliment à braiser, le liquide de mouillement et la garniture aromatique de légumes (carottes, oignons, échalotes, ail…).

Pour ce genre de cuisson, il est indiqué de choisir des cocottes en fonte à couvercle s'emboîtant hermétiquement. Ces matériaux s'échauffent lentement et permettent une cuisson plus régulière. L'autocuiseur est intéressant pour cette cuisson, car il permet de réduire sa durée d'environ la moitié au tiers de la durée normale.

Les légumes

Ceux que l'on utilise le plus fréquemment sont les légumes riches en eau (endives, laitue, choux) ou en saccharose (carottes, navets, oignons). Pour les légumes riches en eau, il n'est pas toujours utile de rajouter un liquide.

Les viandes

Ce mode de cuisson est destiné surtout aux viandes de deuxième et troisième catégorie, riches en tissu conjonctif. Certaines recettes de braisés utilisent une viande de première catégorie :

- bœuf : macreuse, gîte-gîte, paleron, gîte à la noix ;
- veau : épaule, jarret, escalope (pour les paupiettes) ;
- agneau : épaule farcie ;
- porc : jambon, épaule ;
- toutes les volailles, le lapin.

Les poissons

Seuls les poissons à chair ferme et très serrée, tels le congre, le thon et la lotte, supportent cette technique de cuisson.

La cuisson en ragoût

La technique de cuisson est la même que celle du braisé. Mais, si le braisé est servi avec un jus, le ragoût est servi avec une sauce liée à la farine.

Après avoir fait revenir la garniture aromatique, on la singe avec de la farine avant d'ajouter l'aliment revenu et le liquide choisi.

Les aliments qui peuvent être cuits en ragoût sont les mêmes que ceux utilisés dans la cuisson braisée.

Lexique

Étuver : *faire cuire dans une petite quantité de liquide et de corps gras dans un récipient couvert.*

Faire revenir : *passer les aliments dans un corps gras chaud afin d'en raffermir et d'en colorer la surface.*

Foncer : *garnir le fond d'un récipient, avec, par exemple, des oignons, des carottes en rondelles, des tomates, de la couenne.*

Saisir : *cuire à feu vif la partie superficielle d'un aliment pour provoquer, en surface, une certaine coagulation.*

Singer : *saupoudrer de farine la surface des aliments après les avoir fait revenir dans la matière grasse.*

La cuisson au four

L'aliment est directement exposé à la chaleur. Il est indispensable, pour que la chaleur saisisse directement l'aliment, de faire chauffer le four 5 à 10 minutes au préalable.

Les légumes

C'est surtout sous forme de gratins qu'on les met au four. Les gratins dorent sous le beurre, la chapelure, ou le gruyère, dont on les saupoudre. Afin d'éviter un excès de matières grasses, il est possible de recouvrir le plat d'une feuille de papier d'aluminium, et de laisser dorer pendant les dernières minutes en retirant cette feuille ; avis aux amateurs de cuisine minceur.

Les viandes et les volailles

Il est nécessaire d'enduire la viande ou la volaille d'un corps gras, ou de les entourer de lard, afin de protéger la surface à rôtir d'un coup de feu (même principe que les crèmes solaires sur la peau) et de fournir une partie du jus.

Il faut éviter de piquer la viande lorsqu'on la retourne, afin que les principes nutritifs restent à l'intérieur. Par contre, lorsque vous cuisinez des volailles, piquez la peau (et non la chair) de part en part afin de laisser s'écouler la graisse sous-cutanée dans le plat, au lieu qu'elle imprègne la chair.

Selon la viande, le temps de cuisson et la température du four varient :

– 20 à 30 min/kg pour le bœuf, le mouton (la viande rouge donne un jus rosé) ;

– 60 min/kg pour le veau, 70 min/kg pour le porc, 45 min/kg pour la volaille (la viande blanche libère un jus incolore).

La forme et l'épaisseur des morceaux peuvent faire varier les temps de cuisson. On choisira toujours des viandes tendres de première catégorie :

– bœuf : noix, sous-noix, noix pâtissière, quasi, longe ou rognons ;

– agneau : gigot, filet, épaule désossée (deuxième catégorie) ;

– porc : filet, échine ;

– volailles.

À propos de la température du four, il faut saisir les viandes :

– rouges : à four vif (th. 8/9 ou 250 °C) ;

– blanches : à four chaud (th. 7/7,5 ou 200 °C).

Voici trois principes à retenir pour la cuisson des viandes au four : il faut la saisir, ne pas la piquer, et saler en fin de cuisson. Cela lui évite de se vider de ses sucs, ce qui aurait pour effet de la rendre sèche et dure.

Les poissons

Ils cuisent au four dans un liquide qui s'évapore en cours de cuisson. On peut les protéger des coups de feu en le saupoudrant d'herbes ou d'aromates qui les parfumeront simultanément.

Les œufs

Leur cuisson au four se fait par le biais du bain-marie, comme pour les œufs cocotte.

Précieux ustensiles

Les cuissons au four peuvent s'alléger des matières grasses grâce à l'utilisation de plats antiadhésifs ou de papier d'aluminium.

Lexique

Arroser *: mouiller la surface de la préparation en train de cuire.*

Brider *: passer une ficelle pour attacher les membres d'une volaille ou refermer un morceau désossé à l'aide d'une aiguille à brider avant de les faire cuire.*

Déglacer *: délayer les sucs de cuisson pour en faire un jus en rajoutant de l'eau, ou de la crème, ou tout autre liquide (vin, crème...).*

Lèchefrite *: pièce creuse adaptée aux dimensions du four dans laquelle on recueille le jus produit par le rôtissage d'un aliment.*

La cuisson au gril

L'aliment est placé au plus près d'une source de chaleur. Les meilleurs grils sont en fonte car ils chauffent uniformément. Le gril, comme le four, doit être chauffé à l'avance afin de saisir l'aliment. Seuls les aliments tendres supportent ce mode de cuisson. Nous ne traiterons ici que des viandes et des poissons.

Attention : évitez de trop griller vos aliments. Des recherches menées sur la cuisson des aliments montrent que la cuisson excessive jouerait un rôle important dans l'apparition de certains cancers digestifs. Le contact avec la flamme et la fumée aggraverait ces effets délétères. Il ne faut pas abuser des grillades et des barbecues (dans ce dernier cas, évitez le contact des aliments avec les flammes).

Les viandes

On sélectionne des viandes de première catégorie, telles que ;

– bœuf : bavette, rumsteck, entrecôte, faux-filet, filet et tranche grasse de bœuf ;

– veau : escalope (noix, sous-noix, noix pâtissière), côtelette :

– agneau : côtelette, tranche de gigot ;

– porc : côtelette, saucisses...

Les poissons

Faites griller entiers ceux de petite taille comme la sardine, le maquereau, le hareng, le merlan, et en tranches ceux comme le cabillaud, le thon.

Pour des grillades réussies

Il est nécessaire de chauffer suffisamment le gril au préalable pour que l'aliment soit bien saisi. De la même façon que pour les cuissons au four, il faut saler après cuisson et éviter de piquer les aliments de manière à empêcher la fuite des sucs.

Si la grillade se fait au four, laissez la porte entrouverte pour évacuer l'humidité dégagée.

La cuisson en papillote

La cuisson en papillote consiste à cuire un aliment dans une enveloppe : papier sulfurisé (à préférer au papier d'aluminium), moule en silicone, feuilles de brick, de filo. L'aliment cuira dans son eau de constitution avec un peu de matière grasse (non obligatoire) et des aromates. Ses saveurs et ses parfums restent concentrés jusqu'au moment de l'ouverture de la papillote.

Attention à doser avec parcimonie les condiments, car la concentration de leurs arômes peut être préjudiciable au résultat.

Les légumes et les fruits

Les légumes doivent être blanchis ou précuits, surtout ceux qui sont riches en fibres plus ou moins dures (poireaux, oignons, carottes...).

Avec cette technique, les végétaux conservent au maximum leurs vitamines et minéraux.

Les viandes

Les papillotes conviennent tout particulièrement aux viandes comme les volailles, le lapin. En les accompagnant d'aromates, de tomates, de légumes émincés blanchis ou précuits, on obtient des plats extraordinairement moelleux, à condition de choisir de petites pièces de viande.

Les poissons

Badigeonnés d'huile d'olive et saupoudrés d'herbes aromatiques (aneth, persil...) et d'épices, les poissons gardent au maximum leur saveur. On retrouve le goût véritable de la chair du poisson sans qu'il y ait déshydratation.

Évitez d'utiliser du papier d'aluminium si vous mettez du jus de citron. L'acidité du milieu fait que des molécules d'aluminium peuvent se retrouver dans le poisson, l'aluminium étant néfaste pour la santé (effets neurologiques).

Saveur et légèreté

Pour les amateurs de cuisine minceur, la cuisson en papillote est un excellent moyen de supprimer les graisses d'assaisonnement et de redécouvrir les diverses saveurs des aliments.

La cuisson à la vapeur

La cuisson à la vapeur consiste à maintenir l'aliment dans une vapeur d'eau. La plus couramment rencontrée est la cuisson à l'autocuiseur, mais de plus en plus d'appareils de cuisson chinois, japonais, allemands (les deux premiers étant les spécialistes de la cuisson à la vapeur) se trouvent dans les grandes surfaces.

La cuisson à la vapeur est une variante de la cuisson à l'eau, si ce n'est qu'ici il n'y a aucun contact avec le liquide. Les pertes par diffusion sont moindres. La seule perte vitaminique réelle est celle en vitamine C, qui est hypersensible à la chaleur. Le liquide qui donne naissance à la vapeur est placé sous l'aliment. Ce peut être simplement de l'eau, les aliments conservent alors leur saveur propre, ou bien un liquide parfumé : bouillon, eau plus aromates ou herbes diverses qui donnent une saveur particulière aux aliments. Tous les aliments peuvent être cuits à la vapeur.

Les légumes

Pour éviter de trop grandes pertes vitaminiques et minérales, on choisit l'autocuiseur. Cette cuisson s'effectue sous pression. Il faut mesurer avec soin les quantités de liquides utilisées. Il ne se produit aucune évaporation, on utilise donc moitié moins d'eau que d'habitude. L'autocuiseur concentre les saveurs, les aromates ne sont donc pas de rigueur. Pour obtenir une bonne cuisson, il est nécessaire de baisser le feu dès que la soupape se met à tourner. Le temps de cuisson est compté à partir de la montée de la pression (dès que la soupape bouge). La nouvelle cuisine préconise des légumes cuits *al dente*, leur temps de cuisson s'en voit diminué, les pertes minérales et vitaminiques sont moindres.

Les viandes

Ce sont surtout les viandes blanches, comme le veau, le porc, le lapin, qui supportent le mieux la cuisson à la vapeur, ainsi que les volailles (poule, poulet...). Dans le cas de la viande, on augmente la qualité organoleptique (saveur) en utilisant des liquides aromatisés (la sauge rehausse par exemple le goût du porc, le thym celui du veau. Laissez voguer votre imagination).

Les temps de cuisson varient avec les types de viandes ; la viande sera cuite lorsque la chair, de rosée, deviendra blanche.

Les poissons

Ils supportent aussi très bien ce mode de cuisson. Dans les nouvelles recettes, on retrouve souvent des poissons cuits à la vapeur sur un lit de légumes. Dans ces cas-là, il faut choisir des poissons à chair tendre (sole, limande) qui cuisent vite, afin de ne pas dénaturer les légumes par un temps de cuisson trop long. À ce moment-là, le liquide de fond sera de l'eau nature, le poisson s'imprégnant de la saveur des légumes.

Lexique

Autocuiseur : *appareil permettant de cuire les aliments sous pression.*

Cuit vapeur : *ustensile ou appareil de cuisson qui permet de cuire les aliments à la vapeur.*

Gril *: ustensile sur lequel on fait cuire à feu vif de la viande, du poisson.*

Tamis *: grilles superposées, utilisées en cuisine chinoise pour la cuisson à la vapeur. On pose sur chaque tamis des ingrédients bien déterminés que l'on superpose dans un ordre précis selon les saveurs que l'on désire obtenir.*

La friture

La friture profonde est une immersion totale dans la matière grasse chaude (frites, beignets) tandis que la friture plate est une immersion en deux temps dans une quantité moindre de matière grasse non réutilisée (escalopes panées, œufs sur le plat). Cette cuisson a pour conséquence :

– l'absence de diffusion des composés hydrosolubles comme les protéines, les glucides, les vitamines du groupe B et C, les minéraux ;

– la coagulation et le raffermissement des aliments riches en protéines (viande, poisson, œuf). Attention, les viandes riches en collagène (deuxième et troisième catégorie) ne peuvent pas être cuites en friture car elles deviennent dures et sèches ;

– la formation d'empois d'amidon grâce à la cuisson de leur amidon dans l'eau de constitution des aliments riches en amidon comme les pommes de terre ;

– la formation en surface d'une croûte due à la réaction de Maillard et à la caramélisation des sucres ;

– une augmentation de la teneur en matière grasse de l'aliment frit.

Pour réussir une friture, il faut que les aliments soient :

– peu épais : les viandes sont coupées en tranches minces (escalope panée), les poissons sont petits ou en filets. Les légumes sont en tranches, en petits bouquets, les purées, beignets cuits par cuillerées à café ;

– de forme régulière pour cuire uniformément ;

– tendres, la friture n'attendrissant pas la viande ;

– riches en glucides et/ou en protéines en surface pour qu'une croûte puisse se former, sinon on les enrobe de farine, de panure, de pâte à frire ;

– secs, pour éviter les projections d'huile. Si nécessaire, l'aliment doit être épongé avec du papier absorbant avant d'être frit.

La température de la matière grasse doit être contrôlée, elle ne doit jamais fumer. En l'absence de thermostat, pour apprécier sa température pour la cuisson en friture profonde, déposez une petite quantité de l'aliment dans le bain ; il doit être saisi et vous devez constater la formation de bulles à la surface.

La cuisson au micro-ondes

Le four à micro-ondes permet d'augmenter la température des aliments soumis à des ondes électromagnétiques. Absorbées par les aliments, les ondes provoquent une agitation moléculaire qui est transformée instantanément en chaleur.

Les micro-ondes pénétrant dans l'aliment, le chauffage se fait à cœur et se propage vers sa périphérie. Cela s'accompagne d'une diffusion de l'eau de l'intérieur de l'aliment vers l'extérieur, ce qui contribue à maintenir sa surface froide (attention aux risques de brûlure de la bouche, la température interne de l'aliment pouvant être élevée).

On obtient une cuisson rapide et homogène augmentée par l'utilisation d'un plateau tournant ou par la présence de pales tournantes situées près de l'émetteur pour mieux répartir les ondes. Dans l'ensemble, la cuisson aux micro-ondes :

– préserve mieux les vitamines que les autres cuissons traditionnelles ;

– ne nécessite pas l'adjonction de matière grasse ;
– conserve le goût des aliments.

Pour utiliser au mieux le four à micro-ondes, quelques consignes sont à suivre :

• Il est nécessaire d'utiliser des récipients en carton, verre, Pyrex, porcelaine (sans décor à base de métal), silicone ou plastique qui laissent passer les micro-ondes sans les réfléchir et sans s'échauffer. Certains plats en terre (grès, céramique), soumis au rayonnement, produisent de la chaleur et risquent de brûler les mains quand on les prend.

• Ne décongeler, réchauffer, éventuellement cuire, que de petites quantités d'aliments de faible épaisseur.

• Couvrir les aliments humides avec un couvercle « spécial micro-ondes » ou un film alimentaire ou un couvercle plastique pour éviter la déshydratation et les projections.

• Pour cuire et réchauffer des plats cuisinés se trouvant dans des emballages étanches, il est recommandé d'y percer des trous pour éviter une supression à l'intérieur et leur explosion.

• Perforer la surface des aliments ayant une peau pour éviter qu'ils n'éclatent sous la pression de la vapeur.

• Disposer les aliments au centre de l'enceinte.

• Faire dorer avant cuisson au four au micro-ondes les aliments peu ou pas colorés.

• Si la puissance est trop élevée ou la durée de chauffage trop longue par rapport à la quantité à chauffer, l'aliment va s'amollir ou devenir élastique puis se dessécher rapidement ; il faut suivre les instructions du fabricant du four et celles indiquées sur les emballages.

• Il est recommandé de laisser un temps d'attente avant de consommer les aliments afin que la température s'uniformise, pour éviter les risques de brûlure.

Inconvénient de la cuisson au micro-ondes

La surface des aliments cuits au four à micro-ondes ne forme pas la croûte typique des aliments rôtis, grillés ou frits. Cette croûte formée à partir de 120 °C (réaction de Maillard) est responsable des arômes, saveurs, odeurs et croustillance si appréciés des gourmets. Ces défauts sont éliminés par l'utilisation de fours combinés (four à micro-ondes incorporé dans un four traditionnel) ou par l'utilisation de plats ou d'emballages qui fournissent une surface brûlante permettant la formation de croûte).

La conservation

Le développement de l'urbanisme, le manque de temps ont conduit à limiter la consommation des aliments et des plats traditionnels (légumes, pot-au-feu...). Nous consommons des aliments conservés par appertisation, par le froid, la lyophilisation, la déshydratation, l'irradiation. Le consommateur se pose souvent les questions suivantes : un aliment conservé n'est-il pas altéré par les transformations qu'il a subies pour sa conservation ? A-t-il la même valeur alimentaire qu'un aliment frais ? Est-il bon pour la santé ?

Les conserves « appertisées »

Quand on ouvre une boîte, juste avant de passer à table, on le fait souvent avec un soupçon de remords. Les légumes frais, par exemple, préparés avec soins auraient été meilleurs pour la santé, plus riches en vitamines (vitamine C, en particulier).

C'est Nicolas Appert qui, en 1810, mit au point la méthode de conservation par la chaleur, d'où le terme d'« appertisation ». Son procédé consistait à enfermer les aliments dans des récipients hermétiquement clos, à les porter à une température de 100 °C et à les refroidir avant de les entreposer à température ambiante.

Actuellement, les aliments, après avoir été lavés, pelés, parés, mis en boîte (parfois sous vide), sont chauffés entre 120 et 130 °C. Il y a stérilisation, les germes pathogènes (salmonelles, staphylocoques, *Clostridium botulinum*...) ont été détruits. La durée du traitement thermique varie suivant le produit et le format de la boîte.

Sitôt stérilisées, les boîtes sont refroidies de manière à éviter un chauffage prolongé qui altérerait la texture, l'apparence et le goût de la conserve.

Aucune substance de conservation ne peut être ajoutée à une conserve. Les additifs autorisés sont les suivants :

- colorants pour certains fruits ;
- acide ascorbique servant comme antioxydant ;
- acide citrique gardant la couleur blanche des asperges, salsifis, artichauts, etc. ;
- glutamate de sodium développant le goût de certains plats cuisinés.

Valeur alimentaire des conserves

La principale crainte des consommateurs est que les conserves soient mauvaises pour la santé, que les aliments aient perdu toute leur valeur alimentaire, en particulier en vitamines.

Cette idée fausse est née très vraisemblablement des histoires d'épidémie de scorbut qui se déclaraient autrefois à bord des navires où les marins ne se nourrissaient que de poissons et d'aliments stockés depuis au moins le jour où ils avaient appareillé. Ce que l'on oublie, c'est qu'il ne s'agissait pas de conserves en boîte ou en bocal, mais de viandes fumées ou salées.

Des expériences ont démontré que l'on pouvait se nourrir pendant des mois uniquement avec des conserves sans souffrir de carences. La première expérience fut réalisée en 1932 : quinze hommes de la mission française au Groenland ont vécu pendant 13 mois uniquement de conserves, sans manger un seul aliment frais, et sans ressentir aucun trouble d'origine alimentaire.

Dans l'industrie, les matières premières utilisées pour la fabrication des conserves sont de première qualité. Les denrées (fruits, légumes, poissons, viandes) sont acheminées et utilisées par les conserveries dans des délais très brefs. Les conserveries se trouvent souvent sur les lieux mêmes de récolte, de pêche ou d'abattage.

Devenir des glucides, des lipides et des protéines

Il n'y a pratiquement aucune perte de ces nutriments. Lors du chauffage, l'amidon se transforme en empois d'amidon et en sucres prédigérés (dextrines). Cette transformation se retrouve lors de la cuisson ménagère. Dans les conserves de fruits, le fructose (sucre des fruits) passe dans le jus qui, dans la plupart des cas, est consommé. Pour les lipides, les températures auxquelles les acides gras sont dégradés ne sont pas atteintes lors de la stérilisation. Les protéines coagulent, gardant leur même valeur nutritionnelle.

Devenir des vitamines

Les conserves de légumes et de fruits contiennent souvent plus de vitamines (en particulier de vitamine C) que ces mêmes légumes et fruits cuits et cuisinés à la maison.

Les règles de préparation des aliments sont souvent mieux observées dans les usines que par le particulier :

- Les pertes par stockage sont minimes, les usines de conserve étant sur les lieux de récolte. Par exemple, des petits pois sont mis en conserve et prêts pour la consommation moins de 2 heures après leur récolte. Par contre, les légumes achetés sur le marché ont souvent été stockés pendant plusieurs jours, or 40 à 50 % de la vitamine C sont perdus en 24 heures, surtout s'il fait chaud.
- Les opérations d'épluchage, de parage, de lavage et de tranchage sont effectuées très rapidement dans les usines.
- Selon certains préjugés, les conserves sont supposées pauvres en vitamines en raison des traitements thermiques subis pour leur stérilisation. Les vitamines A, D, E, et C ne sont rapidement détruites par la chaleur qu'en présence d'oxygène. Lors de la fabrication des conserves, les boîtes ou les bocaux sont remplis de façon que leur fermeture laisse des quantités d'air aussi réduites que possible. Donc, les pertes en vitamines A, D, E et C sont minimes. Des contrôles fréquents montrent que les légumes et les fruits en conserve gardent 55 à 90 % de la quantité de vitamine C qu'ils possédaient au moment du ramassage.

Lors de l'entreposage des conserves à une température de 20 °C, la rétention de la vitamine C est excellente : on en retrouve plus de 90 % au bout de deux ans. Si la température d'entreposage est élevée, les pertes sont supérieures : perte de 50 % de vitamine C au bout de deux ans à une température de 27 °C.

Devenir des sels minéraux

Les pertes de sels minéraux par dissolution sont les seules à noter. Elles se produisent au cours du nettoyage et du blanchiment des aliments (fruits et légumes). Les liquides de remplissage des conserves renferment une quantité importante de sels minéraux qui s'y dissolvent.

Les mêmes pertes par dissolution se retrouvent lors de la préparation et de la cuisson des légumes ou des fruits à la maison.

Utilisation des conserves

La date limite d'utilisation optimale indique au consommateur jusqu'à quand la conserve gardera ses qualités organoleptiques. Généralement, les produits acides (tomates, poissons au vin, au citron...) ont une durée optimale de 2 ans, la plupart des autres produits, de 3 ou 4 ans.

Les conserves doivent être gardées dans un endroit frais, non humide, pour éviter l'apparition de rouille qui risque d'atteindre l'intérieur de la boîte. Les conserves en bocaux de verre doivent être stockées à l'abri de la lumière pour préserver les vitamines photosensibles.

Les boîtes de conserve bosselées (qui ont reçu un choc lors du transport) peuvent être consommées, mais pas les boîtes bombées : c'est un signe de fermentation anormale.

Avant d'ouvrir une boîte de conserve, il est conseillé de nettoyer le couvercle pour ne pas répandre à l'intérieur les microbes de l'extérieur. En effet, ces boîtes sont passées dans de nombreuses mains, ont été transportées dans des camions plus ou moins propres, ont reçu de la poussière.

Si un léger sifflement se fait entendre quand la boîte est ouverte, et s'il n'est pas accompagné d'une mauvaise odeur, il ne signifie pas que l'aliment est avarié. C'est l'air contenu dans la conserve qui s'échappe.

Une conserve entamée doit être rapidement consommée.

Le jus des conserves de légumes et de fruits est riche en vitamines et en sels minéraux. Pour ne pas les perdre, il faut éviter de le jeter. On peut l'incorporer dans des préparations culinaires (potages, sauces, salades de fruits...). L'utilisation des conserves nécessite tout au plus un simple réchauffage avant leur consommation. L'ébullition est à proscrire : on évite ainsi les pertes vitaminiques par la chaleur.

Les conserves familiales

À l'heure actuelle, on constate un regain de confection de conserves familiales. Or, la plupart des germes pathogènes (salmonelles, staphylocoques, *Clostridium botulinum* en particulier) ne sont détruits qu'à des températures supérieures à 120 °C. Les conserves ménagères, stérilisées par ébullition, n'atteignent jamais 100 °C à cœur, d'où des risques d'intoxication alimentaire lors de leur consommation. Par contre, les barèmes de stérilisation des conserves industrielles mettent à l'abri de ces risques d'intoxication.

Les semi-conserves

Les semi-conserves sont parfois confondues avec les conserves « appertisées », dont elles ont l'apparence (boîtes ou bocaux). En fait, elles n'ont pas subi de stérilisation préalable mais un traitement (parfois une pasteurisation) qui leur permet d'être conservées plus longtemps qu'un produit frais à condition qu'elles soient entreposées à moins de 10 °C.

La mention « tenir au frais » est obligatoire. Il est important avant de les acheter de vérifier si effectivement cette règle a été observée. La date d'utilisation optimale doit être particulièrement respectée.

La congélation et la surgélation

Un Français, Charles Tellier, fut le premier à utiliser la congélation pour conserver des aliments. En 1876, il transporta par navire de la viande congelée de Buenos Aires en France. Après un trajet de 105 jours, la viande arriva en excellent état.

La surgélation, telle que nous la connaissons, est née en 1929. C'est un Américain, Clarence Birdseye, qui inventa la congélation rapide des denrées périssables.

La différence entre la congélation et la surgélation est souvent peu connue.

La congélation (lente)

Elle consiste à plonger un aliment à une température de 0 à – 20 °C. L'eau de constitution des aliments va se transformer en cristaux de glace. Le refroidissement étant lent, ces cristaux vont être de dimension assez grande ; leurs arêtes peuvent endommager les parois des cellules de l'aliment. D'où, lors de la décongélation, un aspect flasque de l'aliment qui libère beaucoup d'eau. Cette congélation lente altère, dans une certaine mesure, la constitution de l'aliment. Elle n'est plus utilisée dans l'industrie agroalimentaire sauf pour des grosses pièces (carcasses de viande). La congélation domestique est une congélation lente, les congélateurs n'étant pas assez performants.

La surgélation ou congélation ultrarapide

Elle consiste à amener rapidement l'aliment à une température inférieure ou au plus égale à – 18 °C (moyennant une température environnante de – 40 °C). Les cristaux de glace formés sont alors de petites dimensions. Ils ne vont pas endommager les parois des cellules. Lors de son utilisation, l'aliment retrouvera son aspect initial, il ne laissera pas échapper d'exsudat. À l'heure actuelle, la surgélation est la méthode employée par les industriels.

Valeur alimentaire des surgelés

Les produits utilisés pour la surgélation doivent être parfaitement sains, frais et mûrs. Les usines de surgélation sont, en général, situées dans des zones maraîchères, près des abattoirs. Le poisson est surgelé soit sur les chalutiers, soit dans le port de pêche. Les différentes opérations nécessaires à cette entreprise (lavage, parage, blanchiment, pelage, éviscération...) sont faites rapidement.

La valeur alimentaire de l'aliment est pratiquement identique par rapport à celle du produit frais :

– pas de modifications des glucides, protéines et lipides ;

– aucune perte en sels minéraux lors de la surgélation. Seules des pertes par dissolution lors de la préparation de l'aliment sont à noter. Ces pertes se retrouvent lors des préparations ménagères (où elles sont souvent plus importantes) ;

– la dégradation vitaminique, notamment de la vitamine C, est considérablement ralentie par le froid. La surgélation, par elle-même, ne cause aucune perte en vitamines. Lors du stockage, les pertes sont minimes : par exemple, en 12 mois de stockage à – 18 °C, des haricots verts ne perdent que 25 % de leur vitamine C.

Utilisation des surgelés

Le froid a pour vertu de ralentir la multiplication microbienne mais il ne la détruit pas. Il est donc nécessaire de respecter la chaîne du froid, qui garantira la qualité finale des produits surgelés. La chaîne du froid désigne la succession des étapes parcourues par les produits surgelés, de la surgélation à l'utilisation par le consommateur. Leur température « à cœur » doit toujours être inférieure, ou, au plus, égale à – 18 °C lors de leur entreposage, leur transport, leur distribution, leur vente au détail et enfin leur rangement chez le consommateur.

Le consommateur est le dernier maillon de cette chaîne du froid. Lui aussi doit prendre un certain nombre de précautions pour conserver toutes les qualités aux produits surgelés.

• Lors de l'achat de surgelés, les paquets ne doivent présenter ni givre, ni déformation, et les aliments ne doivent pas être collés entre eux. Si tel est le cas, cela signifie qu'à un certain moment la chaîne du froid a été interrompue, d'où des risques d'altération du produit.

• L'achat de surgelés doit être effectué au dernier moment, après avoir fait toutes les autres courses. Du point de vente au domicile, les surgelés doivent être protégés contre tout réchauffement intempestif, en particulier si le trajet dure plus d'une heure. Glacière, sacs spéciaux, boîtes en polystyrène peuvent être utilisés. Plus le sac de surgelés est rempli, meilleur est le maintien du froid. Faute de récipient isotherme, on peut utiliser des couvertures ou des journaux, qui forment des couches isolantes autour des produits.

• À la maison, les surgelés se conservent :

– plusieurs mois dans les congélateurs 4 et 3 étoiles, à – 18 °C ;

– un mois dans un congélateur 2 étoiles, à – 12 °C ;

– une semaine dans un congélateur 1 étoile, à – 6 °C ;

– 2 à 3 jours dans un compartiment à glaçons, à – 2 °C ;

– 24 heures dans un réfrigérateur, à 4 °C.

Les surgelés ont une date limite d'utilisation optimale jusqu'à laquelle le fabricant garantit les qualités nutritionnelles et gustatives de son produit dans les conditions normales de conservation (à – 18 °C). Cette date ne constitue pas une date limite de vente ni de consommation, ni de péremption puisque les qualités bactériologiques des produits surgelés sont maintenues quasi indéfiniment à – 18 °C. Attention, les produits gras ont une durée de conservation moins longue : des enzymes, les lipases, inhibées seulement à une température inférieure ou égale à – 25 °C, peuvent modifier les qualités organoleptiques de l'aliment.

Il faut aussi que le consommateur sache bien traiter le produit surgelé au moment lors de son utilisation. Certains produits se consomment frais, d'autres sont prêts à consommer tels quels, moyennant un chauffage ou tout au moins une décongélation. La décongélation préalable n'est indispensable que dans un très petit nombre de cas. Produits de viennoiserie, entrées en croûte, quiches, pizzas, pommes dauphine, plats cuisinés sont simplement réchauffés au four ou à la poêle. Les viandes en tranches, les croquettes, les poissons entiers, en filets, les légumes... sont à cuisiner directement, sans décongélation.

Leur préparation est identique à celle des produits frais : au gril, au four, à la poêle, en friteuse, à l'eau, à la vapeur. Les produits qui se consomment crus (jus de fruits, fruits...), les produits préparés qui ne peuvent être consommés qu'après décongélation (pâtisseries, crevettes...) ou les produits de base dont la préparation exige qu'ils soient malléables (pâte brisée, feuilletée...) nécessitent une décongélation préalable. Une bonne décongélation se pratique :

– dans la partie basse du réfrigérateur ;

– dans un four à chaleur tournante ou au micro-ondes ;

– exceptionnellement, en cas d'urgence, en plongeant le sachet hermétique contenant le produit dans un récipient d'eau froide sur lequel on laisse couler de l'eau froide.

Il ne faut jamais décongeler au chaud : dans un four classique, sur le radiateur, au soleil, dans de l'eau chaude.

Il existe une règle absolue : on ne doit jamais remettre dans le congélateur un aliment qui a été décongelé. En effet, le froid a pour but de ralentir la multiplication microbienne et non de détruire les germes. Dès que les aliments retrouvent la température ambiante, les germes reprennent vie et se multiplient très rapidement.

La déshydratation

Le séchage est un des plus vieux modes de conservation. L'élimination partielle (en général moins de 45 %) ou en quasi-totalité de l'eau inhibe la multiplication microbienne. Poissons, viandes séchées, fruits séchés au soleil sont des moyens de conservation qui n'ont pas disparu et continuent de représenter un secteur mineur de la conservation.

Cependant les microbes contenus dans les denrées ne sont pas obligatoirement morts, et si l'on vient à humidifier le produit, les microbes peuvent reprendre vie. C'est pour cette raison que les aliments déshydratés doivent être conservés à l'abri de l'humidité.

Ces aliments, (légumes, lait en particulier), déshydratés grâce aux techniques modernes, conservent à peu près leur valeur nutritive et vitaminique d'origine.

La lyophilisation

La lyophilisation est un procédé spécial de dessiccation. Les aliments sont surgelés avant d'être desséchés. L'eau passe directement de l'état de glace à celui de vapeur : il n'y a pas de passage par la phase liquide. Ainsi, tous les éléments que l'eau dissoudrait sont conservés.

La lyophilisation conserve la valeur nutritionnelle et le goût des aliments. À l'heure actuelle, c'est un procédé qui revient assez cher. Il est surtout réservé aux produits déjà onéreux comme le café, les champignons, certains constituants des potages en sachets.

L'ionisation ou irradiation

Jamais une technique de conservation n'aura été autant passée au crible par les nutritionnistes, les toxicologues et les organismes mondiaux de la santé que celle de l'ionisation des aliments. Cette technique est née dans les années 1960 avec un lourd handicap : celui de la peur suscitée par tout ce qui touche de près ou de loin aux radiations ionisantes.

Le principe de l'ionisation consiste à exposer les aliments à des rayonnements ionisants afin de détruire le nombre de micro-organismes pathogènes (d'où le terme de « pasteurisation à froid » utilisé). Par ailleurs, dans les aliments d'origine végétale (pommes de terre, oignons...), l'ionisation inhibe la germination en arrêtant la multiplication de certaines cellules à division très rapide (l'irradiation des pommes de terre est interdite en France mais non dans d'autres pays de l'Union européenne, comme la Belgique, l'Italie, le Royaume-Uni).

Les nutriments sont très peu dégradés.

En France, les denrées et ingrédients autorisés à être irradiés sont : les herbes aromatiques surgelées et séchées, les épices et les condiments, les aulx, les oignons, les échalotes, les fruits et légumes secs, les flocons et germes de céréales pour produits laitiers, la farine de riz, la gomme arabique, les abats de volaille, les viandes de volaille séparées mécaniquement, les blancs d'œufs, les cuisses de grenouille congelées, les crevettes congelées.

La conservation sous vide

L'aliment ou la préparation cuisinée est placé dans un emballage étanche d'où l'air est chassé. Les micro-organismes qui ont besoin d'oxygène pour se développer (aérobies) sont inhibés, le produit est protégé de la dessiccation et de l'oxydation. Ce procédé permet d'allonger la durée de conservation de l'aliment tout en lui gardant son goût et ses qualités nutritionnelles. Cependant, les aliments restent périssables et doivent toujours être conservés au réfrigérateur (4 °C) pendant une durée limitée (de 21 à 42 jours suivant les produits).

Leur valeur nutritionnelle est identique à celle des plats cuisinés traditionnellement. Ce mode de conservation permet de ne pas utiliser d'additifs alimentaires.

Attention ! Avant d'en acheter, regardez leur composition : les industriels ont parfois la mauvaise habitude de mettre trop de corps gras.

La conservation sous atmosphère contrôlée

Les produits frais, prêts à la consommation, sont conditionnés dans un emballage qui sert de compartiment à une atmosphère modifiée : l'air est chassé et il est remplacé par un gaz neutre (azote ou gaz carbonique). Les végétaux (carottes, chou rouge râpé, salade...) conservés ainsi constituent la quatrième gamme, très utilisée dans la restauration car elle est pratique (pas d'épluchage, de lavage, donc moins de main-d'œuvre). Leur conservation se fait au réfrigérateur pendant une durée limitée (8 jours).

Ce mode de conservation permet de garder la valeur nutritionnelle des aliments – des vitamines en particulier –, qui sont ainsi faciles à utiliser et rapides d'emploi. Pour le goût, à chacun d'apprécier !

Conservation des végétaux

Il existe cinq gammes pour les végétaux :

- *première gamme : produits frais traditionnels ;*
- *deuxième gamme : produits appertisés (en conserve) ;*
- *troisième gamme : produits congelés ;*
- *quatrième gamme : produits crus, prêts à l'emploi ;*
- *cinquième gamme : produits cuits sous vide.*

Quand on déjeune hors de chez soi

Journée continue, lieu de travail éloigné du domicile... nombreuses sont les raisons pour lesquelles les repas et en particulier le déjeuner sont pris à l'extérieur. Pour certains, le restaurant d'entreprise à choix multiples peut être un piège, pour d'autres le sandwich, le plat maison, la salade... sont soit trop lourds et difficiles à digérer, soit trop légers et conduisent au grignotage dans l'après-midi ou la soirée ; enfin il y a ceux qui mangent au restaurant traditionnel et pour qui le choix entre raison et gourmandise est un véritable dilemme.

À la base, le repas de midi doit apporter environ 40 % de l'énergie totale de la journée : environ 880 kcal (3 680 kJ) pour une femme et 1 100 kcal (4 500 kJ) pour un homme. Ce repas doit être constitué de différents groupes alimentaires (produits laitiers, viandes/poissons/œufs, légumes/fruits, produits céréaliers/féculents, eau) ; si un groupe alimentaire est absent, il devra se retrouver aux autres repas (petit déjeuner, dîner).

Restauration rapide

Fast-food, sandwicherie, restaurant à pâtes, bar à soupes... ont littéralement explosé dans les grandes villes. L'offre s'est considérablement diversifiée, le hamburger avec frites et sodas fait de plus en plus place à des sandwichs au pain complet accompagnés de sauces allégées, de variétés de soupes plus originales les unes que les autres, de nombreuses sortes de pâtes...

Cependant, on peut aller d'un excès à l'autre : repas trop riche en gras et en sucre comme repas trop allégé en calories. Il faut faire les bons choix et les bonnes associations, les formules proposées par les points de vente ne constituant pas toujours des menus équilibrés.

Les quelques conseils suivants vous aideront dans vos choix.

Au fast-food

Le menu choisi dans ce type de restauration est souvent composé d'un hamburger, de frites et d'une boisson sucrée qui vont apporter en moyenne 40 g de lipides et 126 g de glucides (dont un tiers sous forme de sucre). Si on y ajoute un dessert type glace ou muffin, l'apport en lipides et en glucides explose. Plus de la moitié des besoins quotidiens en lipides et en glucides seront apportés par ce seul repas, qui sera carencé en fibres, vitamines, polyphénols... Consommé chaque jour, ce type de repas va avoir des effets nocifs sur la santé ; si ce n'est pas une prise de poids, cela peut augmenter le mauvais cholestérol, les triglycérides, qui sont des facteurs de risques de maladies cardio-vasculaires.

On peut manger relativement équilibré dans un fast-food. On choisira de préférence le hamburger simple accompagné d'une portion de frites, un yaourt à boire, un sachet de fruit et de l'eau. Cette formule apporte environ 800 kcal (3 400 kJ).

Attention aux formules allégées que les fast-foods proposent, composées d'une salade, de fruit et d'une boisson light. Elles apportent environ 500 kcal (2 000 kJ), ce qui peut entraîner un grignotage dans l'après-midi qui annulera tous les efforts faits au moment du déjeuner.

À la sandwicherie

La composition des sandwichs s'est diversifiée depuis quelques années. On trouve le pire et le meilleur pour ce qui est de leur composition (et aussi du goût). Les paninis, les sandwichs garnis de mayonnaise trop gras accompagnés d'une boisson sucrée sont à éviter. Il faut préférer les sandwichs fait avec un pain traditionnel (baguette, pain complet, de campagne...) beurré (légèrement), garni de crudités (salade, tomates...), de jambon blanc ou cru ou de blanc de poulet et de fromage. Accompagné d'un jus de fruits, ce repas est complet, comprend plusieurs groupes alimentaires et n'entraînera pas de grignotage dans l'après-midi.

À SAVOIR

Un sandwich jambon beurre apporte 450 kcal (1 884 kJ). Certaines autres formules qui peuvent aussi se manger rapidement possèdent une densité énergétique très importante et sont riches en graisses. Par exemple :
– un friand à la viande : 570 kcal (2 400 kJ) ;
– une part de pizza : 550 kcal (2 300 kJ) ;
– une part de quiche lorraine : 540 kcal (2 260 kJ) ;
– un friand au fromage : 470 kcal (2 000 kJ) ;
– un croque-monsieur : 400 kcal (1 700 kJ) ;
– un croissant au jambon : 290 kcal (1 190 kJ).

Composition nutritionnelle
de quelques produits vendus dans les fast-foods

	Protéines	**Lipides**	**Glucides**	**Valeur énergétique**
Hamburger simple	13 g	9 g	30 g	255 kcal (1 100 kJ)
Double cheeseburger	26 g	23 g	31 g	430 kcal (1 800 kJ)
Portion de frites (160 g)	7 g	23 g	59 g	470 kcal (2 000 kJ)
6 nuggets de poulet	17 g	13 g	16 g	250 kcal (1 050 kJ)
Salade Caesar + sauce	29 g	10 g	24 g	320 kcal (1 350 kJ)
Glace à base de lait + noix de pécan, amandes...	7 g	14 g	51 g	360 kcal (1 500 kJ)
Muffin chocolat	5 g	18 g	37 g	330 kcal (1 380 kJ)

Au restaurant

Les repas pris au restaurant sont souvent jugés trop riches en gras, en sucre. Un choix judicieux des plats peut cependant permettre d'avoir un repas équilibré. Il suffit de suivre ces quelques conseils si vous mangez dans une brasserie :

– choisissez la formule entrée et plat ou plat et dessert ;

– limitez les charcuteries, les plats en sauce, les fritures, les pâtisseries à une fois par semaine ;

– si le plat principal est riche en lipides, en énergie (sauce, frites...), prenez en entrée une salade ou en dessert une salade de fruits ou un sorbet ;

– si l'entrée est énergétique (charcuterie, feuilleté) ou si vous êtes un inconditionnel de la pâtisserie, prenez en plat principal un poisson ou une volaille (dont vous ne consommerez pas la peau) accompagné de légumes et/ou de riz, ou de pâtes, ou de pommes de terre vapeur ;

– ne vous sentez pas obligé de saucer ;

– ne vous sentez pas obligé de terminer votre plat si vous n'avez plus faim ;

– attention aux salades composées, elles sont parfois pauvres en protéines (œuf, poulet, poisson...) et en glucides (beaucoup de salade) mais riches en lipides à cause des sauces vinaigrette, des lardons, du fromage, etc., ajoutés. Ces salades, si vous ne les accompagnez pas de pain, ne vous rassasieront pas et vous grignoterez dans l'après-midi. Demandez une salade composée avec la vinaigrette à part et accompagnez-la de pain ;

– ne buvez qu'un verre de vin ;

– buvez de l'eau.

Les repas d'affaires peuvent entraîner des problèmes de digestion, car ils sont souvent trop lourds. Suivre ces quelques conseils vous permettra de les alléger :

– attention à l'apéritif : tous les apéritifs alcoolisés apportent beaucoup de calories (100 à 150 kcal [418 à 630 kJ] pour un verre). L'apéritif alcoolisé peut être remplacé par un jus de fruits sans sucre, un jus de tomate ;

– l'apéritif est souvent accompagné d'amuse-gueule (biscuits salés, cacahuètes, olives) qui sont très énergétiques car riches en graisses : 10 biscuits secs = 80 kcal (330 kJ) ; 10 cacahuètes ou pistaches = 100 kcal (418 kJ) ; 10 olives = 80 kcal (330 kJ) ; préférez, si vous avez le choix, des tomates cerises, de la chiffonnade de jambon, des crevettes, des mini-brochettes de légumes. Sinon, abstenez-vous ;

– lors du choix des plats, évitez de prendre plusieurs plats riches en graisses, en sauce : par exemple une charcuterie, un coq au vin avec des pommes rissolées et un fondant au chocolat. Dans cet exemple, remplacez la charcuterie par une salade composée et le fondant au chocolat par un sorbet. Une terrine de légumes ou une salade composée ou des fruits de mer en entrée, un poisson ou une volaille ou une viande maigre (cf. chapitre « Les viandes », p. 34) grillés ou avec peu de sauce (qui sera laissée dans l'assiette) accompagnée de légumes et/ou de féculents en plat principal, et une salade de fruits ou un sorbet en dessert, feront de ce repas un modèle de menu équilibré ;

– pendant le repas, l'excès de vin est à éviter. Ne buvez qu'un verre de vin. Attention au mélange de vins (vin blanc, vin rouge), qui provoque souvent des migraines.

Pour ceux qui ont la possibilité de manger dans un restaurant d'entreprise, le vaste choix qui est proposé permet de faire un repas équilibré ou déséquilibré suivant les plats choisis. Sur le plateau idéal, on doit trouver :

– un plat de viande ou de poisson ;

– un plat d'accompagnement (féculent ou/et légumes verts) ;

– un produit laitier (en fonction de l'importance du repas) ;

– une crudité (un légume et/ou un fruit) ;

– et du pain ; sa quantité dépend du besoin énergétique de la personne.

Au restaurant scolaire

De la maternelle au lycée, six millions d'enfants déjeunent à la « cantine ». Étant en pleine croissance, les enfants doivent avoir une alimentation qui réponde à leur développement physique et mental. Pour atteindre l'objectif nutritionnel des repas en restauration scolaire, un décret est paru au *Journal officiel* en octobre 2011. Ses règles nutritionnelles se fondent sur les recommandations du Groupe d'étude des marchés de restauration collective et de nutrition (GEMRCN). Les principales recommandations affirment ceci :

– les repas doivent nécessairement comprendre « un plat principal, un produit laitier et, au choix, une entrée et/ou un dessert » ;

– la taille des portions servies doit être adaptée au type de plat et à la classe d'âge ;

– l'eau et le pain sont disponibles à volonté ;

– le sel et les sauces (ketchup, vinaigrette, mayonnaise) ne sont pas en libre accès. Ils sont servis en fonction des plats ;

– la diminution de la consommation des produits gras et sucrés est favorisée : par exemple, pas plus de 4 produits frits, pas plus de 3 desserts à plus de 15 % de lipides par cycle de 20 repas consécutifs ;

– les apports en fibres, protéines et calcium doivent être suffisants : par exemple, viande ou poisson de qualité non hachés dans au moins 4 repas sur 20, au moins 8 fruits crus sur 20 repas, au moins un produit laitier à chaque repas ;

– les produits de saison doivent être privilégiés : pot-au-feu l'hiver, fraises au printemps...

Si la qualité nutritionnelle des repas est améliorée, il y a encore un effort à faire sur leurs qualités organoleptiques et le cadre du restaurant, qui est souvent très bruyant. En effet, 50 % des collégiens et lycéens déclarent que les repas servis ne sont pas bons et qu'ils ont encore faim en sortant de la « cantine ». Par conséquence, ils vont manger à l'extérieur des préparations généralement riches en sucre et en graisses : des hamburgers, des viennoiseries, des pizzas... N'oublions pas que l'obésité touche 10 % des enfants !

Les repas pris à la maison les jours d'école

Le dîner, comme le déjeuner, doit représenter 30 à 35 % de l'apport énergétique de la journée. Il est le complément du déjeuner. Les parents doivent avoir connaissance de la composition des déjeuners de leurs enfants (soit par affichage, soit par remise des menus de la semaine dans certaines écoles). Le dîner comportera :

– une crudité, en entrée ou en dessert ;

– un apport en calcium, sous forme de lait ou de fromage dans une préparation, ou de fromage ou laitage en dessert ;

– un apport de féculent, en accompagnement si au déjeuner étaient proposés des légumes, sinon en entrée ou en dessert ;

– un apport de légumes frais, si au déjeuner des féculents étaient proposés ;

– du pain, dont la quantité dépend des plats servis.

Exemples de menus de déjeuner et dîner se complétant

Déjeuner	**Dîner**
Betteraves en salade Sauté de dinde Chou-fleur/pommes de terre Fromage Clémentines	Potage de potiron Tarte aux poireaux Salade Fromage blanc
Saucisson sec Colin gratiné Riz créole Yaourt Pomme	Salade d'endives Épinards à la florentine (œuf + épinards béchamel) Gâteau de semoule
Salade de lentilles Poulet rôti Carottes Vichy Fromage Pomme	Tomates en salade Jambon blanc Macaronis au gratin Compote

Il ne faut évidemment pas oublier le petit déjeuner, qui doit représenter 25 % de l'apport énergétique de la journée. En France, le petit déjeuner est trop souvent escamoté. L'organisme est à jeun depuis la veille : il doit reprendre des forces. Le collégien qui doit attendre le repas de midi le « ventre creux » aura au milieu de la matinée un « coup de pompe » bien connu des professeurs.

Le petit déjeuner comportera :

– un produit laitier (lait, laitage, fromage, yaourt...) ;
– un produit céréalier (pain, biscotte, riz, semoule, corn flakes...) ;
– éventuellement un fruit ou un jus de fruits.

Exemples de petit déjeuner les jours d'école

Chocolat au lait Pain Beurre/confiture Jus de fruits	Muesli + lait Jus de fruits
Thé citron Semoule au lait Orange	Pain perdu Salade de fruits Un verre de lait

Si votre enfant n'a pas faim le matin ou s'il s'est levé trop tard pour prendre un petit déjeuner, mettez-lui dans son cartable un paquet de biscuits à index glycémique bas et une gourde de compote, ou des barres de céréales avec un fruit. Il les mangera pendant la récréation.

Le goûter est nécessaire aux enfants en pleine croissance ; il doit représenter 10 % de l'apport énergétique de la journée. Il se rapproche du petit déjeuner. Il faudra tenir compte des horaires des repas (distance entre le déjeuner et le dîner) afin de prévoir un goûter plus ou moins copieux. Il peut se composer comme le petit déjeuner d'un produit laitier, d'un produit céréalier et éventuellement d'un fruit ou d'un jus de fruits.

Exemples de goûter

Pain Fromage Pomme	Lait Biscuits Poire	Pain Barre de chocolat Jus de fruit

La viennoiserie achetée à la sortie de l'école doit rester exceptionnelle, car elle est riche en lipides et en sucre (cf. « Les viennoiseries et les pâtisseries », p. 120).

Quand on pratique une activité physique

L'alimentation et l'hydratation pendant l'exercice jouent trois rôles importants :

– fournir du carburant aux muscles ;

– remplacer au fur et à mesure l'eau perdue au cours de l'effort ;

– remplacer minéraux et vitamines.

Pour une meilleure performance, voici quelques informations sommaires mais efficaces et indispensables !

L'énergie

Faire de l'exercice demande de l'énergie. Glucides, protéines et lipides vont être utilisés pour répondre à vos besoins.

Les lipides

Les lipides représentent une source d'énergie importante pour les activités d'endurance, comme la course de fond. Ils ne sont pas utilisés pour des efforts intenses de courte durée (sprints, sauts…) car, dans ce cas précis, les réserves de l'organisme sont suffisantes pour couvrir les besoins.

Les protéines

Le rôle énergétique des protéines est secondaire. Elles sont indispensables pour l'entretien de la masse musculaire, des tissus, et jouent un rôle de construction vis-à-vis de l'organisme. Il n'y a aucune raison d'augmenter sa ration en protéines avant ou après la compétition. Néanmoins, il est indispensable de maintenir un apport suffisant surtout après et pendant l'entraînement pour les sports de force (sports de combat [judo, karaté...], haltérophilie, athlétisme [saut à la perche, lancer de poids, de javelot]).

Les glucides

Les glucides sont les nutriments critiques : les réserves en glucides sont limitées et peuvent s'épuiser en cours d'exercice, forçant alors le sportif à s'arrêter.

Il existe deux réserves de glucides : le glycogène hépatique et le glycogène musculaire.

Le glycogène hépatique

Il sert exclusivement à fournir l'énergie pour la contraction musculaire. Il s'épuise au bout de 4 heures d'effort. Cette réserve dépend de l'alimentation des dernières 24 heures. Un repas à base de glucides consommé 3 à 4 heures avant la compétition ramène les réserves de glycogène à leur maximum et retarde l'hypoglycémie.

Voici la conduite à tenir pour les personnes qui participent à une épreuve de 4 heures (et plus) :

– avoir une alimentation riche en glucides 24 heures avant l'épreuve ;

– prendre un repas à base de glucides 3 à 4 heures avant le début de l'épreuve ;

– consommer des boissons sucrées pendant l'épreuve.

Le glycogène musculaire

Il s'épuise au bout de 2 heures d'un effort intensif (où la VO_2 [consommation d'oxygène] est supérieure à 70 %).

Voici la conduite à tenir pour maintenir cette réserve :

– pratiquer un entraînement qui augmente le glycogène des muscles ;

– suivre un régime riche en glucides pendant l'entraînement.

La déshydratation

La déshydratation, qui s'accompagne d'une perte de poids de 2 % du poids corporel, ne se manifeste par aucun symptôme, mais entraîne une baisse du rendement physique de 15 à 20 %. C'est pourquoi il est important d'exécuter une préhydratation.

À NOTER

Attention : dès qu'un sportif a soif, c'est qu'il est déjà déshydraté.

• Dans l'heure qui précède la compétition :

– buvez environ 1 l jusqu'à 5 minutes avant le départ, par prises de 200 ml ;

– salez légèrement les aliments consommés en précompétition ou choisissez des aliments salés (jus de tomate, biscuits secs salés, fromages peu gras) ;

– limitez les boissons contenant caféine ou alcool (elles ont pour effet secondaire de déshydrater).

• Pendant l'exercice :

– buvez de petites quantités d'eau fraîche (100 ml toutes les 15 minutes) ;

– si vous optez pour une boisson sucrée, essayez-la pendant l'entraînement (trop de concentration peut entraîner des nausées et/ou des vomissements).

• Après l'exercice :

– buvez 500 ml d'eau pour 500 g de poids perdu pendant l'effort ;

– choisissez des aliments riches en potassium (banane, orange, fruits secs, légumes, lait, légumes secs, viandes maigres) afin d'assurer une bonne décontraction musculaire ;

– consommez des aliments riches en glucides (pâtes, riz, semoule, pain, pommes de terre, fruits) afin de remplacer le glycogène perdu.

Il est important de maintenir un plan hydrique journalier constant ; le sportif doit prendre l'habitude de boire quelle que soit la période (en entraînement, hors entraînement, en compétition).

Exemple de boisson de compétition

800 ml d'eau + 1 briquette de jus de raisin (200 ml) + 1 cuillerée à soupe de miel + 1 pincée de sel

Caractéristiques de l'alimentation pour un sportif

Sont à éviter :

– les aliments riches en protéines, car ils ont un effet déshydratant ;

– les aliments riches en lipides, car ils sont de digestion trop lente ;

– les boissons et aliments trop concentrés en sucre, en particulier dans l'heure qui précède la compétition car risques d'hypoglycémie qui diminuent la performance.

Exemple de journée alimentaire

Petit déjeuner

Thé ou café léger ou chocolat + lait demi-écrémé ou 1 produit laitier

Pain + 1 noix de beurre + confiture

1 fruit ou 1 jus de fruits

Déjeuner et dîner

Crudités assaisonnées et/ou un potage de légumes

100 g de viande maigre ou poisson ou jambon (sauf au repas qui précédera la course)

1 assiette de féculents (200 à 400 g cuits, selon le sexe)

1 produit laitier ou 30 g de fromage à moins de 45 % de MG

Pain

Collation, au besoin

Si le sport pratiqué intervient plusieurs heures après un repas, faites une collation 1 à 2 heures avant l'effort composée de glucides complexes et simples et d'un fruit ou jus de fruits. Exemples :

Pain + chocolat + jus de fruits

Ou pain de mie beurré + jambon + fruit

Ou biscuits secs (type petits-beurre) + jus de fruits

Après l'effort

Après l'effort, 2 heures après maximum, faites un repas comprenant :

– des protéines pour la reconstruction des fibres musculaires ;

– des glucides pour retrouver une glycémie normale.

Exemples :

Betteraves en salade	*Potage de légumes*
Spaghettis au fromage	*Poulet rôti*

Jambon blanc
Yaourt
Salade de fruits

Pommes persillées
Gâteau de riz

Après l'effort, il est important de boire une eau bicarbonatée (Saint-Yorre®, Badoit®... cf. « L'eau minérale », p. 163) pour réduire l'acidose (acide lactique produit par les muscles lors de l'effort, provoquant des crampes et des douleurs musculaires).

Quand on est enceinte

Ça y est, le grand jour est arrivé, vous êtes enceinte, et neuf mois vous séparent de l'arrivée de votre bébé. Dès ce moment, les questions sur votre alimentation affluent : « Faut-il manger pour deux ? », « Combien de kilos puis-je prendre ? », « Est-ce que cet aliment est bon pour mon bébé ? », « Que veut dire manger mieux ? »...

Inutile de médicaliser son alimentation, vous faites souvent les bons choix spontanément ; ce sont fréquemment les idées reçues qui sèment un doute. Je vais essayer de vous donner des conseils et surtout de répondre aux « idées » qui sont propagées de mère à fille.

La femme enceinte doit-elle augmenter ses apports énergétiques ?

Si la femme enceinte a besoin d'énergie pour assurer la croissance des tissus (fœtus, utérus, placenta, seins, augmentation du volume sanguin), elle en stocke au début de la grossesse une bonne partie sous forme de graisses au niveau du ventre et du haut des cuisses. Ces réserves de graisses vont être mobilisées en fin de grossesse, à un moment où la croissance du fœtus est plus rapide. Donc, son poids va augmenter au cours de la grossesse.

Contrairement à ce que l'on pourrait penser, la prise de poids n'est pas aussi déterminante sur le poids de naissance de l'enfant. C'est la corpulence de la mère avant la grossesse qui a le plus d'influence ; à prise de poids égale, les femmes minces ont des enfants de poids de naissance nettement inférieur à celui des femmes fortes.

Mais il n'y a pas de prise de poids idéal. Chez les femmes ayant un rapport poids/taille satisfaisant, 12 kg semblent une bonne moyenne. Pour les autres, la prise de poids doit être modulée, une femme maigre pourra prendre jusqu'à 18 kg pour assurer des apports énergétiques suffisant au fœtus, une femme obèse pourra ne prendre que 6 à 8 kg pour éviter des risques médicaux (diabète, hypertension...).

La prise de poids pendant la grossesse est progressive : pendant le premier trimestre, elle est généralement négligeable et correspond à l'augmentation du volume de l'utérus et du volume sanguin ; le fœtus lui, ne pèse que 5 g ! Ne soyez pas inquiète si vous constatez une perte de poids. Les nausées fréquentes, les éventuels vomissements réduisent l'appétit de la future mère.

À partir du 4e mois, la courbe de poids va progresser régulièrement jusqu'à la fin de la grossesse (400 à 500 g par semaine).

Toutes les femmes sont différentes, votre seul souci est de vérifier que votre prise de poids est constante et régulière dans le temps. Si elle stagne ou si elle augmente trop brusquement, n'hésitez pas alors à demander son avis au médecin qui vous suit.

Répartition moyenne de la prise de poids en fin de grossesse

Fœtus	3 à 3,8 kg
Placenta	0,7 kg
Liquide amniotique	0,9 kg
Augmentation du volume de l'utérus	0,9 kg
Augmentation du volume des seins	0,7 kg
Augmentation du volume sanguin	1,5 kg
Tissus graisseux	3 à 4 kg

Pour justifier cette prise de poids régulière, votre apport énergétique va forcément augmenter, sans pour autant que vous puissiez vous réfugier avec gourmandise et volupté dans ce célèbre discours : « lorsqu'on attend un bébé, il faut manger pour deux »...

Il n'existe pas de recommandations sur les besoins en énergie de la femme enceinte, car elles adaptent naturellement leur comportement alimentaire à leur morphologie : la femme maigre mangera spontanément plus, la femme en surpoids ou obèse aura tendance à diminuer ses apports alimentaires. Certaines femmes enceintes consommeront spontanément 100 kcal (418 kJ) de plus par jour par rapport à leur consommation d'avant leur grossesse, d'autres 200 kcal (835 kJ) par jour.

Le plus important reste en fait la qualité de vos choix alimentaires : s'il est hors de question de manger pour deux, il demeure indispensable de manger deux fois mieux.

En clair, cette période va être l'occasion unique d'apprendre avec souplesse, et sans contrainte, à équilibrer votre alimentation. Pour simplifier votre apprentissage, nous distinguerons trois grands types de nutriments : ceux qui vont permettre au fœtus de croître et de se construire, ceux qui vont lui assurer un gain de poids et un apport régulier en énergie, et enfin ceux qui vont permettre un développement harmonieux et une protection efficace.

Pour la croissance

Protéines et calcium sont les deux nutriments essentiels à la croissance. Leur présence à chacun des repas de la journée est un impératif tout au long de la grossesse. Les protéines assurent la croissance et l'entretien des tissus du fœtus et le calcium va permettre l'élaboration du squelette et de la masse osseuse.

Dans notre pays, où les apports réels en protéines dépassent en pratique toujours les apports recommandés, une supplémentation en protéines n'est pas nécessaire sauf pour un petit nombre de femmes enceintes : milieu socio-économique défavorisé, femmes aux conduites alimentaires hors norme (végétalisme, jeûne par exemple).

La grossesse augmente le besoin quotidien en calcium. Un adulte a un besoin de 800 mg par jour, une femme enceinte, de 1 000 mg par jour. Grâce à l'équilibre hormonal qui s'établit lors de la grossesse, ce minéral est beaucoup mieux absorbé par l'organisme qu'en temps normal. La nature fait heureusement bien les choses !

Les protéines de bonne qualité sont celles d'origine animale : viande, poisson, œuf, lait et produits laitiers. Le calcium est fourni par le lait et les produits laitiers. Si vous n'aimez pas la viande rouge, remplacez-la par du poulet, du poisson ; si le lait vous dégoûte, remplacez-le par du fromage, ou incorporez-le à diverses préparations culinaires : entremets au lait, béchamel, gratins, etc. Dans chaque groupe alimentaire, un aliment peut être remplacé par un autre aliment de la même famille ayant des apports équivalents (cf. les encadrés « Équivalences » tout au long de ce livre).

Pour l'énergie

Le glucose est pour les tissus fœtaux la source essentielle d'énergie.

Le métabolisme des glucides est modifié pendant la grossesse afin que les besoins du fœtus soient toujours couverts même en cas de diminution d'apport au cours de la journée.

Les sucres contenus dans les aliments (les glucides) sont, avec les graisses, les principaux fournisseurs d'énergie pour notre organisme. « À moi sucre et biscuits, bonbons et pâtisseries », allez-vous penser ! Non, si ces aliments sont indispensables de temps à autre au plaisir alimentaire, ce sont les céréales, les pommes de terre, les légumes secs, le pain et équivalents que vous allez privilégier (à index glycémique bas). Ces aliments sont indispensables pour fournir à vous et à votre bébé une énergie « longue durée ».

Les lipides non seulement apportent de l'énergie mais ils sont indispensable à la croissance harmonieuse du fœtus et jouent un rôle fondamental dans la maturation du cerveau.

Il n'y a pas de recommandations particulières concernant les besoins optimaux de la femme enceinte en lipides. Il faut surveiller l'apport en acides gras insaturés, oméga 3 et oméga 6, essentiels à la formation du système nerveux.

Variez vos sources de corps gras en privilégiant ceux qui apportent des acides gras insaturés (cf. chapitre « Les corps gras », p. 131) et consommez des poissons gras au moins une fois par semaine.

Pour la « vitalité » et l'« avenir » de votre bébé

Vitamines : « ni trop, ni trop peu »

Les cocktails de vitamines inondent le marché, mais ils ne sont pas forcément adaptés à vos besoins. Seul votre médecin traitant saura juger de la nécessité ou non d'une telle supplémentation, et celle-ci portera sur une ou deux vitamines faisant défaut.

En période de grossesse, certaines vitamines vont être particulièrement utiles :

– la classique vitamine C, dont les besoins sont majorés (120 mg par jour). Elle favorise l'absorption du fer. La consommation de légumes ou de fruits crus à chaque repas ou de deux agrumes par jour couvrent largement vos besoins ;

– la vitamine B9 (folates ou acide folique), dont les besoins sont nettement accrus (400 µg par jour, soit 100 µg de plus que chez la femme adulte). Près de la moitié des femmes ont un apport en vitamine B9 inférieur aux deux tiers des apports nutritionnels recommandés. Sa carence peut être responsable d'une naissance prématurée, d'un avortement spontané et d'un défaut de fermeture du tube neural (conséquence : le spina-bifida, malformation congénitale). Il est donc important de consommer tous les jours des aliments riches en vitamine B9 ;

– la vitamine D est nécessaire à l'utilisation du calcium par l'organisme et à sa bonne assimilation par le bébé. Elle est présente dans les produits laitiers non écrémés, les poissons gras et le jaune d'œuf en quantité intéressante, mais elle est principalement fabriquée au niveau de la peau sous l'influence des rayons du soleil. Si vous êtes enceinte pendant l'automne et l'hiver ou dans des zones géographiques peu ensoleillées, vous risquez de présenter un déficit en vitamine D. Pour assurer un meilleur statut vitaminique en vitamine D, une supplémentation est donnée par votre médecin.

Les aliments les plus riches en vitamine B9

Aliments	**Teneur moyenne pour 100 g**
Levure de bière alimentaire	1 500 µg
Foie de veau	300 µg
Cresson	214 µg
Épinards	200 µg
Cacahuètes, noisettes	140 µg
Œuf coque	120 µg
Châtaignes grillées	117 µg
Laitue, mâche, pissenlit	100 µg
Légumes secs cuits	55 µg

Le fer

Les besoins en fer sont nettement majorés lors de la grossesse : 25 à 35 mg par jour au lieu de 16 mg par jour.

Beaucoup de femmes en âge de procréer n'ont pas de réserves de fer, car leur apport quotidien est limite et même parfois insuffisant. Cette déficience en fer est accentuée lors de la grossesse ; elle est responsable de fatigue et peut même augmenter le risque de prématurité.

Le premier souci de la femme enceinte doit être d'assurer un apport quotidien optimal. Inutile de se gaver d'épinards : s'ils sont riches en fer, celui-ci est très mal absorbé par l'organisme. La viande, les abats et les légumes secs sont les meilleures sources de fer de bonne qualité et bien assimilé.

Mais ces apports élevés ne sont pas atteignables par la seule alimentation, une supplémentation médicamenteuse est souvent donnée par son médecin. Ceci ne doit pas éviter aux femmes enceintes d'équilibrer leur alimentation pour maintenir un apport satisfaisant.

En pratique

Un principe de base : la diversité, qui permet d'obtenir un bon équilibre des principaux nutriments (protéines, lipides, glucides) et assure un apport correct en vitamines, minéraux et fibres. Tous les groupes alimentaires doivent être représentés et la diversité est souhaitable à l'intérieur de chaque groupe. Par exemple, il est recommandé d'utiliser simultanément ou en alternance différents types de corps gras pour apporter tous les acides gras nécessaires au bon développement du fœtus.

Il est difficile de donner des quantités : chaque femme enceinte, comme nous l'avons vu, a des besoins énergétiques différents. Il faut prendre trois repas par jour et une collation si nécessaire :

• **Petit déjeuner :**

– un produit laitier (lait aromatisé, laitage, fromage...) ;

– pain ou équivalent (biscottes, céréales) ;

– un fruit ou un jus de fruits.

• **Déjeuner et dîner :**

– des crudités (en entrée, ou un fruit en dessert) ;

– un plat composé (viande ou volaille ou poisson ou œuf accompagné de légumes cuits et/ou un féculent : pommes de terre ou pâtes, ou riz...) ou des légumes secs ;

– un produit laitier (fromage, yaourt, laitage, entremet...) ;

– eau, pain.

• **Collation**

– un produit laitier (lait, yaourt, fromage, laitage...) ;

– pain ou céréales ;

– un fruit ou jus de fruits si un fruit n'a pas été mangé au déjeuner.

Exemples de menus

Petit déjeuner	Déjeuner	Collation	Dîner
Thé léger Toasts beurrés Confiture Yaourt Jus de fruits	Salade d'endives* Rôti de porc au four Purée de pois cassés Fromage Fruit	Yaourt Biscuits type petits-beurre	Potage au potiron* Saumon en papillote Épinards à la crème Entremet Fruit
Jus de fruits Muesli + lait	Salade d'été* Lapin à la choletaise* Pommes vapeur Fromage blanc aux fruits rouges	Pain complet Miel Jus de fruit	Gazpacho* Œufs brouillés Taboulé* Fromage Salade de fruits

** Cf. 800 recettes de cuisine française et 500 recettes simplissimes, Édition De Vecchi.*

Aliments à éviter

Certaines maladies transmises par les aliments peuvent avoir des conséquences graves chez la femme enceinte : la toxoplasmose et la listériose (risques de fausse couche). Pour prévenir la listériose, il faut éviter de consommer :

- du lait cru et tous les fromages au lait cru ;
- la croûte des fromages ;
- la viande et les poissons crus ou insuffisamment cuits ;
- certaines charcuteries telles que rillettes, pâtés et produits en gelée ;
- les coquillages crus (huîtres) ;
- les poissons fumés, le surimi, le tarama ;
- les légumes crus qui n'ont pas été lavés ;
- les graines germées crues.

La bactérie responsable de la listériose peut se développer au froid (5 °C). Il faut régulièrement nettoyer et désinfecter son réfrigérateur (à l'eau javellisée suivie d'un rinçage), couvrir ou filmer les aliments, laver les légumes terreux avant de les stocker dans le bac à légumes.

Certaines femmes ne sont pas immunisées contre la toxoplasmose, due à un parasite. Si c'est votre cas, évitez les aliments suivants :

– les viandes crues ou peu cuites ;

– les gibiers fumés ou marinés ;

– les coquillages crus ;

– les légumes, fruits et les herbes aromatiques consommés crus et qui n'ont pas été soigneusement lavés (pour désinfecter les crudités : versez une cuillerée à café d'eau de Javel dans 5 l d'eau, laissez-y tremper les légumes 5 minutes puis rincez).

Des précautions hygiéniques sont également à prendre, comme se laver les mains après avoir manipulé de la terre (si vous jardinez, portez des gants) ou de la viande crue, et ne pas changer soi-même la litière du chat.

Pas d'alcool pendant la grossesse !

Toute consommation d'alcool peut perturber le développement psychomoteur de l'enfant. En effet, l'alcool traverse le placenta et se retrouve dans l'organisme de l'enfant.

Vous avez la nausée ?

Les nausées sont fréquentes pour plus de la moitié des femmes enceintes. Elles se traduisent par des « maux de cœur », un dégoût de la nourriture, des vomissements. Elles cessent la plupart du temps à la fin du troisième mois, mais pour certaines futures mamans, elles peuvent durer tout le temps de la grossesse.

Ces nausées sont dues au bouleversement hormonal qu'entraîne une grossesse. Quelques astuces peuvent les atténuer :

• Le ventre vide est le meilleur moyen d'avoir des nausées. Fractionnez vos repas : prenez un vrai petit déjeuner, une collation dans la matinée, un déjeuner, un goûter et un dîner plus éventuellement un en-cas peu avant d'aller vous coucher. Les repas principaux, déjeuner et dîner, seront moins copieux.

• Évitez de boire pendant vos repas. Buvez une demi-heure avant ou après afin de ne pas surcharger l'estomac.

• Évitez les aliments aux odeurs trop fortes : les fromages trop frais, les sauces épicées, les plats exotiques. Optez pour les aliments froids, qui dégagent moins d'odeurs.

• Faire le repas vous donne la nausée ? Passez le relais au futur papa ou choisissez des plats qui nécessitent un minimum de préparation.

• Évitez tous les aliments et les plats difficiles à digérer (plats en sauce).

• Après le repas, ne vous allongez pas tout de suite, préférez marcher un peu.

• Le matin est le moment où les nausées peuvent être le plus fortes. Pour les éviter, mangez des biscuits secs ou des biscottes, buvez une boisson gazeuse avant de vous lever. Attendez un quart d'heure sous la couette.

Il existe aussi des remèdes « miracles » qui sont transmis de mère à fille, comme boire une boisson gazeuse, un jus de citron avec de l'eau...

Les « envies », mythe ou fantasme ?

Difficile de savoir précisément d'où viennent ces « envies » qui parfois vous tenaillent et se portent sur des aliments qui ne vous tentent absolument pas d'habitude ! Aucune étude scientifique n'explique précisément le phénomène des envies de la grossesse. Plusieurs origines possibles sont avancées :

• Les modifications hormonales importantes provoquent un déséquilibre dans les neurotransmetteurs : les goûts changent, l'odorat se développe. D'ailleurs, l'attrait curieux pour un aliment disparaîtra après la grossesse.

- Les troubles digestifs tels que les remontées acides se calment quand on mange, d'où un besoin urgent de manger pour atténuer la douleur.
- Les futures mères ont instinctivement une appétence pour les aliments dont leur organisme a besoin : des laitages pour le calcium, la viande pour le fer par exemple.
- Le déséquilibre émotionnel dû à la joie d'être maman mais aussi à l'anxiété liée à cette nouvelle situation fait que la femme enceinte a besoin de se « rebooster » avec des aliments sucrés et parfois de se réconforter avec des aliments de son enfance (biscuits, bonbons…).
- Certaines femmes font en permanence attention à ce qu'elles mangent pour ne pas grossir. Au moment de la grossesse, elles se lâchent et craquent plus facilement devant la vitrine du boulanger.
- Des interdits pendant la grossesse peuvent peser sur le moral (arrêt du tabac, pas d'alcool, certains aliments préférés interdits), la future maman a envie de se faire du bien.

Pour les aliments gras et sucrés, cédez parfois à la tentation mais conservez une alimentation variée et équilibrée malgré les écarts.

Vous êtes oppressée, vous digérez mal ?

Dès le milieu de la grossesse, certaines ressentent des sensations de ballonnement et des difficultés à digérer : c'est bien normal, le bébé grossit et appuie sur l'estomac et les intestins. Bien sûr, vous ne pouvez l'empêcher de grandir et de « prendre sa place », mais vous pouvez limiter ces sensations désagréables en choisissant parmi les aliments ceux qui se digèrent le plus rapidement.

Limitez les crudités et les céréales complètes à un apport en fibres raisonnable et non irritant. Buvez beaucoup d'eau pour faciliter le transit intestinal, enfin évitez les graisses cuites, fritures, pâtisseries, plats en sauce lourds et longs à digérer. Pensez à fractionner vos repas, c'est-à-dire à garder par exemple le fromage et le fruit pour un peu plus tard.

Si ces troubles persistent, parlez-en avec votre médecin qui saura vous donner des conseils adaptés.

LES COMPORTEMENTS alimentaires

Gourmandise et équilibre

« Dis-moi ce que tu manges et je te dirai ce que tu es », énonce Brillat-Savarin dans *Physiologie du goût*. Les conduites alimentaires sont un exemple type de conduite sociale, tant il est vrai que le fait de se nourrir dépasse de loin la satisfaction immédiate du sentiment de faim. Les « satisfactions de bouche » sont prétextes à des réunions où le plaisir partagé de la conduite alimentaire revalorise le plaisir isolé de l'alimentation.

Au-delà de la nourriture, de la cuisine, n'y a-t-il pas la gastronomie ? Et la satisfaction commence dès la bouche, au niveau du palais si bien nommé.

La satisfaction du « bien manger » est complexe, varie d'un individu à un autre, et met en jeu les habitudes familiales et sociales, sans négliger les conditionnements personnels. À cet égard, plus que le produit ingéré même, c'est la façon de le préparer qui est riche d'enseignements en tant que conduite sociale. Ici, c'est la forme plus que le fond qui nous intéresse. Prenons, par exemple, les indications perçues à travers la nourriture crue ou cuite.

« Le rôti est du côté de la nature et le bouilli du côté de la culture », nous dit Lévi-Strauss. Mais l'opposition rôti-bouilli est riche et complexe le rôti révèle une cuisine pour les invités et le bouilli reste la cuisine familiale. La poule au pot se déguste en famille, les viandes rôties sont pour les banquets, du moins dans l'ancienne France. Mais quelle que soit la technique culinaire, les deux pulsions qui conduisent l'individu à table sont la faim et le plaisir.

La notion de plaisir intervient dès la naissance. Pour la définir, il est nécessaire de définir aussi la « faim ».

La faim se traduit par un état de tension intérieure qui est réduit par l'absorption de nourriture. L'apaisement survenu après l'ingestion d'aliments entraîne une satisfaction, un état de bien-être, qui est la définition même de la notion de plaisir.

C'est au système nerveux central qu'appartient la régulation du comportement alimentaire à partir de la sensation de faim. Nous pourrons penser que la faim est un phénomène physiologique inné. Il se trouve en fait que l'affectivité joue un grand rôle dans la satisfaction de la faim, qui serait une notion acquise et non innée. Ce sont les parents, l'environnement, qui définissent la notion de faim chez l'enfant.

Les choix alimentaires vont se faire en fonction de la vue, de l'odeur, de la saveur, de la sensation de réplétion gastrique, mais ils dépendent, pour leur permanence dans le temps, des besoins biologiques. Ils sont là pour pallier une éventuelle carence. Ce qui pourrait expliquer les goûts et les dégoûts pour un même aliment chez un même individu, à des périodes différentes.

La notion de faim, prise sous cet angle, peut parfaitement s'illustrer par l'allaitement maternel chez l'enfant. Le lait maternel dans le premier temps de la tétée est liquide, peu concentré ; il est conçu pour étancher la soif du bébé. Au fur et à mesure de la tétée, il s'enrichit de manière à provoquer chez le nouveau-né une sensation de satiété. Le nourrisson est repu en fin de tétée grâce à la concentration du lait. C'est à ce moment-là qu'apparaît la notion de plaisir. Nous mangeons dans un premier temps pour assouvir notre faim (nos besoins), puis pour la satisfaction, le plaisir que nous y trouvons.

De là découle la gourmandise. Le plaisir que nous retirons de la nourriture est à l'origine des complications apportées à la préparer.

Beaucoup de philosophes se sont penchés sur la notion de plaisir en matière culinaire, plus particulièrement sur la gourmandise. Brillat-Savarin, pour qui la cuisine était un art, au même titre que la musique, la peinture, ou le théâtre, a dit : « la gourmandise est favorable à la beauté, un régime succulent, délicat, soigné repousse longtemps et bien loin les apparences extérieures de la vieillesse. Il donne aux yeux plus de brillant, à la peau plus de fraîcheur, aux muscles plus de soutien ». Cependant, la mode a évolué depuis le XIXe siècle, le modèle corporel est devenu la minceur. La relation à la nourriture s'élabore moins en fonction du goût, ou du plaisir, qu'en fonction des effets virtuels envisagés.

Or, tous les spécialistes de santé (mentale et physique) nous précisent bien que la gourmandise ne doit pas être fuie, mais apprivoisée. Elle n'a pas besoin pour cela du luxe de la table, ni de son abondance, mais de gâteries, de bonheurs anodins, pris avec une modération telle qu'ils paraissent infinis et surtout ne lassent point.

Aujourd'hui, l'art de manger est devenu un sport national et la gastronomie française évolue dans trois directions :

– la nouvelle cuisine, qui remplace la cuisine bourgeoise. Fini les abus d'alcool et de sauces, c'est le retour à la simplicité. Cette cuisine veut « donner aux choses le goût qu'elles ont ». Elle désire illustrer la gourmandise (le problème est qu'elle le fait payer cher) ;

– la cuisine régionale, qui revient au bon vieux temps : pain à l'ancienne, grillades au feu de bois. Les traditions remontent à la surface et là aussi priment la gourmandise, le plaisir de partager un bon plat familial ;

– le fast-food, où la gourmandise semble trop souvent passer en arrière-plan.

Une dernière cuisine a fait son apparition : la cuisine moléculaire. Elle mêle la science au repas, utilise des nouveaux ingrédients pour préparer des plats avec des agents gélifiants, de l'azote liquide… ce qui donne naissance à de nouvelles recettes : petites billes de fraises, carottes… réalisées avec du froid, crème anglaise sans œufs… Cette cuisine est encore très marginale.

Troubles du comportement alimentaire

La gastronomie et la gourmandise nous montrent que la notion de plaisir qui accompagne l'acte alimentaire va de pair avec la convivialité du repas pris en groupe. On prend autant de plaisir à manger qu'à partager son repas avec les autres. La gastronomie, ou son refus, est un mode de communication non verbal au même titre que la danse ou la musique. Le refus volontaire de se nourrir est un mode de contestation ou d'opposition. La grève de la faim et sa conséquence ultime, la disparition de l'individu, peuvent devenir un moyen de pression individuel. Tout comme l'ingestion forcée de nourriture peut devenir l'image mortifère d'un suicide. Le film *La Grande Bouffe*, message de mort d'une société de consommation, est en fait un réel film d'épouvante.

Cette conclusion nous amène à parler des perturbations du comportement alimentaire par excès ou refus d'absorption des aliments. La boulimie et l'anorexie mentale sont les déviances extrêmes du comportement alimentaire. Ces deux comportements sont des symptômes de névrose. Je vais essayer de les décrire et, surtout, en partant du symptôme, tenter d'analyser ce qui se passe dans la vie de tous les jours des individus qui en souffrent.

La boulimie

La boulimie se traduit par des épisodes d'hyperphagie incontrôlée, c'est-à-dire des prises, en moins de deux heures, d'une quantité de nourriture largement supérieure à celle que la plupart des personnes mangeraient dans le même temps et dans les mêmes circonstances.

Pour le boulimique, l'ingestion de nourriture se détache des besoins physiologiques. Le boulimique mange entre les repas, seul, sans faim, sans plaisir ; la crise boulimique se déroule le plus souvent dans un état second. La notion de convivialité disparaît au profit d'une solitude indispensable à l'accomplissement de l'acte alimentaire. Il s'isole agressivement des autres.

Bouffer vient de *bouffi* et signifie « rentrer sa colère ». C'est une agressivité qui, renonçant au sens même de son désir, se déplace vers l'objet vivant le plus passif : l'aliment.

Les boulimiques tentent de faire cesser un état de « mal-être », une sensation d'angoisse. Peu à peu, le sujet sent l'idée de nourriture s'imposer ; la tension monte, tandis que l'aboutissement est connu ; il essaie de lutter par des moyens aussi variés qu'inefficaces : sortir, prendre un livre, faire du sport, etc. Soudain, dans un état d'exaltation, il se jette sur tout ce qu'il trouve : des boîtes de conserve qu'il consomme sans même les faire réchauffer, sucré et salé mélangés, des pots entiers de confiture, des sardines à l'huile, et cela très vite. Le boulimique dit souvent qu'il « engloutit tout ce qui lui tombe sous la main ».

Une fois repu, le boulimique vit une période de tranquillité, vite perturbée par une digestion difficile, des nausées.

Beaucoup de boulimiques se font vomir ou utilisent des laxatifs à outrance, des diurétiques ou font beaucoup d'exercice physique. Ils peuvent aussi alterner avec des périodes de jeûne. À la longue, cela peut entraîner un état de fatigue générale, des crampes, des lésions irritatives de l'estomac et de l'œsophage (à cause des vomissements répétées), des troubles intestinaux...

L'anorexie

L'anorexie désigne la perte du désir de manger ou bien la disparition très rapide de ce désir. Elle touche plus souvent les femmes que les hommes : un homme anorexique pour neuf femmes.

On appelle souvent anorexie « mentale » l'anorexie de la jeune fille qui, à la puberté, commence (un peu boulotte, à la suite de remarques de son entourage) un régime amaigrissant, puis, sans que l'on sache pourquoi, on passe d'un phénomène de mode à une quête de la pureté, voire un rejet de toute corporalité.

En fait, le refus de manger, chez la jeune fille, est avant tout motivé par un désir de toute-puissance : elle veut prouver à son entourage qu'elle peut vivre indépendante de tous et de tout, de sa famille ; elle exerce ce pouvoir sur la nourriture. Cette anorexie touche toujours le même genre de personnalité : intelligente, vive, hyperactive ; l'amaigrissement et la fatigue qui lui sont liés ne l'empêchent en rien de continuer toutes ses activités.

Le refus d'ingestion commence par des restrictions quantitatives, puis, pour ne pas trop alerter l'entourage par des restrictions qualitatives, en consommant de préférence des aliments peu caloriques ; ce sont les anorexiques restrictives.

Viennent ensuite les phénomènes de rejet. Après avoir réduit sa consommation, l'anorexique vomit systématiquement après avoir mangé (certaines y prennent un réel plaisir), puis apparaît un rejet digestif par l'utilisation des laxatifs. Certains anorexiques mentales sont boulimiques-vomisseurs : après une crise de boulimie, ils se font vomir, prennent des laxatifs, des diurétiques.

L'amaigrissement est important, cela va sans dire, mais l'anorexique n'a pas la notion de l'image qu'il donne. Il ne se rend pas réellement compte de son apparence. L'anorexie, ainsi suivie d'un tel amaigrissement, n'est qu'un symptôme. La jeune fille refuse avant tout l'apparition de sa féminité, de sa sexualité. Le jeûne entraîne la disparition des règles. La minceur devient maigreur, puis état de dénutrition.

Cette anorexie peut avoir diverses évolutions : une psychothérapie, bien menée, peut rétablir la pulsion orale sans dommages sur la personnalité, avec un retour de la sexualité, dans 70 à 80 % des cas traités. La jeune fille passe à l'âge adulte sans trop de séquelles, si ce n'est un comportement alimentaire dit « anorexique » : elle fera toujours un choix qualitatif dans son alimentation.

D'autres anorexiques évoluent vers une névrose : l'hystérie le plus souvent. Dans ces cas, l'anorexie traduit de façon éloquente le refus de la sexualité. Dans la forme hystérique, l'amaigrissement est à son maximum, l'anorexique manipule son corps et son entourage, laissant au personnel soignant de gros problèmes pour l'obtention d'une guérison.

Le dernier groupe évolue vers la psychose où la perversion joue un rôle primordial, où on assiste à une autodestruction accompagnée d'un comportement sadique sur l'entourage par le biais de cette autodestruction.

Il est inutile d'en rajouter sur l'anorexie mentale de la jeune fille pour dire que l'alimentation n'est pas un remède ; seule une aide psychologique peut apporter quelques effets bénéfiques.

L'anorexie « mentale » n'est pas la seule qui existe. On peut aussi observer une anorexie chez les grands malades, qui présentent une perte d'appétit, ou chez les vieillards. Il existe aussi, au travers des comportements « naturels », l'apparition d'une anorexie lors de la pratique du « zen macrobiotique ». L'anorexie révélerait ici (en schématisant) un refus de la société industrialisée.

Mais, surtout, l'anorexie est une maladie de l'anxiété. Elle s'installe dans des conditions étiologiques diverses ; elle est en tout cas une maladie des pays riches, industrialisés, et n'existe pas dans les pays en voie de développement.

Rappelons que l'anorexie mentale peut être une maladie mortelle. L'issue fatale survient dans environ 5 % des cas.

Les autres troubles du comportement

Les fringales de sucre

Elles se traduisent par des fringales impérieuses d'aliments sucrés qui s'apparenteraient à une toxicomanie. Cela s'expliquerait par la recherche d'une augmentation du taux de sérotonine dans le cerveau (neurotransmetteur du bien-être), obtenue en ingérant du sucre. Les fringales de sucres sont aussi évoquées à propos de la dépression saisonnière, qui consiste en un état dépressif débutant en automne et disparaissant au printemps. Cet état se traduit par de la fatigue, une augmentation du sommeil, un ralentissement psychique, des fringales de sucre et une prise de poids.

Attention : la prise d'aliments sucrés tels que les biscuits, les gâteaux, le chocolat est associée à la prise de graisses, ces aliments en étant riches.

La chocolatomanie

Les « chocolatomanes » consomment du chocolat dans les situations de stress ou de conflit interne. On a essayé d'expliquer cette appétence pour le chocolat par la présence de sucre augmentant le taux de sérotonine, la phényléthylamine ayant une structure proche des amphétamines qui est réputée pour avoir une action antidépressive, l'anandamide ayant des effets euphorisants et le magnésium participant à la transmission de l'influx nerveux. Aucune de ces théories n'a pu être vérifiée ; le plaisir sensoriel du chocolat serait peut-être la seule explication.

L'hyperphagie nocturne

Elle se traduit par un besoin impérieux de manger au cours de la nuit. La personne se réveille la nuit et ne peut se rendormir qu'après avoir mangé, souvent en un demi-sommeil. Le lendemain, elle ne se rappelle que vaguement ce qu'elle a mangé au cours de la nuit.

Il n'est pas rare que les hyperphagiques nocturnes souffrent de troubles du sommeil (somnambulisme, apnées du sommeil). Une explication est envisagée : toute la journée, la personne contrôle son alimentation, ce contrôle est mis en échec durant la nuit.

Le grignotage

Ce que nous rencontrons plus couramment dans les déviances alimentaires est le « grignotage », qui est, lui, banal mais devient gênant lorsqu'il est un mode de réponse unique aux difficultés de l'existence.

La grignoteuse (le grignotage est plus courant chez les femmes) ne se précipite pas sur la nourriture par crise. Elle se contente de grignoter une vie à laquelle elle n'arrive pas à se donner.

Les explications données sont assez conformes : « je grignote quand je m'ennuie », « quand je suis triste », « quand je suis énervée », « quand je me fais du souci » ; « je cherche une compensation dans la nourriture ». Il s'agit de remplir un vide d'action ou d'intérêt.

Généralement, ce mobile de l'ennui est lié à la solitude, à l'organisation de la société industrialisée et uniforme.

« Grignoter, c'est garder la douceur d'une caresse », disait Jean Trémolières. Le grignotage se porte électivement vers le chocolat ou le sucre, les gâteaux salés ou la charcuterie, ou les tartines beurrées, etc. Tout cela est bien calorique et aboutit peu à peu à des obésités.

On voit aussi apparaître ce que l'on nomme le « snacking ». C'est une forme d'alimentation nomade où la prise de vrais repas équilibrés est remplacée par la prise de petits repas à tout moment de la journée : la nourriture est en libre service. Cela aboutit à un déséquilibre alimentaire car les produits de snacking sont de type pizza, chips, viennoiserie, crèmes desserts, biscuits....

Le grignotage et le snacking peuvent être cause d'une prise de poids chronique.

Comment lutter contre l'anorexie, la boulimie et le grignotage

Il n'existe pas de remèdes miracles pour l'anorexie mentale, seule une psychothérapie bien menée peut donner des résultats satisfaisants : l'insertion des anorexiques dans la société avec l'acceptation de leur féminité. Si un comportement alimentaire restrictif persiste, il est très généralement équilibré ; les anorexiques sont très informées sur les erreurs à ne pas commettre.

Pour les boulimiques vrais, on peut essayer de leur faire retrouver la notion d'appétit, puis de plaisir, au travers d'un régime équilibré et adapté à leur personnalité, mais toujours avec une aide psychologique.

Par contre, pour pallier le grignotage, il existe toute une panoplie de remèdes ! Voici des « trucs » pour que le grignotage ne vous mène pas tout droit à l'obésité.

Le grignotage est là pour compenser un ennui, une angoisse, la solitude. Qui ne s'est pas retrouvé devant la porte ouverte de son réfrigérateur en se demandant ce qui pourrait lui faire plaisir ? La plupart des femmes et des hommes passent par ce stade. Nous vous conseillons d'avoir toujours à portée de la main, non pas de bonnes tablettes de chocolat, ni des crèmes caramel toutes prêtes, mais plutôt des aliments qui calent rapidement et qui se croquent. Le fait de croquer libère un peu de notre agressivité.

Les crudités offrent une large gamme de solutions : vous pouvez vous préparer un plateau riche en couleurs (la notion de plaisir est excitée par la vue), composé de bouquets de chou-fleur crus, parsemés de radis bien roses croquants à souhait, séparés par des lamelles de carotte, riches en vitamine A et si bénéfiques pour la peau.

Si, après avoir picoré dans ce bain de vitamines, après avoir croqué à belles dents la cellulose (qui augmente votre bol alimentaire et provoque une impression de satiété), vous avez encore un creux à combler, buvez un grand verre d'eau afin d'accentuer l'effet de satiété procuré par la cellulose.

Dans un deuxième temps, vous pouvez vous attaquer au fromage blanc à 0 % de matières grasses qui, du fait de sa richesse en eau, cale vite. Sa teneur élevée en protéines va entraîner très rapidement un effet anorexigène. Les protéines ont le pouvoir de rassasier vite.

Le lait écrémé a le même pouvoir. Si votre grignotage est compensé par les produits laitiers, pensez à supprimer le fromage à l'un des repas, afin de ne pas trop augmenter votre ration énergétique.

Dans le même ordre d'idée (« être vite calé »), il y a la solution de l'œuf dur ; là aussi, pensez à limiter votre ration de viande au repas suivant.

Si vous êtes « atteint » de grignotage léger mais permanent, et si vous ne souffrez pas de problèmes gastriques, les cornichons vous seront d'un grand secours, ainsi que les petits oignons blancs. Un petit cornichon par-ci, un oignon par-là sont moins dangereux qu'un carré de chocolat à 10 heures, un biscuit à 10 h 30, un bonbon à 11 heures...

D'autres personnes présentent la manie des fruits entre les repas. Même les campagnes publicitaires de certains fruits (les pommes, pour ne pas les nommer) poussent les consommateurs à croquer une belle pomme entre les repas : « Croquez la vie, croquez la pomme. » Croquez la pomme, emmagasinez le sucre et fabriquez des kilos excédentaires. Si vous tenez vraiment à ce geste, croquez un petite pomme ou essayez les tomates pas trop mûres, qui se croquent avec délice sans apporter autre chose que beaucoup d'eau et des vitamines.

Dans le registre des aliments à croquer et pratiquement acaloriques, les champignons frais, ou encore les concombres, constituent de bons dérivatifs. Cette large panoplie tient compte des saisons et des légumes qu'elles nous offrent.

Il existe aussi le grignotage de l'apéritif, moment privilégié qui symbolise les rencontres. Là encore, on peut essayer de limiter les « dégâts ». Il faut éviter de prendre des cacahuètes, des pistaches, des noix de cajou, des biscuits salés... Préférez servir des « dips » (morceaux ou lamelles de carotte, de champignon, de céleri...) avec une sauce au fromage blanc à la ciboulette ou au yaourt moutardé. Pour en revenir à la convivialité, il n'est pas nécessaire de faire des repas riches, lourds et arrosés, pour trouver le plaisir de partager.

Surtout, évitez de sauter les repas, car cela favorise le grignotage.

Par manque de temps (excellent prétexte), nous ne prenons plus la peine de cuisiner de plats colorés, moelleux, délicieux, sans pour autant être hypercaloriques. Il existe de nombreuses recettes simples, faciles à faire même quand on est débutant (*500 recettes simplissimes*, aux Éditions De Vecchi).

• Les amateurs de charcuteries et plats onctueux peuvent très bien se préparer une galantine ou un pâté en croûte extraordinaires, suivi d'un blanc de poulet à la moutarde et au fenouil (*La Cuisine du poulet*, Éditions De Vecchi), repas qui se conclura par un ananas frais.

• Ceux pour qui un repas ne se terminant pas sans une douceur n'est pas un bon repas peuvent imaginer un menu du style suivant :

– terrine de légumes ;

– papillote de saumon à la vanille, fondue de courgettes (*La Cuisine des poissons d'eau douce*, Éditions De Vecchi) ;

– brie ;

– miroir au cassis (bavarois).

• Vous adorez la choucroute ? Pourquoi ne pas concevoir :

– frisée au roquefort ;

– choucroute (*800 recettes de cuisine française*, Éditions De Vecchi) ;

– salade d'oranges.

• Vous préférez le couscous ? (signalons au passage que ce plat est équilibré et complet : céréales + légumes + viande + matières grasses, au même titre que la potée ou le ragoût) :

– Tomates mozzarella ;

– couscous ;

– salade de fruits exotiques (*500 recettes simplissimes*, Éditions De Vecchi).

• Vous êtes du style raffiné (salades, mousses...), mais attention aux matières grasses cachées :

– tarama sur toast ;

– flan de crabe sur un lit de salade ;

– tarte au fromage blanc + coulis de fraises.

• Vous raffolez de viande ? Attention non seulement aux graisses cachées, mais aussi à l'assaisonnement qu'on vous propose et aux légumes qui accompagnent la viande :

– salade de chanterelles (*La Cuisine des champignons*, Éditions De Vecchi) ;

– côte de bœuf au gril ;

– frites (une seule assiette) ;

– salade de fruits frais (ananas + fraises + kiwis).

• Vous ne pouvez pas résister à des profiteroles au chocolat ? Qu'à cela ne tienne :

– gaspacho (*Encyclopédie de la cuisine végétarienne*, Éditions De Vecchi) ;

– daurade rôtie à la fleur de thym (*800 recettes de cuisine française*, Éditions De Vecchi) ;

– mousse de fenouil ;

– profiteroles au chocolat.

À vous d'imaginer d'autres exemples de menus équilibrés qui ne soient pas pour autant frustrants comme le stéréotype salade, poisson à l'eau, haricots verts, yaourt maigre. Les nombreux livres de cuisine vous aideront à varier vos menus. Le chapitre « Les bases d'une alimentation équilibrée » (p. 220) vous aidera peut-être dans ce sens. À vos tablettes (pas de chocolat, bien entendu) !

Régimes amaigrissants

La dictature de la minceur fait qu'un grand nombre de femmes (et d'hommes parfois) de poids normal suivent ou s'autoprescrivent des régimes restrictifs. Chaque année, au printemps, toutes sortes de méthodes amaigrissantes et de régimes nouveaux destinés à nous permettre de maigrir définitivement et sans effort fleurissent dans les médias. Médecins élaborant un régime miracle, méthodes appliquées par des starlettes, médications amaigrissantes... tous nous promettent une perte de poids rapide et sans effort.

La quête de la minceur et le foisonnement de régimes qu'il est possible de suivre seul, sans avis médical, ou prescrit par des « charlatans » ont amené l'Agence nationale de sécurité sanitaire de l'alimentation, de l'environnement et du travail (ANSES) à évaluer les risques liés aux pratiques alimentaires d'amaigrissement. Cette expertise a mis en évidence des effets néfastes sur la santé et notamment pour les os, le cœur et les reins, ainsi que des perturbations psychologiques, notamment des troubles du comportement alimentaire. Les privations et exclusions pratiquées, quel que soit le régime, sont souvent à l'origine du cercle vicieux d'une reprise de poids, parfois sévère, à plus ou moins long terme. L'accumulation de régimes entraîne une alternance de périodes de perte et de reprise pondérales (effet « Yo-Yo »), néfaste pour le métabolisme. 80 % des personnes qui ont suivi un régime amaigrissant reprennent du poids après un an.

Quel que soit le régime amaigrissant, dès les premiers jours, la perte de poids est amorcée, mais le maintien de cette perte dépend d'un suivi à long terme par des spécialistes pour apprendre à « bien manger ».

Étudions quelques régimes « miracles » à la mode. Ce ne sont que quelques exemples, car il en existe beaucoup.

Parions que d'autres régimes miracles seront inventés, le rêve étant très lucratif !

Le régime Atkins

Il comprend plusieurs phases. Les aliments riches en protéines et lipides sont consommés sans limitation (viande, poissons, œufs, fromages, tous les corps gras…) tandis que sont exclus tous les aliments contenant des glucides. Les semaines suivantes, des aliments contenant des glucides comme les fruits, les produits céréaliers et les laitages sont réintroduits en toutes petites quantités (5 à 10 g par jour) pour arriver au final à 45 à 100 g de glucides par jour (au lieu de 250 g environ dans un régime normal équilibré). Dès la première semaine, la perte de poids est de 2 à 4 kg puis, les semaines suivantes, l'amaigrissement se poursuit au ralenti. Il doit être suivi à vie.

Conséquences : quand les glucides sont absents de l'alimentation, comme l'organisme en a besoin pour fonctionner, il met en place un mécanisme d'adaptation où les protéines sont détournées de leur fonction de structure des tissus pour servir à la production d'énergie. Ce régime fait perdre de la graisse mais aussi des muscles. De plus, sa pauvreté en fruits et légumes entraîne une carence en vitamines (C), minéraux (fer, magnésium) et fibres ayant pour conséquence une fatigue physique et psychique ainsi qu'une constipation. Et surtout, en raison de sa richesse en graisses, ce régime augmente le cholestérol sanguin, favorisant l'athérosclérose. Il a été surnommé « passeport pour l'infarctus ».

Ce régime est au bout d'un certain temps abandonné car monotone, fatigant, excluant la personne qui le suit des repas en société.

Le régime de la Chrono-nutrition

Il a pour principe « d'associer la consommation d'aliments à l'horloge biologique du corps ». Le petit déjeuner doit être riche en lipides mais sans contenir de sucre, le déjeuner doit être riche en protéines, le goûter doit comporter des fruits et du chocolat noir et le dîner doit être « léger ». Il ne faut surtout pas intervertir l'ordre des repas, ne pas augmenter la part de produits d'origine végétale dans les plats.

Ce régime est déficitaire en vitamines D et E, il apporte un excès de lipides qui entraîne une augmentation du cholestérol. Si, dans certains cas, ce régime fait perdre du poids, il faut qu'il soit suivi à vie pour ne pas en reprendre. Une certaine lassitude peut apparaître car, si on peut manger de presque tout, on ne peut pas le faire à n'importe quel moment.

Le régime « citron détox »

Ce n'est pas au sens propre un régime : il s'apparente plus à un jeûne. Il est constitué d'une boisson composé de jus de citron et de sirop d'érable et de palme. Il doit être suivi entre 7 et 10 jours. La perte de poids est certaine, car ce régime est très hypocalorique (600 kcal par jour), mais dès la reprise de l'alimentation initiale, les kilos reviennent au galop.

Le régime dissocié

Dans ce régime, on peut manger de tout mais pas au cours d'un même repas, c'est-à-dire que, dans un même repas, on ne mangera que des pâtes, à l'autre que du fromage, mais jamais des pâtes au fromage ; ou, pendant une journée, on ne mange que des pâtes et le lendemain que du fromage.

La perte du poids est certaine à court terme car ne manger qu'un seul aliment à un repas diminue l'appétit. À la longue, ce régime engendre une fatigue physique. Il est vite abandonné car il impose un mode alimentaire différent du mode traditionnel et exclut la personne qui le suit de tout repas familiaux ou entre amis.

Le régime du docteur Dukan

Il comprend plusieurs phases : la « phase d'attaque » (régime de protéines « pures » : viande, poisson, œuf, fromage blanc à 0 %... à manger à volonté), d'une durée de 5 jours ; puis une « phase de croisière » qui consiste en une alternance de jours d'alimentation exclusivement protéique et de jours d'alimentation protéique associée à des légumes ; et enfin la « phase de consolidation » du poids obtenu, qui comprend les aliments protéinés consommés pendant la phase d'attaque, auxquels s'ajoutent par jour une portion de fruit, 2 tranches de pain complet, 40 g de fromage, 2 cuillerées à soupe de son d'avoine. Par semaine, il est possible de consommer 2 portions de féculent, du gigot d'agneau, du rôti de porc et 2 repas de gala tout en gardant un jour d'alimentation protéique.

C'est le régime le plus en vogue. Qui ne connaît pas quelqu'un dans son entourage qui fait le régime du docteur Dukan ? De plus, il est présent dans tous les médias. À court terme, on est enthousiaste, on perd du poids. Mais à long terme ? Les conséquences sur l'organisme sont une perte de masse grasse mais aussi de muscles, comme pour le régime Atkins, une carence en vitamine C ayant pour conséquence une fatigue physique et psychique. Le manque de fibres est pallié par la prise de trois cuillerées à soupe de son d'avoine par jour, miam !

Ce régime doit être fait à vie. Au bout d'un certain temps, les habitudes alimentaires bonnes ou mauvaises reviennent, ainsi que le poids. Les cabinets des nutritionnistes (médecins ou diététiciens) sont remplis de personnes qui ont fait le régime Dukan.

Le régime Hollywood

Il s'agit d'un régime riche en fruits, avec une préférence pour l'ananas, la papaye et la pastèque. On ne consomme que ces fruits pendant une semaine, à volonté mais en respectant un délai de deux heures après la consommation de chaque fruit. Après cette cure intensive, il faut réintroduire progressivement, une ou deux fois par semaine, un peu de pain, des féculents et de la viande, puis un ou deux repas complets par semaine.

La perte de poids est spectaculaire la première semaine, mais les carences en protéines, vitamines, minéraux ont des effets néfastes sur l'organisme (fatigue, anémie). Comme beaucoup de régimes, l'absence de glucides entraîne un détournement des protéines de la masse maigre pour fournir de l'énergie. Les kilos perdus sont des kilos de muscles. De plus, l'excès de fibres alimentaires des fruits peut entraîner une irritation des intestins. Ce régime monotone peut provoquer à la longue des troubles du comportement alimentaire, des fringales, des compulsions...

Les régimes hyperprotéinés

Ils sont à base de sachets protéinés ou d'aliments exclusivement protidiques. Les sachets protéinés sont des poudres contenant un mélange de protéines, de vitamines et de minéraux à dissoudre dans de l'eau ou du lait écrémé. Plusieurs variétés existent : salées ou sucrées, du potage au dessert. Une autre variante consiste à ne manger que des aliments protéiques, tels des viandes maigres grillées, du poisson cuit sans matière grasse, des laitages à 0 % de matière grasse.

Les glucides et les lipides constituent les carburants cellulaires. Or lors d'un amaigrissement, si on les diminue, l'organisme met en place un mécanisme d'adaptation qui détourne les protéines de leur fonction de structure des tissus pour les employer à la production d'énergie, d'où une perte de masse maigre. Le but des régimes hyperprotéinés est de contrecarrer ce phénomène en apportant davantage de protéines.

Cette diète protéique stricte est parfois prescrite pour amorcer une perte de poids sous contrôle médical. Elle nécessite un bilan de santé dont un bilan hépatique et rénal. Elle ne doit pas excéder quelques jours.

La perte de poids est rapide au début puis ralentit et, comme tout régime quand l'alimentation redevient normale, les kilos reviennent au galop. Remplacer un repas par une poudre à délayer ou avoir devant soi une assiette ne comportant que du poisson blanc et du fromage blanc à 0 % de matière grasse est très vite lassant. Les fringales de sucre et de gras ne sont pas loin !

Le régime Mayo

Ce régime n'a aucun rapport avec la clinique Mayo située aux États-Unis. C'est un régime très directif d'une durée de deux semaines. Les matières grasses, les sucres, les féculents, les légumes secs et les produits laitiers sont interdits. Pendant ce régime, on peut consommer les fruits mais en faible quantité (de préférence le pamplemousse). Il est aussi appelé « régime œuf dur » car il faut manger 2 œufs durs à chaque repas, soit 6 œufs durs par jour. Les trois repas de la journée sont très codifiés, ce régime n'apportant que 800 à 1 000 kcal par jour.

La perte de kilos est rapide sur les deux semaines, mais rien n'est prévu pour l'après-régime et les kilos perdus reviennent au galop dès que les habitudes alimentaires d'avant le régime sont reprises.

Comme tous les régimes faibles en glucides et élevés en protéines, il peut entraîner des carences alimentaires en vitamines, minéraux (calcium, fer, magnésium) et fibres.

Le régime Montignac

Ce régime consiste à ne jamais mélanger les « mauvais » glucides (exemple : sucre et aliments en contenant : pain, pomme de terre, riz, pâtes raffinées) avec les lipides (exemple : viande, fromage, corps gras...) au cours d'un même repas : pas de beurre avec les pâtes, pas de pain avec le fromage... Il faut également éviter les aliments glucido-lipidiques (exemple : chocolat, avocat, pâtisserie, fruits oléagineux). On peut manger des céréales complètes et des aliments riches en lipides et protéines du moment qu'ils ne contiennent pas de glucides.

À court terme, on perd du poids, mais dès l'arrêt du régime, les kilos reviennent rapidement. Si ce régime est fait pendant quelques semaines, il n'est pas dangereux pour la santé, mais à long terme, sa richesse en graisse risque de retentir sur les artères. Dans tous les régimes pauvres en glucides, on perd surtout de la masse maigre (muscles, organes), ce qui entraîne de la fatigue.

Le régime de la soupe au chou

Il consiste à boire un bol de soupe au chou à chaque repas pendant 7 jours. À cela s'ajoute des fruits (jour 1), des légumes (jour 2), des fruits (jour 3), des bananes et du lait écrémé (jour 4), du bœuf et des tomates (jour 5), du veau ou du bœuf et des légumes (jour 6), du riz complet, du pur jus de fruits et des légumes (jour 7).

Les kilos perdus ne sont pas dus à une perte de graisse mais à une fonte musculaire. Ce régime très hypocalorique est carencé en vitamines et minéraux. En plus, la monotonie des repas va entraîner des pulsions alimentaires qui vont se traduire par la consommation d'aliments gras et sucrés. Dès la fin du régime de la soupe au chou, les kilos reviennent.

Le régime Weight Watcher's

Ce régime permet de perdre du poids tout en respectant l'équilibre alimentaire et en consommant des aliments de tous les groupes alimentaires. Il fonctionne avec un nombre déterminé de points en fonction de la personne. Chaque aliment est évalué en unités « ProPoints ».

La perte de poids est réelle, la phase d'amaigrissement étant suivie d'une phase de stabilisation, indispensable pour conserver les acquis. Cependant, cette méthode impose des réunions de groupe, la prise en charge n'est pas individuelle. Il faut en permanence comptabiliser les points dans la journée, ce qui à la longue peut être pesant.

Conclusion

Pour la majorité des régimes, l'amaigrissement ne se fait pas uniquement aux dépens des réserves de masse adipeuse mais aussi par une perte de masse musculaire, qui est responsable d'une grande fatigue. Les apports énergétiques permettant le maintien du poids après un régime amaigrissant sont inférieurs à ceux qui permettaient le maintien d'un poids stable avant le régime amaigrissant, ce qui favorise la reprise de poids, sous forme de masse grasse.

Rappelons qu'une perte de poids peut avoir des conséquences sur la santé (perte de la masse osseuse avec risque de fracture, risques cardio-vasculaires, rénaux, hépatiques), sur le comportement (restriction cognitive, perturbation du comportement alimentaire) ainsi que des conséquences psychologiques (perte de l'estime de soi due aux échecs à répétition des régimes).

Si vous voulez maigrir rapidement et si regrossir par la suite n'est pas un problème, si votre principale préoccupation est de pouvoir rentrer dans votre robe de mariée, de porter juste pendant l'été sur la plage le petit bikini que vous avez acheté, faites le dernier régime à la mode lu dans un magazine. Sachez qu'après votre mariage, passé l'été, vous regrossirez tout aussi vite.

Mais si vous voulez maigrir durablement, suivez les quelques conseils ci-après :

• Un régime bien mené est un régime où on maigrit lentement : 1 à 3 kg par mois maximum.

• Attention à la restriction cognitive (cf. www.gros.org). Elle se définit comme une intention de contrôler ses apports alimentaires et de supprimer les aliments considérés comme mauvais (pain, féculents, fromage, les aliments « plaisirs »). Cette période de contrôle alterne avec une période de perte de contrôle et des débordements alimentaires : on craque, on se précipite sur le ou les aliments « interdits ». Il est important de retrouver ses sensations alimentaires, de manger quand on a faim, de s'arrêter de manger quand on est rassasié. Oubliez le diktat « Finis ton assiette ! » ; rien ne vous oblige à finir votre assiette si vous n'avez plus faim.

• Mangez lentement, en dégustant chaque bouchée, et arrêtez quand vous n'avez plus faim.

• Cuisinez ! Manger tous les jours la même nourriture insipide peut vous dégoûter de votre régime. Vous pouvez ainsi découvrir de nouvelles saveurs.

• Ayez une activité physique. L'exercice physique n'est pas une méthode miracle pour faire fondre les kilos. Pour perdre 1 kg de graisse, il faut dépenser 8 000 kcal, soit 80 heures de marche, 25 heures de vélo, 12 heures de jogging. L'avantage de l'activité physique alliée à un régime est de limiter la perte de masse maigre (les muscles). La perte de poids se fait essentiellement sur la masse grasse. Un autre avantage à long terme : celui de ne pas reprendre du poids. Plusieurs études ont montré que le fait de combiner activité physique et régime permettait de préserver la perte de poids bien après la fin du régime.

Mais on ne rappellera jamais assez qu'une perte de poids nécessite un accompagnement par un professionnel, diététicien-nutritionniste. Un régime doit être personnalisé suivant vos goûts et votre mode de vie. Il faut apprendre à mieux manger et à retrouver ses sensations alimentaires.

Modes alimentaires et « philosophie »

Végétarisme, végétalisme, crudivorisme, macrobiotique..., certaines modes alimentaires font référence à des principes médicaux, idéologiques ou philosophiques.

L'homme est omnivore et consomme normalement des produits d'origine végétale et animale. Dans beaucoup de ces régimes, l'alimentation exclut toute chair animale, soit pour des raisons éthiques (non-violence contre les animaux, refus des techniques modernes d'élevage...), soit pour des motifs spirituels et religieux (purification du corps, élévation de l'esprit), soit en raison d'arguments médicaux (les viandes seraient riches en déchets toxiques, prévention des maladies cardio-vasculaires, des cancers). Les crises touchant les animaux à la fin du XXe siècle ont été aussi des arguments pour ne plus consommer de chair animale (crise de la vache folle, grippe aviaire...).

Le végétarisme

Le végétarien consomme des aliments sans produits chimiques, issus de l'agriculture biologique. Dans son régime, certains aliments sont privilégiés : les légumes secs, les graines germés, les aliments à base de soja (tofu, miso...), les algues.

Différents végétarismes existent :

• Le lacto-ovo-végétarisme exclut viande et poisson ; les œufs et les laitages sont autorisés. C'est le régime végétarien le plus équilibré : il apporte des protéines animales et végétales, tandis que la consommation de céréales, de légumineuses, de légumes et de fruits diminue l'apport en graisses saturées et augmente celui en glucides complexes et en fibres alimentaires.

• Le lacto-végétarisme exclut viandes, poissons et œufs mais autorise la consommation de laitages. Il peut être équilibré à condition de bien associer céréales et légumineuses, de consommer des produits à base de soja pour avoir tous les acides aminés indispensables (cf. chapitre « Les nutriments », p. 10).

• L'ovo-végétarisme exclut viandes, poissons et laitages mais autorise la consommation d'œufs. Attention au déficit en calcium !

• Le pesco-végétarisme exclut viandes, laitages et œufs, mais autorise la consommation de poissons. Attention au déficit en calcium !

Exemple de répartition d'un régime végétarien ovo-lacté

Petit déjeuner	Lait ou produit laitier / Céréales complètes / Fruit frais
Déjeuner	Œufs Céréales + légumes secs / Produit laitier / Fruit frais / Pain complet
Dîner	Plat à base de soja / Légumes + céréales / Produit laitier Fruit frais / Pain complet

L'*Encyclopédie de la cuisine végétarienne* (Éditions De Vecchi) propose de nombreuses recettes à base de céréales, légumes secs, graines oléagineuses, graines de soja et produits à base de soja qui sont des plats complets et bons.

Le végétalisme

Il exclut tous les produits d'origine animale, viandes, poissons, œufs, lait et produits laitiers, et tous les produits issus des animaux (beurre, crème). Il n'autorise que les aliments d'origine végétale.

C'est un régime dangereux pour l'équilibre nutritionnel, en particulier chez l'enfant, la femme enceinte et la personne âgée.

Zen macrobiotique

Élaborée par le médecin japonais Georges Oshawa en 1929, la macrobiotique est à la fois médecine et philosophie, art de vivre et de se nourrir.

La macrobiotique propose une alimentation (et un mode de vie) qui s'appuie sur le principe de l'équilibre « Yin-Yang ». Les caractères femelles – végétal, froid, sucré, épicé, aigre – sont Yin, tandis que les caractères mâles – animal, chaud, salé, acide, amer – sont Yang. L'alimentation doit équilibrer les principes du Yin et du Yang, tant en ce qui concerne leur nature qu'en ce qui concerne leur couleur ou leur saveur.

Il y a 7 niveaux dans le régime macrobiotique, l'adepte débutant commençant par une alimentation souple, comportant du poisson, mais au fur et à mesure, le choix alimentaire se restreint pour finir par ne comporter, au dernier niveau, que des céréales.

Il est aussi important de bien mastiquer les aliments pour une meilleure utilisation. Selon Oshawa : « Les aliments vraiment bons et indispensables s'améliorent par la mastication. »

Le crudivorisme

Le crudivorisme consiste à ne consommer que les aliments crus. De plus, ce régime est habituellement végétalien, ne comprenant aucun aliment du règne animal.

Les aliments crus ne doivent avoir subi aucune transformation, exception faite de la germination et de la fermentation. La cuisson à une température supérieure à 40 °C est interdite.

Conseils et contre-indications

Le régime lacto-ovo-végétarien peut être équilibré. La consommation de céréales, de légumineuses, de légumes et de fruits diminue l'apport en lipides saturés et augmente l'apport en glucides complexes et en fibres. Attention au risque de manque en fer (apporté par les viandes) surtout chez la femme en âge de procréer et la femme enceinte.

Les régimes végétalien, macrobiotique et crudivoriste, qui excluent tout produit d'origine animale, sont dangereux pour l'équilibre nutritionnel, en particulier chez l'enfant, la femme enceinte et la personne âgée : manque de protéines, de calcium, de fer, d'iode, de zinc et de vitamine B12, ces nutriments étant essentiellement apportés par les produits animaux et d'origine animale.

Le jeûne

Nous avons évoqué le végétarisme et le végétalisme au travers du zen macrobiotique ; le jeûne fait aussi partie de ces « modes alimentaires ».

Certaines médecines préconisent des jeûnes partiels ou totaux comme moyens thérapeutiques. Par ailleurs, dans toutes les religions, un jeûne d'une journée, au moins, est proposé, quelles qu'en soient les motivations spirituelles ou physiologiques. Nous pourrions alors être à même de penser que jeûner n'est pas dangereux. Il est cependant bon de rappeler quels sont les divers jeûnes et leurs incidences.

D'un jeûne total résultent des modifications voire des bouleversements métaboliques. Il peut y avoir une fonte musculaire de 150 g/jour, puis une régulation hormono-métabolique : l'organisme commence à brûler peu à peu ses réserves graisseuses et présente un état de dénutrition. Le jeûne thérapeutique est une aberration.

Il existe trois types de jeûnes :

– le jeûne physiologique (jeûne nocturne) ;

– le jeûne court (15 à 16 jours) ;
– le jeûne long (type grève de la faim).

Dans un premier temps, l'organisme qui manque de glucose d'apport va puiser dans ses réserves musculaires : c'est la glycogénolyse. Si le jeûne se prolonge, l'organisme va devoir s'adapter au manque d'alimentation : au début (2 à 5 jours), le foie puise dans ses réserves de glucose, il continue sa néoglucogénèse hépatique (fabrication de glucogène à partir des acides aminés issus de la dégradation des protéines). Puis il va tenter d'orienter son métabolisme vers le système nerveux central.

Dans le jeûne long, il y a augmentation de la consommation des graisses (l'organisme tire son énergie du tissu adipeux) et diminution de la consommation des sucres. Selon que l'individu a une réserve de tissu graisseux plus ou moins importante, il aura la possibilité de jeûner plus ou moins longtemps, mais sans jamais cesser de boire.

En conclusion, le jeûne entraîne des perturbations métaboliques, une fonte des muscles, puis du tissu graisseux, et on aboutit toujours à une dénutrition.

Jeûner un jour, de temps en temps, sans cesser de boire, après une journée pantagruélique, ne gênera en rien votre métabolisme ! L'important est de compenser les pertes hydriques en buvant du bouillon ou des eaux minérales.

Il existe une autre sorte de jeûne : sauter un repas ou se passer de petit déjeuner. Sauter un repas est une situation très fréquente chez les personnes qui veulent maigrir. C'est une erreur grossière, car le jeûne court va favoriser la mise en place de la liposynthèse ou stockage des aliments qui seront consommés au cours du repas suivant, sous forme de graisses, au lieu de produire l'énergie dont l'organisme a besoin.

Il est préférable de manger plus légèrement : une viande maigre + un légume + un produit laitier écrémé + un fruit, plutôt que de sauter un repas. Le petit déjeuner, quant à lui, lorsqu'il est oublié, signifie la prolongation du jeûne nocturne, et l'hypoglycémie (coup de fatigue) de 10 ou 11 heures du matin est un des signes des bouleversements métaboliques qu'il entraîne.

L'acte alimentaire est transmissible : ce sont les adultes qui transmettent aux enfants la façon de s'alimenter, de cuisiner, c'est ainsi que des traditions culinaires peu saines (la raie au beurre noir...) se perpétuent, malgré les informations « santé » qui sont données...

Il est important de bien s'alimenter et d'avoir une vie équilibrée si on désire laisser de bonnes habitudes alimentaires aux générations futures.

Pour aller plus loin

ANSES : Agence nationale, de sécurité sanitaire de l'alimentation, de l'environnement et du travail : http://www.anse.fr/

GEMRCN : Groupe d'étude des marchés de restauration collective et de nutrition : http://agriculture.gouv.fr/ameliorer-l-offre-en-restauration

GROS : Groupe de réflexion sur l'obésité et le surpoids : http://www.gros.org/

PNNS : Programme National Nutrition Santé : http://www.mangerbouger.fr/pnns/

Table Ciqual (composition nutritionnelle des aliments) : http://www.anses.fr/TableCIQUAL/

« Ex-fan des régimes » de Laurence Haurat et Annabelle Demoutou (Éditions de La Martinière)

« Libérons l'assiette de nos enfants » de Laura Annaert et Laurence Haurat (Éditions de La Martinière)

Table des matières

L'ALIMENTATION, SOURCE D'ÉNERGIE ET DE NUTRIMENTS

TOUR D'HORIZON DES ALIMENTS

COMPRENDRE LE CONTENU DES ÉTIQUETTES

BIEN MANGER AU QUOTIDIEN

LES COMPORTEMENTS ALIMENTAIRES